AF497717

DENKWÜRDIGES

AUS MEINEM LEBEN

VON

J. C. BLUNTSCHLI.

II. BAND.

MÜNCHEN.

(1848—1861).

NÖRDLINGEN 1884.

VERLAG DER C. H. BECK'SCHEN BUCHHANDLUNG.

DENKWÜRDIGES

AUS MEINEM LEBEN

VON

J. C. BLUNTSCHLI.

AUF VERANLASSUNG DER FAMILIE DURCHGESEHEN UND VERÖFFENTLICHT

VON

DR. RUDOLF SEYERLEN.

ZWEITER TEIL.

DIE DEUTSCHE PERIODE.

ERSTE HÄLFTE.

MÜNCHEN 1848—1861.

NÖRDLINGEN 1884.

VERLAG DER C. H. BECK'SCHEN BUCHHANDLUNG.

DRUCK VON C. H. BECK IN NÖRDLINGEN.

Zweiter Teil.

Die Deutsche Periode.

Erste Hälfte.

München 1848 bis 1861.

1.

Mein Übergang nach Deutschland vorbereitet. Entschluss, in Deutschland eine neue Wirksamkeit zu suchen. Vorsatz, nach Berlin zu gehen. In München festgehalten. Friedrich Rohmer. Fürst Wallerstein. König Ludwig. Anstellung in München in Aussicht. Rückkehr über Stuttgart. Der König Wilhelm von Württemberg.

Das Schicksal der Schweiz war durch den Sonderbundskrieg von 1847 rasch entschieden worden. Die alte Schweiz hatte weniger Lebenskraft besessen, als ich ihr zugetraut hatte. Ohne diese innere Verkommenheit war der ruhmlose Fall des Sonderbundes nicht zu erklären, auch nicht durch die Kurzsichtigkeit und das Ungeschick des Siegwart'schen Regimentes. Die innere Schweiz war durch das Gewicht der äusseren Schweiz erdrückt worden. Der legale Radikalismus hatte vollständig und leicht gesiegt.

Für eine vermittelnde Partei, wie ich sie zu schaffen versucht hatte, war kein Raum mehr. Auch sie hatte sich während der Krisis zu schwach und zu zaghaft erwiesen. Unter den Liberal-Conservativen hatte es doch nur einige wenige Liberale gegeben — ich selbst als Liberaler stand oft vereinzelt —: die Masse der Partei war im Grunde ihres Herzens eher absolutistisch als conservativ gesinnt.

1*

Mir war es klar, die Zukunft gehörte zunächst dem Radikalismus, und nur das konnte die Frage sein: Wird sich der Radikalismus nach dem Vorbilde der französischen Revolution der Neunzigerjahre überstürzen und zu immer heftigeren und unsinnigeren Experimenten fortrasen? Oder wird er die Besonnenheit behalten und werden die liberalen Elemente in ihm die Dinge leiten können? Die Reform, wie ich sie geplant hatte, um der Revolution vorzubeugen und sie entbehrlich zu machen, war gänzlich gescheitert. Da nun die Revolution in der wohlgeordneten Gestalt einer siegreichen statlichen Heeresmacht dennoch eingetreten war, so konnte nur von dem neu eroberten Boden aus eine neue Organisation herausgearbeitet werden. Eine neue Bundesverfassung mit gesamtstatlichen Einrichtungen war nötig geworden. Ich hatte selber anonym in der Schrift „Stimme eines Schweizers" die Gründung eines schweizerischen Grossen Rates empfohlen. Ich war aber zugleich von der Überzeugung durchdrungen, dass jede Fortsetzung einer Opposition gegen den herrschenden Radikalismus thöricht und geradezu schädlich, eine freundliche Teilnahme aber ohne Entwürdigung nicht möglich wäre. Ich musste für längere Zeit auf eine politische Thätigkeit verzichten, wenn ich mir treu bleiben wollte.

Zu dieser unerfreulichen Erwägung gesellte sich die Besorgnis, dass die auswärtigen Mächte durch die Intervention in die schweizerischen Angelegenheiten alle vorhandenen Übel steigern und die einzige Aussicht auf künftige Heilung und Befriedigung der Schweiz verfinstern würden. Das Ausland würde die Bundesreform verhindern oder verderben, und nur eine gründliche Bundesreform konnte der Schweiz helfen.

Von dieser Grundansicht aus kam ich zu dem Entschluss, die Schweiz, wenigstens für einige Jahre, zu verlassen und in Deutschland mir einen neuen Wirkungskreis
zu suchen. Ich fühlte noch frische Kräfte in mir und empfand den Drang, dieselben anzuwenden. Die Professur
an der Zürcher Universität genügte mir, ohne die Verbindung mit einer politischen Wirksamkeit, keineswegs.

Die Wucht der Ereignisse hatte meine sonst starken
Nerven sehr herabgestimmt und meine Stimmung gedrückt.
Ich fühlte meinen Kopf müde und unfähig zu geistiger
Arbeit und hoffte mich auf einer Reise nach Deutschland
zu erholen.

In Erinnerung an meine Universitätsstudien dachte
ich zunächst an Preussen und wollte ich nach Berlin zu
Savigny gehen, um mich da nach einem neuen Wirkungskreis umzusehen. Eine dringende Einladung von Friedrich Rohmer, vorerst nach München zu kommen, das ja
auf dem Wege liege, lenkte mich ab von dem ursprüng-
lichen Vorsatz.

Persönliche Freundschaft und politische Motive hielten
mich dann in München fest. Trotz der verlorenen Schlacht
in der Schweiz war ich doch nach wie vor enthusiastisch
für das Princip der liberal-conservativen Politik eingenommen, d. h. für eine Allianz der Liberalen mit den Conservativen, um gemeinsam die Extreme der Radikalen und
der Absolutisten zu bändigen. Ich war zudem überzeugt,
dass die schweizerische Revolution ein Vorspiel sei der
deutschen, und dass das Jahr 1848 für Deutschland ebenso
entscheidend werde, wie 1847 für die Schweiz. Die Wahrnehmung, dass in Deutschland die Kräfte anders geartet
und gestellt seien, dass in Deutschland der Absolutismus

der Regierungen und der bureaukratischen oder der reactionären Parteien die grössere Gefahr sei, während in der Schweiz die gefährlichen Bewegungen meistens von unten kamen, schreckte mich nicht. Im Gegenteil, ich konnte eher in Deutschland meine liberale Natur offenbaren, als in der Schweiz, und das war mir, nach der langen Verkennung und Missdeutung, doch persönlich angenehm.

Noch unschlüssig, was weiter zu thun sei, kam ich am 24. December 1847 nach München.

Ich traf Friedrich Rohmer in einem erregten Zustande. Ich hörte, dass die stürmischen Ausbrüche seiner Leidenschaft auch für die nächsten, ihm ergebensten Personen, selbst für seine Frau und für seinen treuen Bruder Theodor kaum erträglich gewesen, dass Mathilde den Gedanken der Trennung erwogen hatte, und Theodor, um sich wieder zu erholen, genötigt war, nach Augsburg überzusiedeln. Er selbst sprach von „inneren Krisen schwerster Art“, die er durchzumachen gehabt habe. Dann kamen wieder hellere Momente und neue Fortschritte in seiner Wissenschaft. Er schrieb die heftigen Gemütsergüsse hauptsächlich dem damals herrschenden Zeitgeiste zu, der in eine besonders leidenschaftliche radikale Phase eingetreten sei. Das Gefühl einer gehässigen Missachtung und einer argen Verkennung seines Wesens und Strebens reizte ihn überdem zu wildem Zorn.

Aber er war nicht ohne Hoffnung. Der Sturz des ultramontanen Regimentes in Bayern war nicht ungünstig. Er erinnerte zu Weihnachten 1847, das ich mit ihm feierte, an Weihnachten 1841, als er zuerst mit mir in Verbindung getreten war. Nun wollte er die Allianz erneuern, jetzt in seinem Vaterlande und für Bayern und die deutsche Politik. Die Zeit der Vorbereitung sei nun zu Ende, die That solle beginnen. In grösseren Verhältnissen solle der schweizerische Erfolg von 1842 in Bayern 1848 bedeutender werden.

Theodor schrieb damals eine „Geschichte des liberal-conservativen Princips", in welcher er dasselbe begründete und die bisherige Entwickelung darstellte. Damals waren 10 Bogen bereits gedruckt. Das Buch kam nicht in den Buchhandel. Es wurde nur unter Freunde verteilt.

Wir beschlossen zu prüfen, ob für mich in München eine Stellung zu erringen sei. Da zeigte sich sofort eine persönliche Schwierigkeit. Mein Instinct riet mir, zunächst für mich zu sorgen und, wenn das glücke, dann auch meinem Freunde Rohmer zu einer Anerkennung behilflich zu sein. Gegen diesen Weg empörte sich aber das Selbstgefühl Friedrich Rohmer's. Er konnte und wollte die Zurücksetzung nicht länger ertragen und forderte von mir, dass ich sofort für ihn eintrete. Die moralische Berechtigung dieser Forderung erkannte ich an und entschloss mich, das grössere Wagnis zu versuchen und ebenso für ihn vorerst einzustehen, wie er es 1842 für mich gethan hatte.

Mit dem Fürsten Wallerstein, welcher infolge des neuesten Ministerwechsels Minister des Auswärtigen geworden war, hatte ich noch im December zwei ausführliche Unterredungen. Er teilte mir verschiedene Actenstücke mit und erfreute mich durch die Nachricht, dass er dem Antrage Österreichs, dass der deutsche Bund in der Schweiz intervenieren solle, ernste Bedenken entgegengesetzt habe. Die Begegnung war nicht bloss freundlich, sie war vertrauensvoll. Ich sagte ihm, dass ich gesonnen sei, die Schweiz zu verlassen, und er sprach die Hoffnung aus, dass ich für Bayern gewonnen werde.

Am 3. Januar 1848 wurde ich von König Ludwig empfangen. Da erfüllte ich mein Versprechen. Ich habe unmittelbar nachher das Wesentliche der Besprechung aufgeschrieben.

Der König begrüsste mich mit den Worten:

„Seit wir uns zum letzten Mal gesehen, hat sich Vieles verändert."

Ich: „Allerdings, Majestät, es ist auch Manches schlimmer geworden."

Der König: „Wie kommen Sie nach München?"

Ich: „Teils um mich zu erholen von den Eindrücken der letzten Ereignisse und um andere Luft zu athmen."

König: „Das begreife ich sehr wohl."

Ich: „Teils aus anderen persönlichen Gründen."

König: „Wie kommt es, dass sich die Sonderbundscantone so wenig gewehrt haben?"

Als ich antworten wollte, wurde der König abgerufen. Er entschuldigte sich wiederholt auf das freundlichste über die Unterbrechung des Gesprächs und lud mich ein, seine Rückkehr abzuwarten.

Nach einigen Minuten kam der König zurück.

„Es ist mir leid, sehr leid, dass Sie haben warten müssen."

Dann wiederholte er die frühere Frage.

Ich: „Abgesehen von der sehr grossen Übermacht des Tagsatzungsheeres wirkten zusammen die schlechte Führung Luzerns und Mangel an Vertrauen bei einem Teil der Bevölkerung in die extreme Politik Luzerns. Überdem sind die Urcantone schwächer geworden. Sie hatten den Mut nicht mehr, den sie vor 50 Jahren wider die Franzosen bewährt hatten. Ihre Heldenzeit ist vorüber. Sie sind friedliche Geschäftsleute geworden."

König: „Also nicht mehr wie an der Schindellegi? Das war doch schön."

Ich: „Sodann die Täuschung über die Hilfe der Grossmächte, die erwartet wurde und ausblieb."

König: „Nicht wahr, die Grossmächte haben sich schwach benommen. Sie hätten viel Böses verhindern können, und sie haben es nicht gethan."

Ich: „Die Grossmächte haben sich allerdings sehr klein benommen. Sie hätten vor Jahren die Schweiz vor dem Überfluten des Radikalismus bewahren können und haben es nicht gethan. Sie hätten die Schweiz retten können, ohne Gewalt, durch blosse geistige Unterstützung derer, welche den geistigen Kampf führten. Sie hätten nachher durch ihren Einfluss das Eindringen der Jesuiten nach Luzern verhindern und die Jesuiten von Luzern fernhalten können. Sie hätten so den Krieg verhindert. Sie haben beides versäumt. Eure Majestät kennen doch die Ereignisse von 1842?"

König: „O ja, ich bin von allem Detail durch Verger genau unterrichtet."

Ich: „Dann wissen Eure Majestät, dass es damals ein Bayer war, der den Radikalismus geistig und principiell vollständig geschlagen hat, so vollständig, dass der intellectuelle Chef der Radikalen, der Publicist Snell, am Boden lag und die Fortsetzung des Kampfes aufgab."

König erstaunt: „Nein, davon weiss ich nichts."

Ich: „Wie? Auch Herr v. Abel, der davon unterrichtet war, der wohl wusste, dass Rohmer das gethan hat, und dass derselbe, der mit Vertretern von Grossmächten oft verhandelt hat, ihm seinen Wunsch ausgesprochen hatte, an Eure Majestät sich wenden zu dürfen, auch Herr v. Abel hat Eurer Majestät nichts mitgeteilt?“

König: „Nein, nichts.“

Ich: „Und doch kam es nur darauf an, diesen geistigen Sieg durch Beachtung und Anerkennung zu unterstützen. Wäre das geschehen, so wären die Extreme nicht wieder so mächtig geworden.“

König: „Ja wohl, in den Extremen liegt das Übel. Auch ich habe von denselben zu leiden gehabt und bin verkannt worden; auch mich hassen die Jesuiten.“

„Ich: „Wenn es mir erlaubt ist, meine Stellung in der Schweiz zu vergleichen, so ist es mir unter anderen Verhältnissen ähnlich ergangen, wie Eurer Majestät. Die entgegengesetzten Extreme, Radikale und Ultramontane, haben mich leidenschaftlich gehasst und verfolgt.“

König: „Sie haben Recht. Sie wissen, dass ich erlaubt habe, dass in Bayern für die schweizerischen Katholiken Geld gesammelt werde. Der Erzbischof hat mich um die Erlaubnis gebeten. Ich habe ihm geschrieben, ich wisse recht gut, dass ich in der Luzerner Statszeitung von seiner Partei schmählich behandelt worden. Trotzdem erlaubte ich die Collecte. Aber ich wollte den Herren doch deutlich sagen, dass ich von ihrem Treiben Kenntnis hatte.“

Ich: „Das war sehr schön.“

König: „Und die Mönche auf dem St. Bernhard? Das ist schändlich.“

Ich: „Ich weiss nichts Näheres davon, nur was die Zeitungen melden."

König: „Hätte man die Jesuiten von Luzern abberufen, so war die Gefahr des Bürgerkrieges vorbei."

Ich: „Allerdings. Ich selbst habe noch durch einen Freund einen Versuch bei Pius IX. gemacht und dem Papste in einem Memoire die Sachlage dargestellt. Ich habe darin die Abberufung der Jesuiten als das einzige Mittel empfohlen, dem Kriege vorzubeugen. Hätten Österreich oder Frankreich das unterstützt, so wäre es gelungen."

König: „Wie konnten Sie als Protestant sich an den Papst wenden?"

Ich: „Aus Not, um mein Vaterland zu retten. Es wäre auch ohne die Mächte gegangen, wenn nur eine Anzahl angesehener schweizerischer Katholiken sich getraut hätte, das Memoire mit zu unterzeichnen. Der Papst war in der That geneigt, die Massregel zu ergreifen."

König: „Warum haben diese Katholiken es nicht gethan?"

Ich: „Aus Furcht vor dem Geschrei der Ultramontanen und vor Verkennung zu Hause. In der Sache selber waren sie einverstanden mit meinem Gedanken."

König: „Ich kenne das. Wer waren die Katholiken, an die sie sich gewendet hatten?"

Ich: „Der Abt von Einsiedeln war dabei, ein sehr vernünftiger Mann; aber er wagte den Schritt nicht aus Furcht vor seiner Umgebung."

König: „Es ist mir lieb, das zu hören. Also der Abt von Einsiedeln. Die rechten Benedictiner sind tüchtige Leute. Sie halten an dem Positiven und sind doch Gegner der Jesuiten, allerdings nur die, welche sich des Gegensatzes bewusst sind.

Ich: „Dieser Gegensatz besteht und er wird wieder klar werden."

König: „Das glaube ich auch, das wird kommen."

Der König fing an, vertraulich im Zimmer hin und und her zu gehen. Er war sehr lebendig. Ich fühlte mich aber sehr wohl in seiner Nähe. Zuweilen schossen Blicke aus den zugedrückten Augen hervor, wie Blitze aus den Wolken. Meine Stimme hatte den vollsten Ton und hallte kräftig wieder in dem gewölbten Zimmer. Noch einmal wollte ich auf Friedrich Rohmer zu reden kommen, obwohl ich fühlte, dass der König, da er getäuscht worden, sich hier in einer schwierigen Lage befand. Ich erinnerte wieder an die Vorgänge von 1842.

König: „Also ein Deutscher hat damals in der Schweiz gewirkt?"

Ich: „Ja, ein Bayer. Eure Majestät wissen, dass wirkliche Statsmänner seltene Vögel sind. Ein solcher seltener Vogel vom Kopf bis zum Fuss ist dieser Mann."

König: „Wie heisst er?"

Ich: „Friedrich Rohmer."

König: „Und woher ist er?"

Ich: „Von Weissenburg."

König: „Wie kam er in die Schweiz? Hatte er sich vorher in Umtriebe verwickelt?"

Ich: „O nein. Er kam nach der Schweiz, um sich zu erholen. Er ist ein ganz aussergewöhnlicher Mensch. Die geistigen Anstrengungen hatten ihn krank gemacht."

König: „Weshalb hat er sich denn in die Schweizer Parteikämpfe gemischt?"

Ich: „Er sah das Verderben, das deutsche Radikale in der Schweiz angerichtet hatten, und sah zugleich ein,

dass der Sieg des Radikalismus in der Schweiz auch für
Deutschland schwere Folgen nach sich ziehen werde. Deshalb ist er in den Kampf eingetreten und hat ihn 1842
siegreich durchgeführt."

König: „Das freut mich sehr zu vernehmen."

Ich: „Leider hat man das Alles nicht anerkannt. Nun ist
es schlimmer. Ohne eine neue Organisation sowohl des Bundes als der Cantone kommt die Schweiz nicht mehr zur Ruhe."

König: „Sie kennen meine Note darüber. Wir werden einer neuen Organisation durchaus nicht hinderlich in
den Weg treten. Wir anerkennen das Bedürfnis."

Ich: „Allerdings. Nicht bloss der Bund, auch die
Cantone bedürfen dessen. Es war ebenso zur Zeit der
Napoleonischen Vermittlung. Napoleon hat die deutsche
Nation und hervorragende deutsche Individuen auf un-
würdige Weise „maltraitiert" (der König nickte bei-
fällig), aber als Schweizer muss ich beifügen, er hat die
Schweiz aus der Revolution gerettet und sich grosse Ver-
dienste um die Schweiz erworben. Er hat ein Verständ-
nis gehabt für das Gebirgsland und demselben wirkliches
Wohlwollen zugewendet."

Der König, dessen Hass gegen Napoleon bekannt ist,
erwiderte nach einigem Besinnen: „Sie haben Recht, das
ist wahr. Man muss auch gegenüber Napoleon die Wahrheit gelten lassen."

Bald darauf ging das Gespräch zu Ende. Der König
entliess mich, indem er sich mit den freundlichsten Ver-
beugungen zurückzog und nachrief: „Es hat mich sehr gefreut, sehr gefreut."

Als ich in das Vorzimmer trat, — es war eine Viertelstunde vor vier Uhr, der Essenszeit des Königs, — fand

ich eine Reihe hoher uniformierter Beamter im Halbkreis, die alle noch auf eine Audienz warteten und sich vor dem schwarzen Gaste verbeugten. Ich war sehr aufgeregt und zufrieden. Das persönliche Verhalten des Königs machte mir den lebhaften Eindruck, dass in seiner Natur auch eine liberale Saite zu finden sei, und dass diese Saite angeklungen habe.

Fürst Wallerstein, dem ich von der Unterredung Kenntnis gab, war „grenzenlos erstaunt" darüber, dass der König nichts von Rohmer gewusst habe. Er fragte mich aber, wie es sich erkläre, dass Rohmer „im Verkehr mit dem Fürsten Metternich und mit Graf Senfft" gewesen und doch die „Meinungsäusserung" geschrieben habe, welche den Ultramontanismus so gewaltig angreife. Ich gab ihm die Versicherung, dass in den Beziehungen zu Metternich und Senfft Rohmer immer seinen unabhängigen Charakter und seine Freiheit bewahrt habe. Er versprach mir, morgen auf der Jagd mit dem König zu sprechen. Ich teilte ihm die ersten Druckbogen der Geschichte des liberal-conservativen Princips mit.

Die Hoffnung, dass dieses Princip nun in Bayern von dem Könige erkannt und aufgenommen werde, und dass München berufen sei, mit grösseren Mitteln und mit dauerndem Erfolge dasselbe fruchtbar zu machen, beleuchtete den engen Kreis der Freunde mit rosigem Schimmer. Der Minister hatte erklärt: „Ich lebe und sterbe mit diesem Princip." Ich hatte den Eindruck, dass dasselbe auch dem König verständlich und sympathisch sei.

Ein zufälliges Wort von Thiersch klang mir wie ein günstiges Omen. Er hatte mir bemerkt: „Man beklagte sich oft über die Bureaukratie. Jetzt aber haben

wir die Verbokratie d. h. die Wallerstein'sche Phrasen-
herrschaft. Man sollte richtiger sagen Logokratie". Das
letztere Wort war von Thiersch nur aus sprachlichen
Gründen der Verbokratie vorgezogen worden. Ich accep-
tierte das als gutes Omen in dem freilich ganz andern
Sinn, dass mit dem Durchdringen von Friedrich Rohmer's
liberal-conservativem Princip der Geist der Sprache, der
Logos, die Vernunft, das Wort im wahren und vollen Sinn
in der Politik zur Herrschaft kommen soll. —

An dem Dreikönigstage, meinem Namenstage, hatte
ich die entscheidende Besprechung mit dem Minister. Er
hatte mit dem König auf der Jagd über Friedrich Rohmer
und mich gesprochen. Der König war geneigt, Rohmer in
den Statsdienst zu berufen. Ich erklärte mich gegen jede
bureaukratische Anstellung, zu welcher jener nicht tauge
und die nicht zu seiner eigenartigen Natur passe. Es
komme nicht darauf an, ihm ein Statsamt zu übertragen,
sondern ihn geistig zu verwenden, seine Ideen und seinen
Rat in geeigneten Fällen einzuholen. Eine freie Stellung
sei dafür förderlich, mit persönlicher Anerkennung verbunden. Der Fürst war mit dieser Behandlung einverstanden, welche auch den Anstoss der Anstellungsmethode
vermied und allen Teilen freie Hand sicherte.

Mir schlug er vor: „Ihre Wirksamkeit für die Schweiz
muss für die Zukunft gewahrt bleiben. Daher ist die Form
schwierig. Eine geheime Beziehung erregt Verdacht. Statsdienst und Indigenat in Bayern werden in der Schweiz als
Auswanderung angesehen."

Ich brachte die Berufung als Professor nach München in Vorschlag. Das werde in der Schweiz gut begriffen und stehe einer weiteren Verwendung auch für die

Gesetzgebung nicht im Wege. Der Fürst erklärte sich mit diesem Vorschlag einverstanden, der alle Bedenken hebe und resumierte am Schluss folgende drei Punkte des wechselseitigen Einverständnisses:

1) Unterstützung der liberal-conservativen Partei und ihres Princips mit Bezug auf die Schweiz,

2) im Einverständnis damit meine Berufung an die Universität München,

3) Friedrich Rohmer unterhandelt mit Fürst Wallerstein über das Nähere.

Ich betrachtete die Hauptsache als entschieden und kehrte über Stuttgart nach Zürich zurück. Das Detail schien mir verhältnismässig unwichtig. Ich vertraute den beiden Männern, welche die einzelnen Bestimmungen meiner Berufung feststellen sollten, und der Gunst des Königs. Eine peinliche Erfahrung überzeugte mich später, dass dieses persönliche Vertrauen nicht erfüllt wurde. Der jugendliche Idealismus meiner Natur täuschte mich über die wirklichen Verhältnisse und die persönlichen Schwierigkeiten. Ich bedachte nicht, dass zwischen unbestimmten Zusagen des redegewandten Ministers und einem vertragsmässigen Versprechen oder einem rechtskräftigen Dekret noch eine weite Kluft und unzählbare Hindernisse in der Mitte liegen. Ich hatte ebenfalls ein zu grosses Vertrauen in die Fähigkeit von Friedrich Rohmer, mit dem Minister über Geschäfte zu verhandeln und dieselben zum Abschluss zu bringen. Ich hatte ihm den Weg geöffnet, aber bedachte nicht, wie wenig geneigt und wie wenig dazu geartet er sei, diese Wege zu gehen. Viel lieber suchte er neue eigene Pfade in der Wildnis. Dem König aber lag die Sache noch fern. Er musste allmälich näher unterrichtet und konnte nur durch die That überzeugt werden.

In Stuttgart sprach ich den Grafen v. Beroldingen, den württembergischen Minister des Äussern. Derselbe schien empfindlich über die bayerische Note, welche den Schuss der württembergischen Politik gegen die Schweiz aufgehalten hatte, und ebenso über der neuesten Censurverordnung Bayerns, die auch Württemberg zu einer Lockerung des Pressregiments nötigte. Als unbeteiligter Dritter empfahl ich gemeinsames Handeln und eine Allianz mit Bayern. Dadurch bekomme Süddeutschland eine grössere Bedeutung, und man könne gemeinsam weit sicherer das Richtige thun. Er gestand mir zu, dass Bayern weniger als Württemberg von dem Radikalismus zu befürchten habe. Als er die Meinung äusserte, das Ministerium Wallerstein werde schwerlich lange dauern, erwiderte ich, dass der König selber durch seine Lebenserfahrungen zu der Einsicht gekommen sei, dass man die beiden entgegengesetzten Extreme bändigen müsse und so von selbst zu einer positiven Mitte gedrängt werde.

Das Gespräch mit Beroldingen bestimmte mich, um eine Audienz bei dem König zu bitten, die mir auf den folgenden Tag gewährt wurde.

Über meine Unterredung mit dem König von Württemberg am 10. Januar habe ich in einem Briefe an Friedrich Rohmer berichtet:

„Ich habe den König fast eine Stunde lang gesprochen und kam ermüdet nach Hause. Es war mir wie einem Strassenarbeiter zu Mute, der genötigt wurde, über einen Granitblock hinweg die Strasse frei zu machen. Es war von der Schweiz, von Deutschland, ganz besonders aber von dem Verhältnis zu Bayern die Rede. Erst machte der König die geschichtliche Erfahrung geltend, dass die deutschen Fürsten zunächst jeder für seine eigene Souveränetät zu sorgen haben und zu sorgen pflegen, und sich deshalb vereinzeln. Mit anderen Worten, es trat mir zuerst die aus der Schweiz wohlbekannte Cantonalsouveränetät und die Eifersucht der Cantone wider einander entgegen, nur übersetzt in die Verhältnisse der deutschen Landesfürsten. Ich argumentierte dagegen mit dem Vorbild der Radikalen in der Schweiz, welche trotz der cantonalen Gegensätze in ihnen dennoch sich zu einigen gewusst und so die Macht errungen haben.

Auf diesen Gedanken ging der König ein und führte selber aus, dass auch die deutschen Radikalen das deutsche Nationalgefühl einheitlich vertreten, während die deutschen Regierungen vielfältig auseinandergehen und doch nur durch eine deutsche Politik helfen könnten.

Dann aber sprach er seine ernsten Bedenken aus und äusserte 1) seine Empfindlichkeit über die bayerische Note in der Schweizersache, 2) sein Misstrauen gegen das Ministerium Wallerstein, 3) sein Misstrauen gegen die allgemeine Politik Bayerns.

Zu 1) bemerkte der König: „Ich habe dem Fürsten Metternich stets geantwortet, wenn er mir. wegen der Schweiz in den Ohren lag: Zu Drohungen biete ich keine Hand. Wenn die That nötig wird, bin ich dabei. In Bayern steht man noch etwas ferner von dem Radikalismus und meint, derselbe sei nicht zu fürchten. Nicht meine Württemberger sind in dieser Hinsicht gefährlich, aber meine Nachbarn in Baden und der Schweiz. Ich wollte so lange als möglich ein guter Freund der Schweiz sein, aber dieser Sieg der Radikalen ist wirklich eine Gefahr. Deshalb habe ich jetzt meinen Vorschlag gemacht.

Der Antrag Bayerns, einen besonderen Gesandten des deutschen Bundes zu ernennen, ist unpraktisch; denn der würde mit seinen 32 Instructionen lächerlich. Ich kann am Ende auch noch warten, bis Bayern die Not selber mehr verspürt."

Ich erwiderte, Bayern könne und werde den Radikalismus nicht halten, was er zugestand. Es handle sich nur um eine reservierte Stellung. „Die will ich ja auch," sagte er. Die Schweiz werde erst durch eine neue Organisation des Bundes und der Cantone zur Ruhe kommen. Die sei aber jetzt nicht möglich. Daher sei es besser, dass Deutschland seine Stellung sich reserviere, bis eine wahre Vermittlung möglich werde. Dieser Gedanke fand sehr seinen Beifall. Er kam mehrmals darauf zurück. Ich bemerkte, dass ich den bayerischen Vorschlag nur so verstehe, dass Bayern die deutsche Politik neben der der Grossmächte vertreten wünsche.

Zu 2) sagte der König: „Man weiss nicht, was für ein politisches System der Fürst Wallerstein hat. Er mag ein geistreicher Mann sein, aber seine Vorgänge geben kein Vertrauen. Er spricht gut, aber hält er auch, was er verspricht? In Wien ist er eine persona ingrata. In Berlin hat er sich nun auch verfeindet. Mit Guizot steht er nicht gut. Nun hat er auch mich verletzt."

Ich war hier in einer sehr schwierigen Lage, da ich mit den persönlichen Beziehungen zu wenig vertraut war. Ich konnte nur erwidern, dass die gegenwärtige Politik des Fürsten Wallerstein eine bewusste sei, und dass der König von Bayern sie teile, dass dieselbe in den Verhältnissen begründet sei, und dass diese Beruhigung gewähren müssen. Das Letztere machte am meisten Eindruck.

Zu 3) äusserte der König: „Deutschland habe noch zu viele kleine Staten", und stellte eine Verminderung derselben in Aussicht. Auf der anderen Seite bemerkte er, Österreich habe die süddeutschen Staten durch Verfassungen schwächen wollen, nun aber zeige sich's, dass in diesen Verfassungen auch eine Kraft liege. Bayern aber will die Rolle einer Grossmacht spielen. Da schliesse ich mich aber, wenn ich nur die Wahl habe, lieber an die bestehenden und anerkannten Grossmächte an, als an Bayern. Wenn dagegen Bayern wirklich für deutsche Politik einstehen will, dann biete ich Bayern gerne die Hand."

Eben diesen Schluss hob ich als die richtige Lösung der Aufgabe hervor.

Ich teilte einen Bericht der Unterredung an Friedrich Rohmer in der Erwartung mit, dass er darüber mit Wallerstein verhandeln und die Andeutungen zu einem besseren Verständnis zwischen Bayern und Württemberg benutzen werde.

— — —

2.

Spannung und Zweifel über meine Berufung. Vernachlässigung meiner Angelegenheit durch Rohmer. Lola Montez. Die Universität München in Gefahr. Mein Entlassungsbegehren in Zürich genehmigt. Spannung mit Friedrich Rohmer. Mein Entschluss schärferer Sonderung. Haltung der Freunde. Ausbruch der Pariser Revolution. Die allgemeine und die besondere Gefahr. Anerbieten der Gegner zur Fortsetzung der bürgerlichen Gesetzgebung.

Nach den vorläufigen Besprechungen hatte ich erwartet, unmittelbar nach meiner Abreise eine officiöse

Äusserung in der Allgemeinen Zeitung zu finden, welche
das gewonnene Einverständnis und die Absicht meiner Berufung nach München andeute. Der Fürst Wallerstein
hatte mich ermächtigt, meine Freunde in Zürich davon in
Kenntnis zu setzen.

Diese Erwartung wurde getäuscht. Es erschien keine
Nachricht in der Presse.

Auch von den Münchener Freunden erhielt ich lange
Zeit gar keine Berichte und wurde durch dieses Stillschweigen in einer so entscheidenden Krisis schmerzlich
verwundet. Ich empfand dasselbe als eine Nachlässigkeit
ohnegleichen. Vor meiner Abreise hatte ich noch Friedrich Rohmer dringend gebeten, mit vollem Nachdruck und
ohne Verzug zu handeln. Ich wusste freilich aus früheren
Erfahrungen, wie schwer es ihm werde, das zu thun, wozu
er nicht durch seine eigene Natur getrieben werde. Aber
hier schienen mir sein und mein Interesse so innig verbunden und die Gelegenheit, die ich ihm bei dem Minister
verschafft hatte, so günstig, dass ich hoffte, er werde in
diesem ernsten Moment die Aufgabe durch die That erfüllen. Für alle Fälle rechnete ich auf die Unterstützung
der anderen Freunde in seiner Umgebung, welche ihn ergänzen konnten. Ich war mir bewusst, in München meine
Existenz und die meiner Familie für ihn eingesetzt zu haben, und machte nun die peinliche Erfahrung, dass Alles
versäumt ward. Wenn sich irgend welche Hindernisse
zeigten, die nicht vorgesehen waren, wie konnte man dieselben mir verschweigen?

Ich schrieb nun unmittelbar an Fürst Wallerstein.
Dann endlich ging die Angelegenheit einen Ruck vorwärts.
Ich erhielt die Nachricht, dass nach Rücksprache mit dem

Fürsten und dem Ministerialrat Neumeyer, Referenten in
Cultussachen, die Berufung feststehe, und über die mate-
riellen Bedingungen eine Verständigung nicht schwierig sei.
Auch Hofrat Thiersch hatte Günstiges vernommen.

Darauf folgte wiederum Stillschweigen, bis plötzlich
meine gespannte Erwartung durch das Gerücht unerfreulich
überrascht wurde, das Ministerium Wallerstein sei selber
bedroht. Die Allgemeine Zeitung berichtete nun auf einmal, zu Anfang Februar, aus meiner Berufung nach München werde Nichts. Unsere Feinde hatten also den Weg
in die Allgemeine Zeitung gefunden; den Freunden war er
verschlossen geblieben. Selbst da noch wurde ich ein paar
Tage ohne Nachricht gelassen, und als zuerst eine von
Heinrich Schulthess kam, wurde ganz ruhig angedeutet,
wenn die Sache schief gehe, so sei ich selber schuld, weil
ich München verlassen habe, ohne sie definitiv zum Abschluss zu bringen. Ich meinte eine reife Frucht hinter-
lassen zu haben, die Fritz nur zu pflücken brauchte. Nicht
um meinetwillen, sondern um ihm förderlich zu sein, hatte
ich ihm die Erledigung anvertraut. Nun wurde mein Vertrauen so arg betrogen.

Ich war empört über dieses Verhalten, in dem ich
eine schwere Kränkung nicht nur meiner wichtigsten Interessen, sondern auch meiner Natur und meines Rechts erkannte. Ich schrieb dasselbe der unglückseligen Neigung
Rohmer's zu, „sich gehen zu lassen". Ich verbarg ihm
meine Entrüstung nicht und schrieb ihm, dass diese Erfahrung auf mein persönliches Verhältnis zu ihm einen
starken und andauernden Einfluss übe und mich bestimme,
mein Schicksal nicht wieder in seine Hände zu legen. Ich
war entschlossen, auch wenn ich nach München kommen

sollte, doch meine Unabhängigkeit ihm gegenüber vollständig zu wahren.

In mein Tagebuch schrieb ich am 8. Februar: „Ich werde nie sein Diener und kann nur sein Freund sein, und auch das nur unter der Voraussetzung, dass er meine Individualität anerkennt. Wenn ein höherer Geist mit Menschen, die ihm untergeordnet sind, nur ein kaltes oder leidenschaftliches Spiel treibt, so ist jener im Unrecht. Im letzten Grunde baue ich auf Gott, auf keinen Menschen. Der Welt wäre nicht geholfen, wenn Fritz zum egoistischen Despoten würde. Schlägt es aber in München fehl, dann betrachte ich das als einen Fingerzeig Gottes, mich von der deutschen Politik fern zu halten und, während die grossen Stürme kommen, Zuflucht und Schutz in dem Hafen der Wissenschaft zu suchen.“

Ganz so schwer war die Verschuldung von Friedrich Rohmer wohl nicht, wie ich vermutete. Die bureaukratischen Gewohnheiten, denen persönlich zu begegnen er freilich gar kein Talent besass, wirkten auch hemmend ein. Dazu kamen nun völlig unerwartete Ereignisse, die Alles in Frage stellten.

Die Universität München wurde eben damals durch Studentenunruhen von Grund aus aufgeregt. Die spanische Tänzerin Lola Montez, die das Herz des Königs in keckem Ansturme erobert hatte und dessen Favoritin geworden war, hatte sich unter den Studenten eine Partei gebildet, welche sie verteidigten und hinwieder von ihrer königlichen Gunst beleuchtet wurden. Die grosse Mehrheit der Studierenden war, wie die Menge der Bürger, ihr feindlich gesinnt. Man hatte auch früher öfter in München erlebt, dass der König einer Nebenfrau gehuldigt hatte, aber man

kümmerte sich nicht darum, weil man darin eine blosse
Privatneigung des Königs erblickte, für welche er dem
Volke nicht verantwortlich sei. Der Fall der Lola lag
anders, weil diese auch in die Regierung eingriff. Dagegen lehnte sich die öffentliche Meinung auf. Man war
entrüstet, dass die Buhlerin sich vermass, die Regentin zu
spielen. Die Liberalen missbilligten das, und die Ultramontanen schürten den Hass gegen die Spanierin, welche
ihre Herrschaft gebrochen hatte.

Zwischen den Alemannen, den Anhängern der Lola,
und den übrigen Studenten kam es zu Reibungen. Bei
einem derartigen Zusammenstosse zog ein Alemanne einen
Dolch. Darauf gab es einen Zusammenlauf von Volk. Lola
Montez hatte die Frechheit, in den Volkshaufen zu dringen.
Sie wollte Ohrfeigen austeilen, die pariert wurden. Nun
wurde sie selber gefasst und geschlagen. Endlich rettete
sie sich in die Theatinerkirche. Von da geleiteten sie Gendarmen unter furchtbarem Geheul und Geschimpf der an-
geschwollenen Menge in die königliche Residenz, wo gerade ein Morgenball stattfand. Sofort wurden Kürassiere
aufgeboten, die Ludwigsstrasse und die Residenz besetzt.
Infanterie und Kürassiere patroullierten durch die Stadt.
Die Barerstrasse, in der das Haus der Lola war, wurde
mit Truppen besetzt und abgesperrt. Inzwischen hatten
sich die Studenten gesammelt. Ein grosser Zug, wohl
über tausend Mann, bewegte sich zu der Wohnung des
Prorectors Thiersch, dann, da derselbe nicht zu Hause war,
nach der Universität. Auch diese wurde sofort von Kü-
rassieren besetzt. Den Studenten wurde eröffnet, die Universität sei bis auf weiteres geschlossen. Jene wurden
aufgefordert, ruhig nach Hause zu gehen. Sie verlangten

aber vorerst die Entfernung der Kürassiere aus der Universität. Dann lösten sie sich ruhig auf. Das war am 9. Februar.

Am Tage darauf zogen die Studenten wieder auf die Universität. Da wurde ihnen erklärt, die Universität sei bis zum 1. October geschlossen; eine frühere Eröffnung wurde aber bei gutem Verhalten in Aussicht gestellt. Daraufhin marschierte die ganze Studentenschaft in geordnetem Zuge, Lieder singend, zu dem Rector Thiersch. Am Schlusse jedes Liedes wurde ein donnerndes „Pereat Lola" ausgebracht. Nun erhielten die Studenten den Befehl, München bis morgen zu verlassen.

Die Schliessung der Universität erbitterte hinwieder die gesamte Bürgerschaft Münchens. Dem Andringen der Stadt konnte König Ludwig doch nicht widerstehen. Er begriff endlich, dass die Lola nicht länger in München bleiben könne. Sie musste flüchten. Durch ihre Entfernung aber wurde die Macht gebrochen, die sie über ihn besass, oder doch sehr erheblich geschwächt. Sie verbarg sich erst in der Nähe der Stadt; dann auch da aufgeschreckt, verliess sie Bayern. Die Universität war gerettet.

Ich war immer noch in einer höchst peinlichen Ungewissheit über mein Schicksal. Was sollte ich thun? Wollte ich am Schluss des Semesters frei werden von meiner Amtspflicht in Zürich, so musste ich mein Entlassungsgesuch einreichen. Die sichere Stelle aufzugeben, bevor die neue in rechtskräftiger Form gewährleistet war, war eine Thorheit. Diese Thorheit beging ich, trotz der Warnung der Freunde und trotz meiner eigenen schweren Bedenken.

Ich glaubte diesen entscheidenden Schritt meiner Ehre

wegen nicht unterlassen zu dürfen, so gefährlich er sei. Ich hatte die Berufung nach München als abgemacht verkündet, ohne zu verheimlichen, dass ich ein Decret noch nicht habe. Ich hatte der moralischen Übereinkunft mit Fürst Wallerstein vertraut, zu viel und zu stark vertraut, wie ich nun wohl einsah. Aber ich wollte nicht in Zürich bleiben und hatte noch die Hoffnung, dass die Sache auch formell ins Reine kommen werde. Eventuell, wenn München entgehe, nahm ich den früheren Plan auf, nach Berlin zu gehen und mich an Savigny zu wenden.

Hätte ich die deutschen Zustände und insbesondere die bayerischen Zustände damals besser gekannt, so hätte ich mich und meine Familie doch nicht in die Gefahr gestürzt, sondern einstweilen die Zürcher Professur festgehalten. Zu dem Aufgeben meiner Stelle zwang mich auch keine sittliche Nötigung. Meine Ehre war doch nicht bedroht, nur das Vertrauen in meine Zuversicht; und dieses wurde durch eine thatsächliche Unsicherheit, der ich entgegenging, doch nicht gehoben.

Der Zürcher Erziehungsrat benahm sich sehr anständig, obwohl meine politischen Gegner darin herrschten. Er gab mir die verlangte Entlassung unter Verdankung meiner geleisteten Dienste am 23. Februar, liess mich aber unter der Hand wissen, dass er einstweilen meine Stelle nicht besetzen, sondern mir offen behalten werde. Ich war freilich entschlossen, von diesem Anerbieten keinen Gebrauch zu machen. Mein Stolz bäumte sich gegen diese Demütigung. Aber ich freute mich des guten Willens.

Neben dem Kampf um eine neue Wirksamkeit und eine neue Lebensstellung beschäftigte mich damals auch das Verhältnis zu Rohmer sehr. Einige Bemerkungen aus meinem Gedenkbuche werden die Art meiner Sorgen näher kennzeichnen.

10. Februar. „Ein Brief von Roth, der mich ungern von der Schweiz scheiden sieht und seine Furcht ausdrückt, dass ich dem Rohmer'schen Princip schon zu viel geopfert habe. Woher kommt denn dieser furchtbare, nie endende Hass gegen Friedrich Rohmer? Auch mein Vater, meine Verwandten, meine Freunde, Alle sagen mir: Rohmer war und ist dein Unglück. Sie hassen und sie fürchten ihn wie den Teufel. Dennoch geben sie zu, dass in dem Princip Wahrheit sei. Aber wie ein dunkler Schatten lagert sich sein Name über die Welt. Und doch ist so unendlich viel Licht in seinem Geiste."

„Woher das? Christus hat auch den Hass auf sich geladen. Aber er hat doch die Menge auch entzückt und begeistert. Er hat noch in dem Tode viele innige Freunde behalten. Es ist nicht möglich, dass aller Fehler auf der Seite derer sei, welche von Friedrich abgestossen werden und feindlich oder scheu bis zum Grauen ihm gegenüberstehen. Selbst viele thun es, die billigen, was sie von seinen Meinungen gehört haben."

„Ich fürchte, das „Ich lass mich gehen" ist ein unglücklicher Wahlspruch für ihn; denn er dehnt sich auch über seine Rasse aus, und statt sie von innen heraus zu durchleuchten und zu beherrschen, lässt er sie gehen und Anstoss erregen."

„Gott und Teufel sind in merkwürdiger Energie in ihm verbunden. Aber leider erscheint dieser oft und zerstört, was jener gedacht und gewollt hat."

„Während der sechs Jahre in Deutschland ist er unglaublich wenig vorwärts gegangen in persönlichen Be-

ziehungen. Und doch gab es Gelegenheit genug. Die
Neigung zum Despoten ist in ihm gewachsen und mit ihr
die Verwirrung bis in das Innerste der eigenen Familie.
Bruckmann hat Recht, wenn er sagt: „Der Welt wäre mit
einem düsteren und launischen Despoten nicht gedient.“
Das ist die Gefahr, die Fritz in sich trägt. Ihr ist nur
zu begegnen, wenn die besten Freunde am entscheidend-
sten ihr Recht wahren und ihre Unabhängigkeit.“

„Auch die Rasse, und selbst die böse Rasse, hat ihr
Recht. Der Mensch kann nicht aus seiner Haut heraus.
Aber man darf seine Rasse nicht „gehen lassen“, wenn
dadurch das Recht Anderer verletzt wird, und in grossen
Momenten muss die Rasse immer von Innen heraus be-
herrscht werden.“

„Mathilde mäkelt zu viel im Kleinen an Fritz. Ein
Mann muss Ruhe finden bei der Frau, wenn er der Ruhe
bedarf. Ich werde mich übrigens nicht in ihr Hauswesen
und nicht in ihre inneren Streitigkeiten einmischen. Mann
und Frau müssen selber ihr Verhältnis unter sich in's Reine
bringen. Ich werde aber auch ihnen keine Einmischung in
meine Ehe und in meine Familie gestatten. Ein gutes
Haus muss den Eindruck des innern Friedens machen.
So nur erfüllt es seine Bestimmung und wirkt es wohl-
thätig auf die Freunde und Bekannten. Diesen Eindruck
macht das Haus von Fritz nicht. Da hat Mathilde auch
grosse Schuld.“

„Fritz ist gegen Gäste oft nicht bloss rücksichtsvoll,
sondern übertrieben gefällig. Dann aber wird er plötzlich
rücksichtslos und herrisch abstossend. Keiner weiss, ob
er nicht, nachdem er gehätschelt worden, hinterdrein verletzt werde. Darum ziehen sich Alle wieder zurück. In

der Gesellschaft muss die Gleichheit herrschen; denn in
ihr suchen die Menschen vorzüglich leibliche Befriedigung.
In dieser Hinsicht stehen Alle ziemlich gleich. Gerne hört
man dann Dem zu, der am besten zu unterhalten weiss;
aber er darf nicht diese Überlegenheit, deren er sich erfreuen mag, dazu missbrauchen, um den Despoten zu
spielen."

„Mir gegenüber hat sich Fritz mehr in Acht genommen, als gegen Andere. Aber teils auch das nicht immer,
teils ist die Verletzung Anderer in meiner Gegenwart auch
für mich eine Pein. Ich habe selten Abends bei ihm mich
ganz befriedigt gefühlt, dann aber allerdings in einem so
reichen Masse, dass es für viele andere Mängel Ersatz gewährte."

11. Februar. „Ich fürchte auch meine eigene Leidenschaft, nicht bloss die von Fritz. Darum schon muss ich
eine ruhige Stellung behaupten. Ich bedarf der schützen-
den Formen des guten Tons und der Bildung und muss
darauf halten. Seine Leidenschaften nehmen oft die Gestalt der Gier an. Sie überwältigen im Moment, aber der
Nachgeschmack ist bitter."

„Soll ein Verhältnis zwischen uns sein, so muss es
auf Wahrheit beruhen. Ich kann nicht seine Fehler
schön finden. Am Ende kann ihm aber Keiner helfen,
denn er hört auf Keinen."

12. Februar. „Heimlich bezogenes Geld erweckt grosses Misstrauen. Wenn die Leute nicht wissen, woher Einer
sein Geld hat, so präsumieren sie, er habe es nicht ehrlich
erworben; denn, schliessen sie, der ehrliche Erwerb verbirgt
sich nicht im Dunkeln. Sehen sie überdem, dass Einer
nicht sorgfältig wirtschaftet, sondern unverhältnismässig

ausgibt, so bestärkt sie das in ihrem Verdacht. Beides
hat Fritz sehr geschadet und weithin. Es ist hohe Zeit,
dass das total geändert werde."

„Leider finde ich nicht immer das richtige Wort und
die passende Form im persönlichen Verkehr, um Fritz zu
opponieren und ihn vor Fehlern zu bewahren. Schon darum
muss ich auf Sonderung der beiden Häuser dringen. Ich
will in München auch einen Kreis von Bekannten haben,
ohne mich durch die Rohmer's behindern zu lassen."

„Ich bin entschlossen, mein Recht vollständig zu vertreten. Die Wahrheit ist in ihm, aber die Lüge ist auch
in ihm, und nur zu oft tritt diese in den Vordergrund."

13. Februar nach Empfang eines Briefes von Fritz:
„Eine entschiedene Ausscheidung ist jedenfalls nötig für
ihn und für mich, soll er in mir einen wirklichen d. h.
selbständigen Freund haben. Will er eine Creatur, so bin
ich nicht dafür da, nicht um alle Schätze der Welt."

Später: „Fritz hat meinen Brief, in dem ich ihm meinen Entschluss ruhig angezeigt hatte, ohne Bemerkung zurückgeschickt. Ich habe das nicht um ihn verdient. Mein
Gewissen ist ruhig. Ich habe auch diese Kränkung ruhig
aufgenommen. Ich habe nun meine volle Unabhängigkeit
wieder, wenngleich um einen sehr teuren Preis."

14. Februar. „Gestern Abend war Otto Sch. hier.
Die Nachricht machte ihn zittern; aber er benahm sich
gut. Heute erhielt ich einen wohlmeinenden Brief von
Hottinger. Er wird bald herkommen. Die Gereiztheit,
an der ich besonders seit sechs Jahren gelitten, und die
Neigung zu raschem Bruch mit den Menschen sind beide
krankhaft und fehlerhaft. Ich werde mich in Zukunft davor zu hüten suchen. Meine Geisteskräfte, aber auch meine

Fehler sind durch den Verkehr mit Rohmer gesteigert
worden.“

17. Februar. „Heinrich Schulthess, der von München zurückgekehrt ist, sucht Fritz sehr zu entschuldigen.
Wohl mag Theodor Recht haben, es war ein Fehler von
mir, dass ich die Betreibung der Sache Fritz anvertraut
hatte. Er hätte das aber nicht annehmen sollen. Es fehlt
ihm offenbar mehr, als ich früher geglaubt, alles persön-
lich-praktische Geschick. Aber gerade deshalb darf ich
meine politische Stellung nicht zu enge mit ihm verknüpfen
und muss meine praktische Selbständigkeit bewahren.
Er ist voll von praktischen Gedanken, aber er ver-
bindet dieselben oft mit heftigen und unpraktischen
Intentionen. In der Ausführung hapert es meist. Ein
Kieselstein, auf den er stösst, kann ihn zur Raserei, eine
Grille des Moments zu vollständigem Nichtsthun mitten in
einer Krise bringen. Damit ist Alles wieder verdorben,
was durch lange Anstrengung erreicht war. Das ist politische Impotenz.“

„Woher überhaupt dieser fürchterliche Widerspruch
zwischen Idee und Erscheinung, der durch Alles hindurch geht und einen so unwohlthätigen Eindruck macht?
Ist hier ein grosses Geheimnis verborgen und welches?“

„Lasse ich meine Selbständigkeit missachten, wie
sollen denn die Anderen die ihre retten? Selbst wenn es
infolge meines Widerstandes zu völligem Bruch kommen
sollte, so wäre jenes doch ein Segen. Ich hasse dieses
Wort „Bruch“, das Fritz so leicht ausspricht. Es war ein
Rohmer’scher Fehler, dass auch ich seit 1842 zu Brüchen
geneigt war.“

„Dieser Februar ist in der äusseren Natur entsetzlich

stürmisch und voller Wechsel. Es entspricht das meinem Schicksal sehr."

27. Februar. „Heute kamen plötzlich Nachrichten von dem Ausbruch einer Revolution in Paris, dann von der Entsagung des Königs Ludwig Philipp und von der Proclamierung der Republik."

„Also Krieg in wenig Wochen, europäischer Krieg, wie vorher Krieg in der Schweiz. Hunderttausende von Existenzen sind auf Einen Schlag erschüttert. Die Stürme werden fürchterlich."

„Würde Deutschland sich rasch zu einer grossen That erheben, so wäre noch eine Möglichkeit, die Revolution zu überwinden, durch eine grössere Organisation. Aber wo soll bei dem Zustande der deutschen Cabinete diese That herkommen?"

Die Gefahr, in welche meine Existenz geraten war, schien mir, obwohl sie mich und meine Familie unmittelbar betraf, doch höchst geringfügig im Vergleich mit der allgemeinen Gefahr, die mich heftig bewegte. Dass grosse Stürme kommen werden, hatte ich vorgesehen. Der Ausbruch der Februar-Revolution überraschte mich doch.

Ich eilte am Schlusse meines letzten Semesters an der Universität Zürich nach München, in der Absicht, endlich die noch immer schwebende Angelegenheit meiner Berufung zum Abschluss zu bringen. Sollte meine Barke vor der Einfahrt in den nahen Hafen noch einmal von den wilden Stürmen erfasst und wieder auf die hohe See getrieben werden?

Einigen Trost gewährte mir der treue Mut meiner Frau, der in jeder Krisis sich bewährte. Sie hielt fest zu mir, und ihr Vertrauen zu mir wankte nie. Es fühlte sich gestärkt durch den Glauben an Gott, der uns in der Not nicht werde fallen lassen.

Ich hatte vor dem Weggang von Zürich noch eine grosse Freude. Dr. Furrer, das Haupt der Regierung, trug mir die Fortsetzung des bürgerlichen Gesetzbuchs für Zürich an, auch wenn ich Zürich verlassen wolle. Das war in der That die schönste Verbindung, die mir mit meinem Vaterlande erhalten blieb. Diese Gesetzgebung war das wichtigste Werk meiner schweizerischen Thätigkeit. Wurde mir die Fortsetzung und Vollendung derselben auch jetzt wieder anvertraut, so konnte mir keine willkommenere und keine ehrenvollere Anerkennung zu Teil werden, als dieser Auftrag. Dass die politischen Gegner sich dazu bereit erklärten, war für sie nicht minder rühmlich als für mich.

<hr>

3.

Ankunft in München. Ausbruch der Revolution. Meine Wahrnehmung ihres Verlaufes in der Stadt. Gefahr des Kampfes. Audienz bei Prinz Luitpold und dem König Ludwig. Auftrag an Friedrich Rohmer. Verhandlungen mit ihm und Volz. Der Entwurf einer Proclamation. Zu spät. Nochmals im Schloss.

Am 3. März kam ich nach München, in die ersten Zuckungen der Revolution mitten hinein. In Augsburg hörte ich bereits von Krawallen in München, aber die Leute sprachen davon mit einer Seelenruhe, als ob sie die Sache gar nichts anginge.

An diesem Tage hatte sich die Bürgerschaft auf dem Rathause versammelt in der zwiefachen Absicht, von dem Könige weitere Zugeständnisse zu begehren und den Pöbel in Schranken zu halten. Eine Reihe Begehren wurde in eine Adresse an den König aufgenommen: Neuwahl der Kammermitglieder, Einberufung des Landtags, Pressfreiheit, Volksvertretung bei dem deutschen Bunde, Beeidigung des Heeres auf die Verfassung, ein Polizeigesetz, Schwurgerichte. Die Adresse wurde sofort von mehreren tausend Bürgern, unter denen auch Reichsräte, unterzeichnet und dem König überbracht.

Die Nacht verlief ziemlich ruhig. Nur trieben die Kürassiere einige Haufen auseinander, die sich sammeln wollten. Am Abend vorher war noch ein Placat angeschlagen worden mit der Anzeige, dass der verhasste Minister Bercks, ein Günstling der Lola, aus „Gesundheitsrücksichten" einen Urlaub empfangen habe. Die verlogene Begründung wurde belacht und verspottet. Ich habe einige Placate gesehen, auf denen jene Worte durchstrichen und statt derselben die Worte „aus Katzenjammer" hingeschrieben waren.

Als ich am 4. März mit einem Bekannten ausging, standen an den Strassenecken kleine wechselnde Gruppen von Leuten, welche die gedruckten Maueranschläge lasen. Einer derselben machte bekannt, dass der König die Kammern aufgelöst und neue Wahlen angeordnet habe, und dass er gesonnen sei, den auf Ende Mai zusammentretenden Ständen alles Übrige vorzulegen. Die früheren Kammerwahlen waren darin als ungehörig bezeichnet und „freie" Wahlen, mit Beseitigung der früheren Missbräuche, versprochen. Diese Eröffnung wurde misstrauisch erwogen. Man fürchtete die Verzögerung und dass inzwischen „die Russen kommen". Die Studenten hatten, wie man sich erzählte, 1000 Freiwillige versprochen und eben so viele die Künstler „gegen die Franzosen", wenn der König auf

die Volkswünsche eingehe. Im entgegengesetzten Falle war
das Bild der Revolution deutlich im Hintergrund sichtbar.

In einem anderen Anschlag war mit dem Strafgesetze
gedroht, welches unerlaubte Zusammenrottungen und Schä-
digungen bestrafe. Die Leute interpretierten das als An-
drohung des „Standrechts“. Ich hörte darüber bald lachen,
bald schimpfen von Seite der umstehenden Leser. Die Meisten schienen übrigens gleichgiltig. An vielen Häusern sah
ich mit Kohlenstrichen lange Nasen gezeichnet, offenbar
zur Verhöhnung der Bewohner.

Es war ruhig den ganzen Morgen, aber in dieser
Ruhe lag eine unheimliche Spannung. Der König war
offenbar noch durch seine Leidenschaft für die Lola befangen. Das Haus derselben wurde noch immer bewacht.
Man fürchtete, dass sie wiederkehren werde. Die Absicht,
einen Wechsel der Garnison vorzunehmen, und die Regi-
menter, die gegenwärtig in München lagen, zu versetzen,
reizte die Stimmung. Die Soldaten hatten auch Bekannte
und Freundinnen, welche sie ungern scheiden sahen. Die
unteren Classen schienen besonders aufgeregt. Dem Minister Bercks waren die Fenster in der vorletzten Nacht
mit Pflastersteinen eingeworfen worden. Sonderbarerweise
ebendamals auch Fenster im Ständehaus. Dort sagte ein
Bürger: „Die (er meinte die Stände) haben ja nichts gethan.“ Ihm erwiderte rasch ein anderer: „Eben deshalb
werfen wir ihnen die Fenster ein.“ Die Soldaten standen
ruhig daneben. Die Massen schrieen ihnen ein Vivat zu
und warfen die Steine über ihre Köpfe weg.

Unterwegs erfuhr ich, dass Nachmittags das Rathaus
wieder für Bürger und Studenten offen sei, d. h. dass
weitere Schritte der Bürgerschaft bevorstehen. Es nahte

offenbar eine Krise. Schon bei dem Mittagessen im Kaffee Fries sah ich einen Menschen voll kochender Wut, und ich dachte gleich: Da geht Etwas vor. Wir gingen nach dem Rathaus hin und sahen, wie Scharen von Bürgern teils dahin eilten, teils wieder zurückkehrten mit düsteren, bedenklichen Mienen. „Der König will zurückgehen", hiess es. Auf den Gesichtern der Einen las ich Verwirrung und Besorgnis, auf denen der Anderen den hellen Zorn und die offene Wut. In diesem Moment wurde der Generalmarsch für die Truppen geschlagen, an dem Rathaus vorbei. Das brachte die Bürger in Harnisch. Sie erkannten in dem Trommelschlag die Herausforderung der Gewalt und eine Beschimpfung ihrer ehrbaren und treuen Gesinnung, der sie sich in gutem Glauben bewusst waren. Eine Schar Bürger lief auf die Trommler zu und forderte dieselben auf, zu schweigen. Vor der verschlossenen Hauptthüre des Rathauses sammelten sich auch Leute. Man fing an, auf die Thüre einzudrängen. Endlich wurde sie aufgerissen unter dem Jubel der Menge. Von da an wurde Alles ernsthafter.

Vor der Residenz waren zahlreiche Truppen aufgestellt. Die Kürassiere waren beständig in Bewegung und ritten durch die Strassen. Ich erfuhr nachher, dass der König den Fürsten Wrede zum Minister berufen, und dieser ihm Gewalt empfohlen habe. Der halbtägige Minister wurde im Verfolg mit dem Spitznamen des „Kartätschenministers" dem Volkshasse ausgesetzt.

Bald nachher sah ich einen Tambour der Bürger, welcher für die „Bürgergarde" den Generalmarsch schlug. Dann kam die Kunde, das Zeughaus sei von dem Volke gestürmt worden. Bürger und Studenten bewaffneten sich eilends, so gut sie konnten. Kein Zweifel mehr, die Revolution war da. Die ganze Stadt war nun aufgeregt. Die Strassen waren voll Menschen. Aus allen Häusern sahen Leute mit Spannung und Neugierde zu, was es nun gebe. Die meisten Verkaufsläden wurden geschlossen. Sollte es zu blutigem Kampfe kommen?

Auf der einen Seite standen die königlichen Truppen und sperrten viele Strassen ab. Auf der anderen Seite war nun die Bürgergarde ebenfalls in Waffen. An sie schlossen sich einzelne Scharen Freiwilliger an, die zum Teil mit veralteten Waffen schlecht ausgerüstet waren. Da sah man Hellebarden und Piken aus dem alten Zeughause, Säbel und Rappiere, Pistolen, Jagdflinten und andere Flinten von verschiedener Form. Die königlichen Truppen waren jedenfalls besser gerüstet als die Bürger.

Ich sah, wie scharfe Patronen verteilt wurden. Man musste auf den Kampf gefasst sein. Aber sollte der König, der so Vieles für München gethan hatte, zwischen sich und die Münchener einen Blutstrom von Bürgerblut ausgiessen, der ihn für immer von dem Herzen seines Volkes trenne? Die Kränkung seines Königsstolzes mochte ihn einen Moment zur Gewaltübung reizen. Vor dem blutigen Kampfe mit den Bürgern hielt ihn dennoch sein Pflichtgefühl ab.

Ich überlegte mir, was ich dem König raten würde, wenn ich von ihm um Rat gefragt würde. An der Stelle des Königs hätte ich die meisten Hauptbegehren frischweg zugestanden, einige Begehren aber bestimmt abgeschlagen oder ermässigt und, was mir die Hauptsache schien, einiges Neue, woran die Petenten nicht dachten, von mir aus beigefügt und dann stark und offen zum Volk gesprochen. Ich hatte den Eindruck, dass eine solche Politik nicht nur

den Frieden herstellte, sondern allgemein als Fortschritt
freudig begrüsst würde.

Als ich zum Sendlingerthor heraus gegen den Dultplatz ging, gewahrte ich bei der alten Burg, wo das Zeughaus war, einen Haufen von ein paar tausend Mann mit
verschiedenen Waffen, unter ihnen einen Bürger zu Pferd,
der als improvisierter Führer die Leute ansprach. Es kam
mir vor, als verhielten sie sich ziemlich kühl gegen den
Redner, dessen Rede ich nicht verstand. Es war Abends
nach vier Uhr. Da kam plötzlich Prinz Carl, der Bruder
des Königs, mit einem Adjutanten herbeigeritten, zwei Be-
diente hinter ihm. Da flogen die Hüte und Mützen der
zahlreichen Zuschauer überall von den Köpfen, und es
wurde ihm ein lautes „Hoch" zugerufen. Ich bekam einen
lebhaften Eindruck von dem monarchischen Charakter dieses
Volkes, das sogar in der Revolution gegen seine Fürsten
höflich ist. Der Prinz erklärte der Menge, die Stände
werden schon auf den 16. März einberufen, und forderte
die Leute auf, nun ruhig nach Hause zu gehen. Darauf
ein neues donnerndes „Hoch" für den Prinzen. Nur Einer
schrie entgegen: „Das glauben wir nicht mehr." Der Prinz
fuhr ihn hart an und wiederholte laut: „Ich gebe mein
Ehrenwort darauf." Das wirkte. Vergeblich versuchten
Einige auch in meiner Nähe zu erwiedern: „Zu spät." Sie
wurden nicht unterstützt. Selbst der Anführer zu Pferde
zog seinen Hut. Die Menge zerstreute sich rasch und froh,
dass Alles vorüber sei. Die Soldaten wurden ebenfalls
zurückgezogen, bis auf wenige kleine Abteilungen. Die
Bürgergarde und mehrere bewaffnete Scharen von Studenten, Gesellen, Proletariern marschierten durch die Strasse
heimwärts. Der lange Zug sah einem Fastnachtszuge ähn-

licher als einem Kriegsheer. Man konnte sich des Lachens
kaum enthalten, wenn man die wunderlichen Kostüme und
die grossenteils antiquarischen Waffen betrachtete. Dennoch war im Hintergrund dieser nicht gerade furchtbaren
Masse eine gefährliche Macht, die durch Blutvergiessen
heftig gereizt worden wäre.

München ist durch diese Ereignisse eine politische
Hauptstadt geworden.

Am Tage darauf bemerkte ich, dass die Flut der Revolution, trotz der scheinbaren äusseren Ruhe, wieder im
Steigen begriffen sei. Von Stunde zu Stunde mehrten sich
die Anzeichen einer neuen Bewegung. Das Misstrauen
gegen den König und das Machtgefühl der aufgeregten
Menge waren offenbar im Wachstum begriffen. Im Verborgenen waren Führer thätig, welche die Revolution wollten und die Gemüter erhitzten.

Am Nachmittag (es war Sonntag) suchte ich den
Fürsten Wallerstein auf, anfangs vergeblich. Als ich
ihn auch bei dem Prinzen Luitpold nicht traf, wohin ich
gewiesen ward, sprach ich den Prinzen selber, den zweiten
Sohn des Königs. Er empfing mich sehr herzlich und bat
mich dringend, ich möchte doch unmittelbar zu dem König
gehen und mit dem König sprechen.

Daraufhin fand ich den Fürsten Wallerstein doch in
dem Ministerium des Äussern. Aber es war da unruhig
wie in einem Taubenhaus. Jeden Moment kamen und
gingen Personen zu und weg. Ich hatte nur wenig sprechen können. Aber ich erfuhr, dass die Revolution bereits
„die Regierung überholt habe", dass Wallerstein entschlossen war, den König zum Nachgeben zu zwingen, indem er
ihm in diesem Moment seine Entlassung anbot, und dass

er sich beklagte, er habe bereits seine Popularität geopfert.

Als ich in sein Cabinet eintrat, bemerkte ich: „Euer
Durchlaucht werden begreifen, dass ich in diesem Moment
nicht von meinen persönlichen Verhältnissen sprechen
werde," worauf er mit entschuldigendem Tone erwiederte:
„Was Ihre persönlichen Verhältnisse betrifft, so können Sie
dieselben so viel als bereits in Ordnung ansehen."

Ich sprach ihm von der Notwendigkeit einer Proclamation des Königs und bemerkte, es komme gegenwärtig
darauf an, die Bewegung auf Deutschlands höchste Interessen hinzuleiten und sich so an ihre Spitze statt an ihren
Schweif zu stellen. Das ist „auch mein Gedanke", erklärte
er und bat mich, ihm eine solche Proclamation zu entwerfen.

Nun ging ich zu Rohmer, um mich mit ihm zu beraten. Statt ruhig die schwierige Frage zu erörtern, ärgerte
er sich, dass ich bei Prinz Luitpold nicht seiner erwähnt
habe, und stürzte plötzlich fort in die Ott'sche Weinhandlung. Nachher überzeugte er sich von seinem Fehler und
versicherte mich nun angelegen, wenn ich zum König gehe
und von dem König erwirke, dass er den Auftrag erhalte,
eine Proclamation zu entwerfen, so werde er als „Individuum" handeln, entsprechend der Grösse des Moments.

Ich liess mich durch diese Zusage nochmals bestimmen und ging zum Könige, der mich ohne Verzug empfing.
Ich sprach ganz offen, wie ich die Sachlage ansehe. Meine
Hauptsätze, die ich sofort nach der Unterredung niederschrieb und in einem Briefe an meine Frau vom 7. März
(meinem Geburtstage) mitteilte, waren folgende:

Die Revolution ist bereits übermächtig. Es ist der

letzte Moment, in dem noch den Führern derselben die
Macht aus den Händen genommen werden kann. Versucht
man dieselbe mit Gewalt zu unterdrücken, so ist man
verloren. Das Militär ist selber schwierig und nicht
mehr verlässig. Gibt man einfach nach, so ist man
wieder verloren, denn das ist und erscheint als Schwäche.
Mein Rat ist: Weder das Eine, noch das Andere, sondern
1) ein schnelles und klares Zugestehen alles dessen, was
vernünftig und nötig ist, 2) frisches Verweigern dessen,
was nicht bewilligt werden kann und 3) was die Hauptsache ist, etwas Neues und Grösseres, was als die
eigene That des Königs selber betrachtet wird, hinzufügen und gewähren. Dadurch wird die Nation angezogen,
und es wird ihr die Überlegenheit des Königs gezeigt.

Ich machte dann den Vorschlag, Friedrich Rohmer
den Auftrag zu erteilen zu dem Entwurfe einer Proclamation in diesem Geiste. Der König war äusserst vertraulich
und bewegt. Einmal sah ich eine Thräne über die Wange
rinnen. Er fühlte sich tief gekränkt durch die Auflehnung.
Einmal sagte er: „Ich habe ein gutes Gewissen und kann
den Leuten offen in die Augen schauen." Dann: „Man
hält mich für verrückt. Ist es die Handlung eines Ver-
rückten, wenn ich erklärt habe, mich nicht in die Schweizer
Händel einmischen zu wollen, und wenn ich die französische Republik sofort anerkannt habe? Ich bin so ver-
fassungstreu, dass ich, als mir meine früheren Minister rieten, Gelder ohne die Bewilligung der Stände zu entlehnen,
das mit Rücksicht auf die Verfassung verweigert habe.
Die Statsgelder habe ich immer gewissenhaft verwendet.
Der Bürgermeister einer Republik kann nicht gewissenhafter
sein. Keinen roten Heller habe ich für mich gebraucht

oder veruntreut. Ich bin in dieser Hinsicht arg verläumdet worden."

Das sagte er mir mit dem Tone der vollen inneren Überzeugung. Auf meinen Vorschlag erklärte er, nicht eingehen zu können, ohne vorher einen Minister zu beraten. Aber er liess unverzüglich den Statsrat v. Volz rufen und blieb, bis derselbe kam, mit mir im Zimmer. Der Minister hatte anfangs Bedenken, aber der König erteilte den Auftrag an Friedrich Rohmer ganz nach meinem Wunsch, und Volz fügte sich leicht.

Nach dieser ungefähr anderthalbstündigen Unterredung, welche wunderbar glücklich gewesen war, eilte ich zu Friedrich, um ihn von dem Auftrag zu unterrichten und nun zur That einzuladen.

Zu meinem Schrecken fand ich ihn in einem sehr aufgeregten Zustande. Er hatte augenscheinlich die ohnehin gereizten Nerven noch durch Weingenuss gestachelt. Er fing an, mit mir über den Brief zu sprechen, den er mir zurückgeschickt hatte. Er habe sich desselben „entledigen" wollen, er habe aber nicht durch die Zurücksendung einen Bruch herbeiführen wollen. Er habe nur damit sagen wollen: „Dieser Brief ist nicht für mich berechnet." Er habe denselben lieber nicht besitzen wollen. Dann verlangte er, dass ich mein Bedauern ausspreche, denselben geschrieben zu haben. Darauf konnte ich natürlich nicht eingehen. Ich erklärte ihm, einen Bruch habe ich auch nicht beabsichtigt, sondern nur Wahrung meines Rechts. Übrigens wolle ich den Brief als nicht geschrieben betrachten, wenn das ihn beruhige. Er versicherte mich, es liege ihm viel mehr an dem Verhältnis zu mir, als an der ganzen Bayerischen Geschichte.

In solch' widerwärtiger Stimmung brachte ich ihn
zu Volz, um da die ministeriellen Festsetzungen zu erfahren, die berücksichtigt werden mussten. Es war eine höchst
peinliche Verhandlung. Auf Volz machte Fritz den Eindruck eines Betrunkenen; und ich musste mit der „Aufregung des Moments" das ungestüme Sprechen desselben
entschuldigen. Er imponierte dem Bureaukraten immerhin, so heftig er ihm zusetzte. Aber die ganze Art miss-
fiel doch auch mir höchlich. Es war wieder jene unglückselige Mischung von genialen Lichtgedanken und düsteren
unheimlichen Leidenschaften, welche die Menschen erschreckt
und die Praxis verdirbt.

Nun setzte Fritz Alles daran — es war schon nach
8 Uhr Abends, — er wolle den König selber sprechen,
oder wenigstens einen Prinzen, bevor er die Proclamation
in Angriff nehme. Nachdem ich mich überzeugt hatte, dass
er inzwischen ruhiger geworden sei, entschloss ich mich,
die Zusammenkunft mit einem Prinzen bei Prinz Luitpold
in Antrag zu bringen. Eine Audienz bei dem König schien
mir unmöglich und nicht ratsam. Ich eilte in die Residenz
und sprach den Prinzen, der sich bereit erklärte, Friedrich
Rohmer rufen zu lassen. Er wies mich noch an den Kronprinzen Maximilian, den ich ebenfalls einen Moment sprach.
Die beiden Prinzen waren bereitwillig, gemeinsam mit Friedrich zu verhandeln.

Fritz ging in der Nacht in's Schloss und war lange
bei den Prinzen. Er drang auf grosse neue Gewährungen,
unter Anderem auch auf eine bedeutende Verwendung aus
der Cabinetskasse zu Gunsten des Proletariats. Er sprach
sogar von 3 Millionen Gulden. Die Prinzen versprachen,
die Sache zu unterstützen, wenn auch in minderem Maasse.

Wie es ihm dabei persönlich ging, weiss ich nicht, keinenfalls schlecht, wenngleich die Äusserung des Kronprinzen: „Sie sind aber ein interessanter Mensch" etwas Zweideutiges hatte. Sie mochten ihn für einen genialen Enthusiasten halten. Aber sie liessen ihm nachträglich doch für seine Bemühung danken.

Als er aus der Residenz tief in der Nacht nach Hause gehen wollte, kam ein unglücklicher Zufall in die Quere. Die Hartschiere im Schloss hielten ihn für eine verdächtige Person und drohten ihn als Gefangenen auf die Polizei zu führen. Einer griff sogar nach den Handschellen. In diesem Augenblick ging Prinz Luitpold vorbei, hörte den Streit und rettete Fritz aus den Klauen der täppischen Polizei. Natürlich änderte sich die Scene rasch. Die Hartschiere waren ausser sich vor Bestürzung. Die Bedienten liefen herbei, ihm den Weg zu weisen. Diese Geschichte regte Fritz natürlich wieder furchtbar auf.

Nun galt es, in der Nacht schnell zu sein. In der Rohmer'schen Wohnung fand die Beratschlagung statt. Aber Fritz war schon zu ermüdet, und er ermüdete die Freunde durch beständige Wiederholung des Erlebten. Doch brachte er die verschiedenen Punkte in's Reine, auf die es ankam. Theodor arbeitete an der Motivierung und Form. Aber auch er war erschöpft durch Fritz. Ich half, so gut ich vermochte. Aber die Arbeit ging schwer und langsam von statten. Endlich war der Entwurf des Manifestes vollendet, leider erst nach 9 Uhr Morgens. Ich hätte vor 9 Uhr den König und die Prinzen sprechen und die Proclamation mitbringen sollen. Um 9 Uhr war der Ministerrat bei dem König versammelt.

Hätte ich den Entwurf um 7 Uhr gehabt — ich hatte

nur von 4 bis 6 Uhr geschlafen, — so hätte ich denselben
dem König und den Prinzen vorgelegt und aller Wahrscheinlichkeit nach wenigstens in der Hauptsache durch-
gebracht. Es wäre damit eine Wendung gemacht und
Grosses für den König und für Bayern erreicht, aber auch
für Rohmer eine günstige Stellung errungen worden. Ich
hatte in der That Alles vorbereitet und den Sieg schon
in der Hand. Lediglich das persönliche Eingreifen und
hinwieder das erregte Hemmen von Fritz machte den Erfolg unmöglich.

Als ich um neun ein halb Uhr in die Residenz kam,
weigerte sich der Adjutant des Königs, mich anzumelden.
Er habe den gemessensten Befehl, so lange der König mit
den Prinzen und den Ministern in Beratung sei, keine Mel-
dung zu machen. Darauf kamen der Ministerialrat Herrmann und der Secretär des Fürsten Wallerstein und verlangten, dass der von den Ministern vorgeschlagene
Entwurf einer Proclamation in das Beratungszimmer
hineingetragen werde. Auch das verweigerte der Adjutant,
immer wieder auf den Befehl sich stützend, den er empfangen habe. Wir drangen gemeinsam und eifrig in ihn.
Endlich wankte er, ging in den nächsten Saal und traute
sich doch nicht, den entscheidenden Schritt zu thun. Da
kam der Obersthofmeister Graf Yrsch herbei. Ich kannte
ihn bisher nicht, er aber mich. Er half uns, auf den Adjutanten anzustürmen. „Sagen Sie dem König nur, Bluntschli sei da und müsse ihn sprechen." Endlich wird die
Thüre geöffnet. Wallerstein und Prinz Luitpold kommen.
Ich wende mich an beide mit meinem Verlangen. Dann
erscheint der König selbst, um mich zu sehen, wurde aber
sofort wieder gebeten, in die Sitzung zurückzukehren. Ich

hatte nur Zeit, ihm unseren Entwurf zu übergeben, aber keine Zeit, denselben zu erläutern. Gleichzeitig kam auch der Entwurf des Ministers hinein und hatte den Vorzug, durch die anwesenden Minister vertreten zu werden. Beide Entwürfe hätten sich wohl vereinigen lassen. Aber dazu bedurfte es einer vorherigen Überlegung. Das „Zu spät" war für mich verderblich. Die Proclamation der Minister wurde angenommen.

Ich sprach nach der Sitzung noch den Prinzen Luitpold und den König. Jener bemerkte mir: „Wir haben kein Geld." Das bedeutete Verzicht auf eine königliche Grossmut, welche die Herzen des niederen Volkes erfreut hätte. Der König sagte: „Wir haben Manches berücksichtigt; es ist Vieles darin, auch von dem Ihrigen. Alles ist nicht möglich. Ihre Gesinnung ist gut."

Die ministerielle Proclamation war nicht schlecht. Aber sie machte zu sehr den Eindruck der blossen Nachgiebigkeit und daher der Schwäche. Die unsrige hätte die Statsautorität gestärkt.

Ich ging traurig nach Hause mit dem Gefühl, dass der Sieg in dem Augenblick entschwand, als er gesichert schien. Ich konnte mir nicht verbergen, dass die Hauptschuld auf Friedrich Rohmer falle. Auch seine nächsten Freunde hatten denselben Eindruck. Er selber empfand den Misserfolg sehr.

Das Manifest, wie es von uns vorgeschlagen war, lautete so:

„Bayern! Ein grosses Ereignis hat Europa erschüttert. Frankreich, nachdem es vergeblich versucht hat, die constitutionelle Monarchie rein und wahrhaft zu realisieren, hat sich in eine Republik umgestaltet.

Die deutsche Nation will keinen Krieg gegen Frankreich, wenn Frankreich ihre Rechte achtet. Aber wie sie vor fünfunddreissig Jahren von der Hoffnung einer grossen Zukunft gehoben ihre Ehre nach aussen hergestellt hat, so kann sie jetzt nur mit dem Bewusstsein, ihr inneres Geschick gesichert zu sehen, den Gefahren der Zukunft entgegentreten.

Eine tiefe Gährung hat die Gemüter ergriffen. In allen deutschen Staten hat sich das Gefühl Bahn gebrochen, dass die innere Reform Bedingnis der nationalen Sicherheit ist.

Ich teile dieses Gefühl. Und wie die Grösse und Einigkeit Deutschlands von Jugend auf das Ziel Meiner Wünsche war, so erkläre ich jetzt offen: Was in Meinen Kräften liegt, um für Mein Volk jene Bedingnis zu erfüllen, das will Ich thun.

Ihr wisst, dass Ich Meine getreuen Stände auf den 16. d. M. einberufen habe. Mit Ruhe könnt Ihr den Vorlagen entgegensehen, die Ich ihnen machen werde. Zugeständnisse, die mit unfreiem Herzen gegeben sind, haben niemals weder den Herrschern noch den Völkern zum Heil gereicht.

Nicht solche sind die Zugeständnisse, die Ich gebe. In der Überzeugung, dass Mein Interesse und das Interesse Meines Volkes ganz und gar Eins ist, betrete Ich fest und freiwillig den Weg der Initiative.

Die Bitten, welche einzelne Teile des Landes an Mich gerichtet haben, finden Mich bereit. Der letzte Rest der Censur wird verschwinden. Die Reform des Gerichtsverfahrens auf Grundlage der Öffentlichkeit und Mündlichkeit wird ausgeführt werden. Der Einführung der Geschwornengerichte steht Nichts entgegen, wenn die Einvernehmung kompetenter Stimmen Mir ihre Zweckmässigkeit erwiesen hat. Die Änderung der bisherigen Wahlordnung in einer Weise, welche der Intelligenz und den niederen Volksklassen genügende Vertretung gewährt, mit besonderer Rücksicht auf die verhältnismässige Vertretung der Pfalz ist ein längst gefühltes Bedürfnis, dem Ich mit Freuden entgegenkomme. Eine bestimmte Umschreibung der Verantwortlichkeit der Minister liegt gleich sehr im Interesse der Krone wie der Nation. Mit dem Eintritt der Volljährigkeit soll künftighin jeder Bayer auf die Verfassung beeidigt werden. Ein Gesetz über die Ablösbarkeit der Reallasten wird vorgelegt werden, desgleichen ein zeitgemässes Polizeigesetz, in welchem Ich die strengste Verantwortlichkeit der Polizei mit möglichst freier Vollmacht gegenüber den Anforderungen des Verkehrs und dem Wucher zu verbinden trachten werde. Mit voller, aus dem innersten Herzen entspringender Wahrung des Schutzes, welchen die Verfassung gegen die anerkannten Konfessionen Mir auferlegt, werde Ich trachten, dem Grundsatze Geltung zu verschaffen, dass die bürgerlichen und politischen Rechte der Bayern unabhängig sind von dem religiösen Bekenntnisse, womit zugleich die Emancipation der Juden ausgesprochen ist. Ich wünsche die Lage der Schullehrer zu erleichtern und die Gehalte der Beamten mit dem Stande der gegenwärtigen Preise in Einklang zu bringen.

Ich fordere alle Kräfte, welche in der Verwaltung, in den Kammern und in den einzelnen Bürgern Mich unterstützen können, zu ernster gründlicher Mitwirkung auf. Die Eile, welche die Weltlage gebietet, wird die Reife dieser Reformen nicht ausschliessen, wenn ihr Mir glaubt, dass nur der Wunsch, die Stimme des Landes vollkommen zu ermitteln, Mich veranlasst, einzelne Punkte noch unberührt zu lassen, und dass Ich, so feind Ich jeder zerstörenden Richtung war und sein werde, keine Reform ausschliessen will, welche sich Mir durch die öffentliche Discussion als Bedürfnis des Landes erwährt.

Bayern! Altberühmt ist eure Treue und euer fester Sinn. Ich vertraue euch ganz und gar. Ihr habt in diesem Augenblick nicht nur eine Pflicht gegen euch selbst, Ihr habt eine Pflicht gegen ganz Deutschland zu erfüllen.

Ich werde an den Bundestag Anträge gelangen lassen, welche sowohl der Vertretung der deutschen Interessen im Ausland als der gegenwärtigen Bundesverfassung ein neues Leben einflössen können. Ich werde dem Plan einer Reichsversammlung der souveränen Fürsten deutscher Nation in Verbindung mit entsprechender Vertretung des Volkes Meine volle Sorge widmen. Der deutsche Bundestag hat es bereits ausgesprochen: Deutschland soll und muss die Stufe einnehmen, welche ihm unter den Nationen gebührt. Nur wenn Bayern den Anblick eines in sich gefestigten States bietet, wird seine Stimme das moralische Gewicht haben, welches erforderlich ist, um uns der Mitwirkung der übrigen deutschen Staten zu versichern.

Ich hege die Hoffnung, dass die neue Organisation des Bundes sich ohne Störung des allgemeinen Friedens vollziehen lässt. Mögen Deutschland und Frankreich darin wetteifern, welches von beiden der Menschheit die dauerndsten Dienste erweisen kann! Die Monarchie — dies ist die Überzeugung, in welcher Ich Zuversicht finde — kann nicht nur die ständische Verfassung in ihrer ganzen Ausdehnung in's Leben führen, sondern zugleich auch das Endziel, wonach Frankreich strebt, — die endliche Sicherung des Looses der niederen Klassen — vollständiger verwirklichen, als es die Republik vermag.

Bayern! Freiheit und Ordnung nach innen, Deutschlands Macht und Einheit nach aussen ist Unser gemeinsamer Wahlspruch.

Indem Ich ihn euch zurufe, weise Ich zur Feier dieses Tages aus Meiner Civilliste Eine Million zur Unterstützung der notleidenden Klassen an."

4.

Neue Unsicherheit. Verhandlung mit dem Minister. Entlassung des Fürsten Wallerstein. Besuch bei dem gestürzten Minister. Ökonomische und persönliche Schwierigkeiten. Neuer Aufstand wegen der Lola. Mein Brief an den König. Mit Wallerstein über den Adel. Abdankung des Königs. Äusserungen von Fritz.

Ich hatte während der Krisis nicht an meine persönliche Stellung gedacht. Auch jetzt noch war es schwierig, dieselbe zum Abschluss zu bringen. Die Unsicherheit steigerte sich fortwährend. Ich hatte mit dem Fürsten Wallerstein mich verständigt und vorausgesetzt, dass dieser den König unterrichtet und dessen Zustimmung eingeholt habe. Das persönliche Vertrauen auf diese beiden Personen hatte mich beruhigt. Ich erlebte nun, dass beide die Macht verloren, bevor sie meine Berufung geordnet hatten.

Auszüge aus meinen Briefen an meine Frau und aus meinem Tagebuch schildern am besten die Stösse und Schwankungen, denen mein Schicksal damals ausgesetzt war.

Brief an meine Frau vom 9. März: „Endlich lässt mich Wallerstein zu sich rufen. Ich habe ihn ein paar Mal gesucht, aber noch nicht näher sprechen können. Er ist bald da, bald dort, unstät wie ein Homerischer Schatten. Begierig bin ich schon, Aufklärung über seine Zögerung zu erfahren."

Abends 5 Uhr: „Noch immer keine Unterredung mit Wallerstein. Ich bin todmüde von dem Warten. Morgens kam der Herzog Max, dann der neue Minister Thon-Dittmer. Nachmittags kamen die fremden Minister. Dann Ministerconferenz. Der Minister wollte mich Nachts empfangen. Es war wieder nichts."

10. März: „Heute Morgen habe ich endlich Wallerstein gesprochen, aber nur 10 Minuten. Als ich ihn über meinen Besuch bei dem König am Sonntag Abend aufklären wollte, damit er nicht meine, ich habe gegen ihn intriguiert, sagte er: „Ihr Schritt wird nicht missdeutet; ich weiss, dass Sie der Monarchie und uns einen grossen Dienst geleistet haben." Er vertraute mir: Die Sachen stehen übrigens noch schlimm. Der König glaubt, ein grosses Opfer gebracht zu haben, und hasst die, welche ihm dazu rieten. Nun schmeichelt er Thon-Dittmer, den er doch auch hasst. Der ist ein Volkstribun und macht nun den Conservativen. Er ist ohne Formen und kennt die Geschäfte nicht. Das Ministerium ist in sich uneinig. Ich habe Beisler bewegen wollen, den Cultus zu übernehmen. Er mag nicht. Ich werde erdrückt von der Geschäftslast. Ich habe eine „Volksbewaffnung" empfohlen. Jetzt ist's noch Zeit. Wir haben noch die Organisation in den Händen. Später haben wir sie nicht mehr in der Hand. Thon-Dittmer will „sich besinnen" und hindert die

Sache. Der König in seiner Monomanie verletzt die Menschenwürde in Anderen. Es geht über alle Begriffe. Er kann sich nicht darein finden, dass es in der alten Form und mit der alten Willkür nicht mehr geht. Der Kronprinz sieht jetzt die Lage ein, vor 14 Tagen noch nicht. Damals wollte er noch „monarchisch-conservativ" sein und nicht „liberal-conservativ". Ich habe nichts dagegen, wenn mir der König die Popularität für sich wegnimmt; das ist im Interesse der Monarchie. Aber wenn ich Alles für die Monarchie und das liberal-conservative Princip opfern kann, so kann ich doch meine persönliche Ehre nicht opfern. Die muss ich gegen alle Welt halten. Die Proclamation ist aus „meiner Feder". Wir behalten die „Verweserstellung" bei, um so vor die Kammern zu treten. Das persönliche Verhältnis können Sie morgen mit Neumayer in's Reine bringen."

Dann lud er mich zum Frühstück auf morgen zu sich ein.

11. März. An meine Frau: „Gestern war für mich ein stürmischer Tag. Die Wogen gehen in solchen Zeiten hoch und tief. Gott sei Dank, bin ich in diesem Sturme doch bei Kopf.

„Am Morgen früh nahm ich bei Wallerstein das Frühstück. Ich riet ihm das Cultusministerium aufzugeben, aber fügte den Wunsch bei, er möchte vorher noch meine Sache in Ordnung bringen. Er schien ganz einverstanden. Dann fuhren wir auf das Cultusministerium. Er wollte mich dort mit Neumayer zusammenbringen. Aber dieser war unwohl und noch zu Hause geblieben. Nachmittags suchte ich Neumayer in seiner Wohnung auf. Er kam mir mit den Worten entgegen: „Sie kennen doch schon die neue

Krisis?" Ich: „Nein." Er: „Soeben erfahre ich, dass Wallerstein beide Portefeuilles, das Äussere und den Cultus, verloren hat. Ich bin ganz bestürzt darüber. Den Zusammenhang kann ich mir gar nicht denken." — Natürlich war jetzt in persönlichen Dingen nichts weiter zu machen. In Neumayer erkannte ich denselben Ministerialrat, mit dem ich am Montag in dem Vorzimmer des Königs gewesen und der mir irrig als Herrmann bezeichnet worden war. Er ist ein Freund von Wallerstein.

„Sinnend und traurig ging ich von Neumayer nach Hause. Unterwegs traf ich Wallerstein, der mit seiner Tochter, der Gräfin Bassenheim, zu Fuss durch die Strassen ging. Er kam auf mich zu mit den Worten: „Sie wissen, ich bin ausgetreten." Ich: „Ja, ich habe es erfahren." Er: „Ich werde Ihre Sache doch durchsetzen. Kommen Sie morgen früh zu mir. Beisler, der jetzt Minister des Cultus ist, ist mein intimer Freund."

12. März. „Morgens zwischen 9 und 10 Uhr durchwanderte ich die festlich geschmückte Stadt. Blau-weisse Flaggen wehten von den Dächern der Häuser nieder. Die Fenster waren überall mit Fahnen, Teppichen, Kränzen geschmückt, allenthalben die bayerischen Landesfarben. Auf den Abend war eine Illumination angesagt, die jedoch später durch den Regen verhindert ward. Unter dem Volk, das übrigens am Morgen eher einen ernsten als einen heiteren und frohen Eindruck machte, war ich selber wehmütig gestimmt; denn ich sah im Geist hinter dieser Festlichkeit neue Wetterwolken aufsteigen.

„Es war mir sehr interessant, den Tag bei einem gestürzten Minister zuzubringen. Seine Position ist indessen viel besser jetzt, als wenn er noch Minister wäre. Als

Reichsrat kann er nun frei reden und handeln. Aber er
war tief verwundet. Einige Male brauchte er das Bild:
„Ich habe mich vor den König gestellt, um seine Blösse
zu decken. Ich bin um seinetwillen schwer und mehrfach
verwundet worden. Nun lag ich an meinen Wunden nieder im Spital. Eben da kommt der König und versetzt
mir einen Schlag, mich zu töten.

„Seine sehr schöne Frau, mit der ich zuweilen eine
Viertelstunde allein conversierte, machte ihm Vorwürfe
über seine Gutmütigkeit, seinen Eifer, den Anderen zu
raten. Sie empfahl ihm, doch endlich diese undankbare
Politik fahren zu lassen und in ruhigem Behagen zu leben.
Du begreifst, dass mich diese weiblichen Klagen lächeln
machten. Ich habe dergleichen schon zu viel gehört. Ich
erwiderte der Fürstin: „Sie verlangen von einem Statsmanne
etwas Unmögliches.“ Bei dieser Frage kommt mir immer
das Gedicht von Goethe zu Sinn: Der Adler und die Taube.
Die Menschen schwatzen gar oft, wie dort die Taube.

„Übrigens kennt ihn die Frau gut und hilft ihm auch
politisch, wie alle Frauen von Statsmännern, wenn sie ir-
gend passen. Sie sagte über ihn ganz richtig: „Er ist ein
Mann der Vermittlung. Er hat schon die schwierigsten
Sachen durch seine unerschöpfliche Geduld und freundliche
Gewandtheit in’s Reine gebracht.“ Im jetzigen Ministerium war er der einzige Statsmann und Redner. Daraus
kannst du ermessen, wie sicher dasselbe nun steht. Der
König war jedenfalls schlecht beraten, als er ihm „den
Tritt gab“; denn das war’s. Die drei Elemente, die sich
momentan gegen ihn verbunden hatten, sind erstens die
Lola, die vom 9. auf den 10. in der Nacht wieder hier
war, zweitens die Ultramontanen, drittens die Radikalen.

„Er wünscht sehr mich hier zu behalten. Darüber folgende Äusserung: „Ich werde heute Abend noch mit Beisler sprechen; treffe ich ihn nicht, morgen früh und einfach fragen: Ja oder Nein? Es handelt sich darum, die Sache rasch in ein paar Tagen zu erledigen. Will er nicht, so bleiben Sie doch hier und wir kommen alle Drei zusammen wieder und dann ganz.“ —

Trotz der nun offenbaren Unsicherheit, in die ich mit meiner Familie geraten war, fühlte ich mich doch gehoben in dieser grossen, stürmischen Zeit. Die Hoffnung, dass mir hier ein neuer und fruchtbarer Wirkungskreis eröffnet werde, und dass das Princip, das vorerst in der Schweiz nicht durchzuführen war, hier unter günstigeren Bedingungen siegreich werde, wurde gerade in diesen kritischen Tagen sehr gestärkt.

Die ökonomische Schwierigkeit schien mir durchaus nicht unüberwindlich. Ich musste warten können. Für den Notfall rechnete ich auf die Hilfe meiner Freunde. Daran, dass es mir innerhalb einer nicht allzu langen Frist gelingen werde, eine neue gesicherte Lebensstellung zu erwerben, zweifelte ich keinen Augenblick. In dieser Hinsicht beruhigten mich das Gefühl der eigenen Kräfte, die bisherige Anerkennung und mein Gottvertrauen.

Für schwieriger hielt ich das Verhältnis zu Fritz und dessen Natur. Der ungenügende Erfolg bei der königlichen Proclamation hatte doch auch auf ihn einen tiefen Eindruck gemacht. Er war sich bewusst geworden, dass ihm die Verschuldung zur Last falle. Es schien eine Wendung eingetreten zu sein. Er hörte eher auf den Rat der Freunde und suchte sich selber mehr zu beherrschen. Aber sicher fühlte ich mich ihm gegenüber nicht mehr.

Als Wallerstein den neuen Minister Beisler sprechen wollte, war auch dieser „krank". Endlich traf er ihn und fand ihn „wie früher schon ganz geneigt", aber durchaus unfähig, ohne besonderen Befehl des Königs irgend etwas zu thun.

So war ich denn genötigt, um endlich Gewissheit zu erlangen, mich unmittelbar an den König zu wenden. Ich schrieb an den König im Einverständnis mit den Freunden. Als ich den Brief am 16. März in die Residenz bringen wollte, dachte ich noch: „Hoffentlich wird nicht wieder in demselben Augenblick der König ausser Thätigkeit treten, wo ich an ihn gelangen will, damit er endlich meine Angelegenheit erledige." Die seltsame Ahnung ging in Erfüllung.

Ich schrieb meiner Frau am 17. März: „Der Teufe ist wieder los. Das Volk vermutet, dass Lola hier sei. Vorgestern wurde sie in Fürstenried gesucht. Gestern durchsuchte die empörte Menge hier mehrere Häuser, wo ihre Anwesenheit vermutet wurde. Dort wurden alle Schränke geöffnet und in den Kaminen Feuer angezündet. Der Polizeidirector gab ungenügende Antwort. Auf die Frage: „Wo ist sie?", erwiderte er: „Ich weiss es nicht." Natürlich bestärkte die Antwort den Verdacht gegen die Polizei. Am Abend ging es gegen die Polizeidirection. Die Thüre wurde erbrochen, die Möbeln wurden zum Fenster hinausgeworfen. Endlich zog das Militär herbei und sperrte die Strasse ab. Was in der Nacht begegnet ist, weiss ich noch nicht. Aber wenn auch die Ruhe in der Stadt nicht weiter gestört worden sein sollte, so war es doch gewiss in der Residenz selber sehr bewegt. Ich mag daher heute waforgen meinen Vorsatz nicht ausführen. Diese Geschichten sind scheusslich, und in diesem Moment, in dem Bayern an die Spitze der deutschen Bewegung treten könnte.

„Der Kronprinz hat Fritz auf die Übersendung der Geschichte des liberal-conservativen Princips noch befriedigender geantwortet, als selbst Prinz Luitpold. Gestern ging das Gerücht, Wallerstein werde wieder Minister des Äussern. Nicht unmöglich, aber mir sehr zweifelhaft.“

$^1/_2$ 12 Uhr: „Es ist schwer, über das wankende Gerölle auf den Berggipfel zu klimmen, und doch gibt's keinen anderen Weg. Zu deiner Beruhigung melde ich dir noch, dass ich diesen Morgen die Abschrift meines Briefes vollendet und persönlich den Brief dem Adjutanten des Königs übergeben habe. Also ist der Würfel geworfen.“

Brief vom 17. März Abends: „Während ich hier in dem grossen Sturme der Revolution ausharren muss, wirst du Arme von den kleinen Wellenschlägen der Zürcher Atmosphäre viel empfindlicher heimgesucht. Ich bin ein Mann, der im Sturme zu bestehen die Kraft zu haben hoffen kann; und dich plagen sie, eine hilflose Frau, welche jetzt mehr als je der sorgfältigsten Schonung ihrer Kräfte bedarf.“ Meine Frau hatte mir über sehr unangenehme Auftritte berichtet, die sie selbst erlebt hatte, vorzüglich aus Angst über mein Schicksal.

Brief vom 19. März an meine Frau: „Lass den Mut nicht sinken, mein Herz. Vertrau' auf Gott, der eben ein furchtbares Gericht hält.

„Glaube mir, ich bin innerlich ganz ruhig, obwohl mich die Sorge um dich mehr als die Sorge um mich stündlich mahnt. Vertraue mir, wenn ich dir sage, ich bin vorsichtig und durchaus selbständig.

„Alle Welt hat gemeint, erst müssen Louis Philipp

und Metternich sterben, bevor die europäische Revolution
komme. Alle Welt hat geirrt. Das Gericht hat beide
noch bei Lebzeiten erfasst; sie konnten nicht mit Wahrheit sagen, was sie so oft gedacht: Après nous le déluge.

„Fritz ist ungemein heiter, so heiter, wie ich ihn
selten gesehen habe. Er weiss, dass dieser Umsturz Europa's kommen musste. Als er die Nachricht von der französischen Republik vernahm, hatte er, nach seinem eigenen
Ausdruck, den Kopf verloren den ganzen Tag, weil er die
greuliche, unabwendbare Verwirrung, die kommen werde,
im Geiste vor sich sah. Dann aber hat er sich wieder
gefasst. Nun wird er von Tag zu Tage ruhiger, frischer,
kräftiger. Die Rasse tritt wirklich zurück. Seine Zeitrechnung hat sich nun doch sehr erprobt; und was ich
tauben Ohren gepredigt habe: „1847 die Schweiz, 1848
Europa" geht in Erfüllung.

„Auch in Deutschland steht Nichts fest. Es stehen
ungeheure Veränderungen bevor. Die Monarchie wird
erneuert werden müssen. Der Adel ist grossenteils ver-
rottet und bedarf einer durchgreifenden Reform, wenn er
nicht weggewischt werden soll. Der dritte Stand spreizt
sich und bläht sich auf in der Meinung, seine absolute
Herrschaft nicht zu erobern, sondern zu erschwatzen und
zu erschreiben. Aber hinter ihm gährt der vierte Stand
und droht jenen, wenn er zur Herrschaft kommen sollte,
zu verschlingen und dann Alles in den allgemeinen Ruin
herabzuziehen. Also ist auch in Deutschland, wie in Frankreich, Alles erschüttert. Das aber sind die notwendigen
Bedingungen, welche der Wirksamkeit von Friedrich Rohmer vorausgehen müssen. Monarchie, Adel, dritter Stand,
vierter Stand sind alle dem Untergange nahe, alle in Frage

gestellt. Diesmal gehen die Ereignisse wirklich schnell. Der
Ruin der Banken und zahllose Bankrotte müssen folgen.
Dann wird nach dem entsetzlichen Unglück der Boden ge-
ebnet sein für die neue Gestaltung der Welt. Ob sie auch
Blut kosten wird, wie viel, wie lange, weiss nur Gott;
sonst Niemand. Aber nach wenig Jahren ist jedenfalls
die neue Zeit da in ihrer Blüte. Gesegnet ist, wer dieselbe erlebt."

Den 20. März. „Ich sprach heute mit Wallerstein über
den Adel. Aus der Art magst du ersehen, wie es steht.

Ich: „Was denkt der Adel? Hält er sich auch für
sicher?"

Er: „Auf die Frage: Was denkt der Adel? kann ich
nicht antworten. Würden Sie fragen: Denkt der Adel? so
würde ich Nein antworten."

Ich: „Mir liegt an den Personen, die gerade da sind,
Nichts, aber an der Institution viel. Der Adel als Institution muss gerettet werden."

Er: „Wie wollen Sie den retten, der auf keinen Rat
hören will und zum Selbstmord entschlossen ist?"

Ich: „Wenn es so steht, dann freilich ist nichts zu
machen, als abzuwarten, bis das alte Gebäude zusammen-
gebrochen ist, und die Zeit kommt, die Institution neu zu
schaffen."

Er: „Ich glaube, Sie haben Recht. Aber wie würden Sie den Adel reformieren?"

Ich: „Das absolute Erbrecht geht nicht, und doch
ist ein Erbadel nötig."

Er: „Wie in England. Der Adel vererbt auf den
Erstgeborenen. Die übrigen Kinder fallen dem Bürgerstand zu."

Ich: „Auch das Erstgeburtsrecht ist ein absolutes
und ist deshalb falsch. Es kann ja der erstgeborene Sohn
ein ganz einfältiger und unbrauchbarer Mensch sein. Das
Alles geht nicht mehr. Das Erbrecht muss mit Prüfung
der Eigenschaften und Wahl verbunden werden. Es müssen
überdem auch adelige Individuen anerkannt werden,
wenngleich sie keine adeligen Eltern haben."

Er: „Mir scheint, Sie haben Recht; aber inzwischen
geht wohl Alles erst unter. Mir kommt die Versammlung
des Reichsrates wie ein Leichenacker vor. Die Herren
werden sich nicht selber reformieren. Sie ergeben sich
lieber dem Tode." —

„Also so steht es."

Brief an meine Frau vom 21. März: „Die Ahnung,
die ich dir vor ein paar Tagen schrieb: „der König wird
doch nicht auch in demselben Moment ausser Dienst treten,
an welchem er meine Angelegenheit zu erledigen hat, wie
es mit seinem Minister geschehen ist," ist in Erfüllung
gegangen. Der König Ludwig hat heute Nacht abgedankt
und soeben (Morgens vor 7 Uhr) ziehen die Truppen vor
meinen Fenstern vorbei auf den Dultplatz, vermutlich um
dem neuen König, dem bisherigen Kronprinzen, zu schwören.

„Lass dir erst ruhig erzählen, was ich bis jetzt weiss.
Gestern sah ich mehrere Personen, Beamte und Bürger.
Sie alle sagten mir: die Ruhe ist nun für einmal entschieden hergestellt. Bürgerwehr, Linie und Studenten halten
alle zusammen gegen den Pöbel. Ich erwiderte ihnen: Ich
halte die Emeute ebenfalls für beendigt, aber nicht die Revolution. Diese Ruhe ist entsetzlich trügerisch.

„Abends ging ich zu Fritz. Er kam in grosser Aufregung nach Hause mit den Worten: „Der König treibt

ein böses Spiel. Das Polizeigebäude ist schon wieder mit Soldaten umstellt, als ob ein Angriff der Proletarier zu befürchten wäre. Gegen den Adel wird von obenher gehetzt. Es heisst, er mache die Unruhe und bezahle die Proletarier. Der Adel ist daran ganz unschuldig. Er ist froh, wenn man ihn nicht angreift. Es fällt ihm nicht ein, anzugreifen. Der bayerische Adel hat sich oft gegen das Volk versündigt, gegen die Krone nie, und nun wirft der König den Adel dem Volkshasse als Opfer vor, um Rache zu nehmen für die Lola. Er bedenkt nicht, dass, wenn der Adel zerstört ist, der dritte Stand sich aus der Krone nichts mehr machen und mit dieser ganz anders als bisher reden wird." So ging's in Einem fort. Um 10 Uhr ging ich nach Hause und legte mich zu Bette. Ungefähr um 1 Uhr in der Nacht höre ich meinen Namen von der Strasse her rufen. Ich erwache und entdecke Fritz mit einem seiner Bekannten unten, die mir berichten, der König habe in der Nacht nach einem Familienrate abgedankt und als Grund sein Verhältnis zur Lola bezeichnet, von der er nicht lassen wolle.

„Näheres weiss ich noch nicht. Das Ereignis ist welthistorisch. König Ludwig war der am meisten königliche Fürst in Deutschland. Nun geht er seinen Collegen voran. Ich fürchte, am schlimmsten wird es in Preussen gehen, und der Hohenzoller bald dem Wittelsbacher nachfolgen müssen.

„Meine Stellung hier ist nun einmal auf das sonderbarste mit den wichtigsten Ereignissen verknüpft. Alles bestärkt mich in dem Entschlusse, hier zu bleiben. Das ist meine Bestimmung. Ich fühle und weiss das ganz deutlich. Die Revolution wird noch vorwärts gehen. Sie muss es, weil das Schicksal es will. Nachher dann wird's sehr gut werden. Vielleicht liegt sogar die Republik dazwischen. Aber trotzdem wird es wieder und neue Fürsten geben in Deutschland.

„Wenn ich aber hier bleibe, so muss meine Familie zu mir. Sonst bin ich ein halber Mensch. —

„Die Politik in Deutschland ist eine ganz andere, als in der Schweiz. In der Schweiz wurde ich während 18 Jahren immer von dem Gedanken geleitet, vorerst sei der Radikalismus zu schlagen und dann durch liberale Reform die Revolution von oben her zu überwinden. Für diese aber haben sich die Conservativen zu schwach erwiesen. Die Revolution hat, wenn auch durch unseren Widerstand geschwächt und ermässigt, vollständig gesiegt. In Deutschland denken wir, die schweizerischen Erfahrungen beachtend, nicht mehr daran, einen solchen Kampf gegen die Revolution zu führen, sondern bloss daran, den liberalen Gehalt in der Revolution hervorzuziehen. Mit anderen Worten: Wir haben auf Erhaltung der alten Zustände resigniert. Die neue Ordnung wird nach der radikalen Überschwemmung aufgebaut werden. Diese Position ist unendlich viel günstiger, als die frühere. Das Ziel bleibt dasselbe.

„Die Weltgeschichte ist dermalen nicht in der Schweiz, sondern in Deutschland, und zwar wie seit vielen Jahrhunderten niemals in höherem Grade. Das ist's, was mich hieher zieht. —

„Heute morgen traf ich Fritz in Thränen, tief trauernd um den König. Er sagte: „Nein, das hat er nicht verdient, um die Münchner nicht. Sie haben ihm mit ihrer Adresse das Herz gebrochen. Er kann ihnen sagen: die Anderen mögen mir fluchen, aber von euch habe ich Dank verdient. Wüsste ich, wo er wäre, ich ginge hin zu ihm.

Er litt an Monomanie; aber die Bürger haben sich doch allzu rücksichtslos gegen ihn benommen. Auch das wird gezüchtigt werden.

„Die Stadt macht einen traurigen Eindruck. Die Leute gehen stumm daher und niedergeschlagen. Als die Truppen vor unseren Fenstern vorbeischlichen, halb betäubt und lässig, sagte Fritz: „Da wird der Leichnam der Monarchie vorbeigetragen." Sein Wort an den Kronprinzen: „Es ist die letzte Stunde" hat sich schnell erfüllt.

„In einer Proclamation nimmt der König Abschied von den Bayern. Sie ist durchaus von ihm. Es sind ganz genau dieselben Worte, die er an jenem Sonntag (5. März) Abends zu mir gesprochen hat.

„Das Wetter ist heute rauh und düster, Sturm und Riesel nach vorübergehenden Sonnenblicken. München ist traurig. Man sieht selten ein fröhliches Gesicht.

„Die letzten Worte des Königs sind herrlich, durch und durch königlich. Keinen Groll zeigt er. Ich bin überzeugt, dass er an meine Unterredung vom 5. März gedacht hat. Nicht bloss ist Satz für Satz wörtlich wiederholt, sondern die Erinnerung an den „Freistat" ist ganz bezeichnend.

———

5.

Thronbesteigung des Königs Maximilian II. Rohmer'sche Ideen. Der vierte Stand und die Monarchie. Der Adel. Denkschrift für den König. Meine Audienz bei dem König für Friedrich Rohmer. Oberst Hartmann. Unheimlicher Eindruck von Friedrich. Hochadeliche Herren, Wallerstein, Bassenheim, Leiningen, Hohenlohe.

Brief vom 21. März Abends: „Die Ausrufung des neuen Königs durch einen Herold, der durch die Strassen ritt, war matt. Der Zug des Herolds glich einem Fastnachtsscherz. Das Volk nahm wenig Anteil daran und blieb stumm. Die neue Proclamation des Königs ist nichtssagend. Die Besseren schweigen und fürchten. Die Menge ist bestürzt. Es sind doch viele Thränen geflossen. Der König Ludwig war trotz seiner Schwächen ein richtiger König.“

Vom 22. März: „Heute ist die Eröffnung der Stände. Die Thronrede hat die Bürger befriedigt; aber sie ist bloss bureaukratisch und hat auf mich einen sehr kühlen, unbedeutenden Eindruck gemacht.“

Durch den Thronwechsel war die Bühne verändert, aber es war noch ganz unsicher, was nun weiter geschehe.

Dass die kritische Lage täglich mit den Rohmer besprochen wurde, versteht sich. Es war aber nicht leicht, mit Fritz zu verkehren. Sein ohnehin übermächtiges Selbstgefühl war durch die Ereignisse heftig aufgeregt. Er war überzeugt, dass die allgemeine Erschütterung auf seine Mission hinweise. Er glaubte sich ganz nahe an dem Gipfel. Die Sorgen für Bayern und für Deutschland mischten sich mit einer flammenden Ehrsucht. Aber wie er in den politischen Ideen liberal war, so war er in der Praxis seines Hauses und gegen die Freunde eher absolutistisch und despotisch. Die ferner Stehenden schreckte er mehr ab, er zog sie nicht an.

Die Dinge lagen in der That so, dass er einen sehr bedeutenden Einfluss auf den Gang der Politik hätte gewinnen können, wenn er entweder, wie er mir vor Jahren das als seinen Vorsatz erklärt hatte, auf jede äussere Anerkennung und Stellung verzichtet und lediglich als Privatmann gelebt hätte, oder wenn er sich selber beherrscht und im Verkehr mit den Menschen die Formen besser beachtet hätte.

Es war in der That eine geniale Idee, die damals unter uns besprochen wurde, und die Fritz mit grösstem Nachdruck betonte, dass die Monarchie durch die Verbindung mit dem vierten Stande am besten zu sichern und dadurch für die grossen Volksklassen am besten zu sorgen sei. Theodor Rohmer arbeitete damals die Brochüre aus: „Der vierte Stand und die Monarchie", welche diese Idee näher begründete. Dieselbe wirkte in München sehr beruhigend, obwohl sie nur wenig begriffen wurde. Später erlebte man, dass der Prinz Louis Napoleon diese Idee in Frankreich vertrat und dieselbe zur Begründung des neuen Kaisertums ausbeutete.

Ferner wurde die sofortige Gründung einer conservativ-liberalen Partei besprochen, mit entschiedenstem Vortreten der liberalen Elemente, also mit Vermeidung der schweizerischen Gebrechen. Ich übernahm es, darüber mit einigen Herren von hohem Adel zu sprechen, auf die mich Fürst Wallerstein hinwies. Gerade unter den Standesherren fanden sich am ehesten Männer, welche die Zeit begriffen und einen weiteren Gesichtskreis hatten.

Friedrich Rohmer erschwerte auch hier die Aufgabe, indem er verlangte, dass ich voraus über ihn sprechen und ihn vorzüglich als den Geist verkünden solle, der allein helfen könne. Immer begegnete ich dem Misstrauen und den Bedenken, so oft ich versuchte, auf seine Person zu verweisen. Dennoch entzog ich mich diesen Versuchen nicht. Eben an dem 23. März, als in dem Hause des Grafen Bassenheim die Bildung einer conservativ-liberalen Partei, zu welcher der hohe Adel voraus sich ermannen sollte,

besprochen wurde, empfand ich diese Schwierigkeit sehr
deutlich. Ich sprach ganz offen und wahr über die Natur
von Friedrich Rohmer, ich verhehlte auch die Bedenken
nicht, welche seiner Person hindernd im Wege stünden. Ich
schilderte seine Unfähigkeit, irgend ein Verwaltungsamt
im Statsdienst zu übernehmen, und seine Fähigkeit, die
Pointen zu erkennen und scharf hervorzuheben, welche für
die Politik entscheidend seien. Ich warb für ihn um Vertrauen. Meine Rede in diesem Moment machte einen Eindruck; aber sie überwand doch die Scheu nicht. Mir
wollten sie willig vertrauen und nur, wenn ich die Vermittlung übernehme, mit ihm in Verbindung treten.

An diesem Abend kam die erschütternde Nachricht
von Berlin nach München von dem heftigen Ausbruch der
Revolution auch in Berlin, von dem blutigen Kampf zwischen den königlichen Truppen und den empörten Ein-
wohnern, von dem Siege der Truppen und der Nachgiebigkeit und Demütigung des Königs nach jenem Siege. Diesmal hatte es heftiger gekracht. Bald darauf kam die
Kunde, dass der König Friedrich Wilhelm IV. eben nach
jener Demütigung sich zum „Deutschen Kaiser" habe aus-
rufen lassen.

Der Eindruck dieser Ereignisse war überwältigend.
Fritz war ausser sich. Er verlangte sofort grosse Ent-
schlüsse und setzte zu diesem Zweck mit mir und Theodor
eine kurze Denkschrift in zehn Paragraphen auf, die dem
König zugesendet wurde.

Der Hauptgedanke dieser Denkschrift war: Die Ge-
schichte von Frankreich bietet das Bild einer stufenweisen
Überstürzung der Stände. Zuerst der Adel und der dritte
Stand gegen die Monarchie, dann der dritte und vierte

Stand gegen den Adel, endlich der Sieg des vierten Standes über den dritten. Die Herrschaft des vierten Standes ist eine Unmöglichkeit in sich. Deutschland hat die Wahl, Frankreich nachzuhinken, oder Frankreich voranzugehen. Die Zeit ist gekommen, dass Deutschland vorangehen muss, um damit zugleich Frankreich und die Menschheit zu retten.

Dann wurde im Einzelnen, freilich nur in grossen Umrissen, vorgeschlagen:

„1) Vervollständigung des Anteils an der Gesetzgebung und der Controle der Verwaltung, welche der dritte Stand bisher in Deutschland kaum oder nur unvollständig besessen hatte.

2) Ausdehnung der ständischen Controle auf den Ertrag des unmittelbaren Statseigentums und der indirecten Steuern.

3) Freies Vereinsrecht innerhalb gewisser Grenzen.

4) Erhöhte Unabhängigkeit der Richter.

5) Bekenntnisfreiheit und Ablösung der politischen Rechte von confessionellen Bedingungen.

6) Adelsreform.

7) Zu Gunsten des vierten Standes: Ablösung der Reallasten, Beseitigung der Patrimonialgerichtsbarkeit, Reform des Jagdrechts. Aufforderung an den Adel und den dritten Stand, sich der Interessen des vierten Standes als Patrone anzunehmen.

8) Abschaffung des chicanösen Verfahrens der Fiscalbehörden.

9) Keine Schwächung, aber Umwandlung der bisherigen mechanischen Polizeigewalt in eine organische und moralische Statsgewalt. Die Organe dieser reformierten

Polizei verbänden die ausgedehntesten Vollmachten mit der äussersten Verantwortlichkeit.

10) Deutschlands Aufgabe ist das organische Verhältnis der Stände im Gegensatz zu ihrer gegenseitigen Aufreibung in Frankreich."

Ein Adjutant des Königs, Oberst von Hartmann, suchte noch am 23. März Fritz in seiner Wohnung auf, um im Auftrag des Königs ihn zu veranlassen, dass er seine Meinung schriftlich einreiche, da der König ihn gegenwärtig nicht persönlich empfangen könne. Der Adjutant unterhielt sich lange und vertraulich mit Fritz. So wurde denn die Denkschrift abgeschickt.

Aber nun drang am Tage darauf Fritz wieder in mich, ich solle zum König gehen und ihm eine Audienz erwirken. Nochmals liess ich mich durch sein leidenschaftliches Andringen zu dem Wagnis bewegen. Von neuem gab ich meine persönlichen Interessen preis, obwohl ich wusste, dass meine Berufung weit unsicherer geworden war, als früher, da der neue Minister Beisler mir nichts versprochen, und der neue König mir seine Gesinnung auch noch nicht geäussert hatte. In dem kritischen Moment sprang ich in die Bresche und verlangte eine Audienz bei dem König.

Es war schon Abends 4½ Uhr. Dennoch empfing mich der König mit den Worten: „Die Königin wartet auf mich mit dem Essen, dennoch sprech' ich Sie." Er klagte über die vielen Audienzen, die ihn ganz müde machen. Ich erwiderte, dass gegenwärtig die Lage eines Königs keine beneidenswerte sei, worauf er ganz traulich und wehmütig sagte: „Ich war glücklicher als Kronprinz. Ich habe den Glanz nicht gesucht." Ich erinnerte ihn an den 4. März und bemerkte, der jetzige Moment sei noch wichtiger. Denn nachdem in Berlin die Ereignisse das Königtum so gründlich erschüttert haben, sei für Bayern die Nötigung eingetreten, entschieden vorzugehen. Ich trug ihm dann den Wunsch von Friedrich Rohmer vor, heute noch persönlich und mündlich dem König seine Ansichten mitteilen zu dürfen. Er klagte von neuem, und da ich dringender wurde, gestand er mir ganz offen, er habe vor Friedrich Rohmer eine gewisse Scheu, er fühle sich der genialen Natur desselben gegenüber nicht sicher genug.

Also wieder die alte Erfahrung, die Erscheinung von Fritz ist den Menschen unheimlich. Viele empfinden ein seltsames Grauen, wie wenn ihnen ein böser Dämon begegnete. Ich suchte den König möglichst zu beruhigen und sprach mich offen über die allerdings einzigartige Natur von Fritz aus. Obwohl er wiederholt erklärte, eine schriftliche Mitteilung wäre ihm lieber, so sagte er mir doch zu, wenn irgend möglich, heute noch Fritz rufen zu lassen.

Der König machte auf mich den Eindruck eines jungen Mannes von wohlwollenden Vorsätzen, guter Bildung und einer gewissen, aber in kleinen Verhältnissen sich bewegenden Noblesse. Ich hatte Zweifel, dass er eine geniale Natur verstehen würde und ertragen könnte. Ich hatte das Gefühl, dass ich selber schon genötigt sei, mich im Gespräch sehr zu mässigen. Sein Vater war jedenfalls grösser angelegt. König Max glich eher einem hochgestellten Bürger. Als ich ihm bemerkt hatte, in grossen Gefahren bedürfe man auch ungewöhnlicher Männer, und er darauf erwidert hatte, dass er unter seinen Beamten auch geistreiche Männer habe, erlaubte ich mir, ihm zu sagen: „Ich bezweifle das nicht; aber Louis Philipp hat auch geistreiche Beamte gehabt, und doch hat ihn die Bureaukratie ruiniert." Dann erklärte er: „Allerdings, aber die Redlichkeit fehlte. Die Pfiffigkeit kommt nicht durch. Ich habe ein redliches Bewusstsein. Ich meine es gut."

Diese Äusserung erinnerte mich bedenklich an ein mir überbrachtes Wort des Ministers Thon-Dittmer: „Ich bin kein Statsmann und will keiner sein. Man braucht jetzt keine Statsmänner. Die Zeit der Statsmänner ist vorüber. Ich bin ein ehrlicher Mann." Damals bemerkte ich: „Ein solcher Nonsens ist charakteristisch. Ein Ministerium, das so weise ist, wird von der Revolution bald weggeblasen sein."

Ich betonte noch stark meine „Unabhängigkeit" bei dem König, die Unabhängigkeit des Charakters, die sich nicht scheue, offen und wahr die Überzeugung auszusprechen, auch wenn sie missverstanden werde.

Ich hatte, wie ich glaubte, meine Pflicht geübt; aber ich hatte nicht denselben sympathischen Eindruck empfangen wie früher nach der Unterredung mit König Ludwig. Der König hörte mich freundlich an, aber ich war doch nicht sicher, ob ihn meine Vorschläge, Friedrich Rohmer irgend eine ausgezeichnete Stellung zu gewähren, nicht eher erschreckten als befriedigten. Der Vorschlag lag jedenfalls ausserhalb seines Gesichtskreises. Aber immer verlangte er schriftliche Mitteilung. Die Denkschrift hatte er noch nicht erhalten.

Im Vorzimmer unterhielt ich mich nachher noch lange und gut mit dem Oberst Hartmann. Er hat mir recht gut gefallen. Der diplomatische Schliff, der mich erst bedenklich machte, fiel weg und es stand ein guter Patriot

vor mir. Ich sagte ihm offen, dass ich als Schweizer und
für die Schweiz ein entschiedener Republikaner sei, aber
dass nach meiner Überzeugung Deutschland ein monarchisches Land sei und der Monarchie bedürfe. Wenn sogar
durch den Fortschritt der Revolution eine deutsche Republik eingeführt werden sollte, so hielte ich das nur für
ein Zwischenstadium. Die Monarchie werde doch wieder
kommen. Ich erinnerte an Mirabeau, der von Ludwig XVI.
zu spät zugezogen worden sei, und sagte ihm: Friedrich
Rohmer habe ein Herz für das Königtum; aber im Notfall, wenn dieses verschmähe, seine Dienste zu benutzen,
könnte er auch mit dem Volke gehen, indem ein Statsmann nicht an Einen Weg gebunden sei, sondern wenn
dieser verschlossen werde, einen anderen suchen müsse,
um seine Ideen zu verwirklichen. Nach dem Wunsche
von Friedrich Rohmer hatte ich auch die polnische Frage
berührt und bemerkt, dass es eine würdige Aufgabe wäre
für Deutschland, dieselbe durch Herstellung eines nationalen Stats zu lösen, was im Frieden und unter dem Beifall Europa's geschehen könnte. Deutschland würde dadurch mit Einem Schlag als europäische Grossmacht Anerkennung finden.

Wieder hatte ich Alles gethan, um Friedrich Rohmer
den Weg zur That zu eröffnen. Wiederum scheiterte Alles
an der unberechenbaren Eigenart desselben. Er wartete
an dem Abend noch auf die gehoffte Audienz. Das Warten
reizte seine Nerven. Er war, als die Berufung nicht mehr
kam, halbtot vor Ermüdung und erklärte, er müsse fort,
sich zu erholen: „Wenn ich nicht gehe, so überlebe ich
diesen Tag nicht." In der Nacht noch reiste er nach
Schliersee ab. An dem stillen See, umschlossen von den

bayerischen Vorbergen, hatte er schon früher sich wohl
gefühlt. Er liebte diese Gegend vor allen.

Am Tage darauf liess der König Friedrich zu sich
rufen. Meine Audienz hatte also doch gewirkt. Aber nun
fehlte dieser. Ich erhielt die leidige Aufgabe, das Nicht-
erscheinen zu entschuldigen. Nochmals sprach ich den
König. Ich hatte wieder das Gefühl, dass ich meine Kraft
beständig zurückzuhalten genötigt sei und trotzdem, auch
wenn ich mich möglichst mässige, ihm stärker zusetze,
als er ertragen könne, und ihn gleichsam überlade. Auch
den König erinnerte ich nun an Ludwig XVI. und Mirabeau.

Ich musste fürchten, dass Etwas von dem „unheimlichen Grauen“, welches Fritz dem König einflösste, auch
wie ein Reflex auf mich zurückwirke und ihn auch mir
gegenüber scheu mache. Doch verdient die Anerkennung
hier schon beigefügt zu werden, dass der König mir diese
Scheu nicht nachtrug und sich darüber hinwegsetzte, wenngleich sie nie ganz verschwand.

Inzwischen verhandelte ich weiter mit Fürst Wallerstein und einigen Standesherren über eine conservativ-libe-
rale Parteibildung. Es kam schliesslich zu einem Abschluss
zwischen ihnen und mir. Ich erklärte, lediglich als „unab-
hängiger Mann“ eine Art Allianz oder Union für dieses Princip einzugehen und gemeinsam mit ihnen wirken zu wollen,
hauptsächlich auch in der Presse. Es wurden mir sodann an-
sehnliche Geldmittel zur Verfügung gestellt. Eine bestimmte
Verabredung mit Friedrich Rohmer fand nicht statt. Die
Herren kannten aber meine Beziehung zu ihm und erwar-
teten, dass ich auch von dieser Seite unterstützt werde.

Von den wichtigsten Personen dieser Allianz erwähne ich:

1) Fürst Wallerstein, mit dem ich in fortwährendem Verkehr damals blieb. Er hatte die meiste Geschäftskunde, einen weiten Überblick, war geistreich und sehr gewandt, von liebenswürdigen Formen im Umgang mit Menschen. Ich fand seine politischen Ideen radikal-liberal und um dieser Mischung willen etwas schillernd in der Farbe. Er stand in dem Rufe eines unzuverlässigen Mannes, zu dem man kein rechtes Vertrauen fassen könne. Man behauptete, er verspreche leicht mehr, als er zu halten vermöge. Eine weiche Gutmütigkeit und ein natürliches Wohlwollen leuchteten aber aus seiner Natur heraus und öffneten ihm manche Herzen. Seine ökonomischen Verhältnisse waren nicht fest geordnet. Er machte Schulden, die er lange nicht oder gar nicht bezahlte. Er hatte sich doch auch in meiner Berufungsangelegenheit schwach und unzuverlässig benommen. Jetzt suchte er den damaligen Fehler wieder gut zu machen. Unter den bayerischen Ministern, die ich kannte, hatte er am meisten Statsmännisches in seinem Wesen. Wir wurden einig, dass er sich vorerst von der Partei fern halte, aber mit mir in Verbindung bleibe. Seine Frau war durchaus dagegen, dass er irgendwie jetzt politisch vortrete. Bei einer Besprechung in seinem Hause drohte sie, sie werde ihn in den Keller einschliessen und da gefangen halten, bis er sich in sein Schicksal ergebe.

2) Sein Schwiegersohn Graf Bassenheim versprach seine Mitwirkung. Er schilderte die Trostlosigkeit der Zustände unter dem Adel mit heiterer Ironie, indem er sich selber nicht verschonte. Im Besitz eines grossen Erbguts hatte er nie arbeiten gelernt und verstand nichts von Wirtschaft. Er war genötigt, Alles seinen Verwaltern zu

überlassen, und diese sorgten besser für ihr eigenes als für
das Interesse ihres Herrn. Dabei hatte er und seine Gemahlin kostspielige vornehme Launen und liessen denselben
freien Lauf zu ihrem Verderben. Auf ihn war daher nicht
viel zu rechnen. Er kam vorzüglich als Schwiegersohn des
Fürsten Wallerstein in Betracht.

3) Viel bedeutender waren der Fürst Leiningen und
4) der Fürst von Hohenlohe-Schillingsfürst.

Zu diesen beiden Herren hatte ich auch ein persönliches Vertrauen gefasst. Der Fürst von Leiningen, der
Halbbruder der Königin von England von der gemeinsamen
Mutter her, hatte früher schon gegen die kurzsichtigen und
engherzigen Vorurteile seines Standes angekämpft und das
in den vormals reichsständischen Häusern verlangte Er-
fordernis ebenbürtiger Geburt für die vollwirksame Ehe
als eine Thorheit bezeichnet. Für die Grösse und Einheit
Deutschlands war er so begeistert, dass er, wenn sie nicht
anders zu erhalten seien, im Notfall auch für die Republik
hätte stimmen können. Die gegenwärtige Institution des
Adels hielt auch er für faul und morsch, stimmte aber zu,
wenn ich für die Zukunft eine neue politische Institution,
welche die „Grössen der Nation" einige und verhindere,
dass dieselbe dem Spiessbürgertum oder der Barbarei ver-
falle, als anzustrebendes Ziel in Aussicht stellte. Ich bin
mit dem Fürsten, auch nachdem die Allianz des Revolutions-
jahrs gelöst war, noch in freundlichem Verkehr geblieben
und habe mit ihm in seinem letzten Lebensjahre noch
ernste Besprechungen gehabt.

Was für verderbliche Folgen jene hochmütige Adels-
forderung der ebenbürtigen Ehe hatte, das konnte ich in der
Familie des Fürsten Wallerstein deutlich sehen. Weil er

eine bürgerliche Frau geliebt und geheiratet hatte, verlor er seine Standesherrschaft, und musste er sich mit einer geringen Abfindung begnügen, und doch war diese Frau in ihrem Wesen, ihrer Haltung und in ihren Formen den meisten Damen der höchsten Häuser eher überlegen, als untergeordnet.

Der Fürst Hohenlohe hatte sogar einen Anflug von jugendlicher Schwärmerei, der mir sympathisch war. Auch er war den liberalen Ideen aufrichtig ergeben. Ein ruhiger Verstand mässigte den Enthusiasmus, und eine liebenswürdige Bescheidenheit erleichterte den Verkehr mit ihm.

Etwas ferner und reservierter stand der Graf Giech, der auch die persönliche Bekanntschaft von Friedrich Rohmer gemacht hatte.

Ich hatte den Herren sehr offen erklärt, dass ich unter keinen Umständen einer „Adelspartei" beitreten, sondern nur für eine reformatorische Politik, die voraus liberale Ideen verwirkliche, aber mit Beachtung auch der wahrhaft conservativen Interessen im Gegensatze zu den absolutistischen Tendenzen, mich zu der vorgeschlagenen Vereinigung bereit finden lasse. In diesem Sinne kam die Allianz zu Stande. Ich muss lobend erwähnen, dass ich, während dieselbe bestand, nie von einer ungebührlichen Zumutung belästigt wurde und fortwährend mit vollster Freiheit handeln konnte. Die Ereignisse und meine schliessliche Anstellung an der Universität bestimmten mich, nach einigen Monaten diese Verbindung zu lösen, die nur im Moment der Krisis eine Bedeutung haben konnte. Ich bewahrte aber den Männern, welche damals mir vertraut hatten, ein dankbares Andenken.

6.

Herkunft meiner Familie. Noch immer Ungewissheit über meine Berufung. Betreibung derselben im Ministerium. Audienz bei dem König. Zusage desselben und politische Vorsätze. Neue Spannung. Gegenwirkungen. Endliche Anstellung. Spannung mit Friedrich Rohmer. Die Rohmer'sche Schrift: Der vierte Stand und die Monarchie. Besuch im bayerischen Gebirg. Über den Begriff der constitutionellen Monarchie. Gereizte Stimmung Friedrich Rohmer's gegen die Schweiz und gegen mich. Ausgesprochener Bruch.

Um die Mitte des April reiste meine Familie von Zürich nach München. Es bestand damals nur eine kleine Strecke Eisenbahn von München über Augsburg nach Kaufbeuern. Meine Frau, die in Bälde ihre Entbindung erwartete, fuhr mit meinen vier Kindern, begleitet von meinem Bruder Fritz und unserer Freundin und Verwandten Anna Stadler in einem gemieteten Postwagen durch die Schweiz und bis Kaufbeuern, wo ich sie abholte. Sie hatte sich in der kritischen Zeit ebenso hingebend und vertrauend, als mutig erwiesen. Ich war herzlich froh, wieder ein eigenes Haus- und Familienleben zu besitzen.

Meine Berufungsangelegenheit rückte inzwischen nicht vorwärts. Ich wusste noch immer nicht, woran ich sei. Der Minister Beisler war zu keiner bestimmten Äusserung zu bringen, weder zu einem klaren Ja, noch zu einem entschiedenen Nein. Auch Wallerstein und Thiersch, die sich verwendeten, konnten keine Aufschlüsse erhalten. Die ganze Sache wurde augenscheinlich mit Absicht im Dunkeln gehalten.

Ich wusste auch nicht, wie der König denke. Nur hatte ich das bestimmte Gefühl, dass mein starkes Drängen

zu Gunsten von Friedrich Rohmer diesem doch wenig habe
helfen können, freilich weil er selbst die Gelegenheit nicht
ergriff und benutzte, mir aber geschadet habe. Den Ministern war dieser Vorgang begreiflicherweise nicht angenehm. Vielleicht war dieses die Veranlassung, den Oberst
Hartmann eben jetzt vom Hofe zu entfernen. Der König
selber empfand eine Scheu. Wallerstein erzählte mir, der
König sei durch die tyrannische Erziehung seines Vaters
und rohe Lehrer scheu und misstrauisch gemacht worden.

Nach dem Rate Beislers schrieb ich an den König
und betrieb von jetzt an sorgfältiger diese Angelegenheit,
die aus Interesse an der Politik allzu lange vernachlässigt
worden. Aber auch da noch blieb ich im Ungewissen.

Der König liess mir den deutschen Verfassungsent-
wurf, den sein Begleiter auf der Universität und Freund
Dönniges entworfen hatte, mitteilen und um meine Begutachtung bitten. Das war ein Zeichen seiner Gunst,
aber keine Entscheidung auf die Frage. Meine Geduld
ward hart geprüft.

Im Juni hatte der Fürst von Leiningen, bevor
er nach Frankfurt ging, eine ernste Unterredung mit dem
König über die politische Lage. Er empfahl dem König
mit Wärme, mich zu berufen, und es schien ihm, dass der
König geneigt sei, darauf einzugehen.

Erst am 6. Juli hatte ich selber eine Audienz bei
dem König. Er sicherte mir neuerdings und nur persönlich eine Professur an der Universität München zu und
versprach mir, die Sache ernstlich zu betreiben. „Er hoffe
auf meine Mitwirkung.“ — Seine Politik bezeichnete er
ausdrücklich als „conservativ-liberal“ d. h. in voller
Übereinstimmung mit dem Princip, für das ich mich erklärt

hatte. Er that dies, nachdem ich vorher bestimmt ausgesprochen, ich könne nur wirken, soweit ich von der Wahrheit und dem Recht einer Sache „überzeugt" sei, dann aber ganz. Er fügte hinzu, dass er, was in der jetzigen Zeit mit Recht gefordert werde, zu thun entschlossen sei, aber auch den Kampf gegen unberechtigte Forderungen zu bestehen sich nicht scheue. Er sagte mir auch zu, er wolle sich des „Proletariates" annehmen und darüber mit mir in einer ruhigen Stunde näher sprechen. Er betonte zwar mehrmals die conservativen Interessen, aber nicht ausschliesslich und nicht ängstlich. Diese Audienz beruhigte mich einigermassen über die Zukunft. Trotzdem war auch jetzt noch die Ungewissheit nicht ganz gehoben.

Inzwischen hatte Beisler das Cultusministerium verloren und an seine Stelle war Statsrat Strauss getreten, ein wohlwollender, aber schwacher und ganz bureaukratisch gebildeter Geschäftsmann. Dieser hatte sogar die Ungeschicklichkeit, meinen Brief an den König, der gar nicht für die Universität berechnet, sondern voraus politisch gehalten war, an den Senat und die Facultät mitzuteilen, was zu nichts helfen, sondern nur bei den Professoren Bedenken zu erregen dienen konnte. Ich merkte damals an: „Es ist charakteristisch für die Bureaukratie, dass sie grosse Dinge kleinlich behandelt und den Geist in den Acten erstickt. Sie vernachlässigt die Hauptsache aus Sorgfalt für die Nebensache. Der Minister kümmert sich wenig darum, ob der König compromittiert werde; er humpelt ruhig seinen Actentrott weiter."

Ich konnte mich nicht enthalten, dem Minister selber meinen Zorn über die Verschleppung auszusprechen.

Am 15. August endlich ging der Bericht des Cultus-

ministerium's an den König ab. Wie mir versichert wurde,
lautete derselbe günstig.

Aber auch jetzt wieder musste ich lange auf die Ent-
schliessung des Königs warten, der im Gebirge war. Der
Minister des Äussern, Graf Brai, an den ich mich wendete, suchte mich zu beruhigen, das Geschäft werde, wie
viele andere, im Cabinet ruhen. Strauss sagte mir, er
habe seither den König selber gesprochen, es stehe der
königlichen Unterschrift nichts im Wege; ich könne mich
darauf verlassen.

Dennoch teilte mir Graf Brai, dem ich auf der
Strasse begegnete, vertraulich mit, es sei „Etwas von
Frankfurt dazwischen gekommen; es habe aber Nichts zu
bedeuten." Durch Strauss erfuhr ich (4. September) das
Nähere. Es hatte Jemand den König eifrigst vor mir ge-
warnt wegen meiner Verbindung mit Friedrich Rohmer.
Diese Verbindung war dem König selber besser als Anderen bekannt. Sie hatte ihn aber nicht abgehalten, mit
Friedrich Rohmer selbst und mit mir zu verhandeln. Freilich mochte diese Warnung unangenehme Erinnerungen in
dem König wecken und ihn wieder einen Moment unschlüssig machen. Strauss versicherte mich übrigens, dies
Bedenken sei gehoben. Dass ich auch Friedrich Rohmer
gegenüber meine Unabhängigkeit behauptet und sogar mich
inzwischen von ihm getrennt hatte, wusste er nicht. Ich
hatte die Absicht, den König persönlich darüber zu unterrichten, konnte aber vor seiner Abreise nicht mehr dazu
gelangen.

Ich reiste im Sommer über Frankfurt nach der Schweiz
und erhielt da die Nachricht, dass der König den Antrag
des Ministerium's unterzeichnet habe.

Dennoch war, als ich im October wieder nach München zurückkehrte, mein Decret noch nicht in meiner Hand. Strauss erklärte mir, dass er selbst peinlich durch diese Zögerung betroffen sei. Ein persönlicher Grund sei nicht vorhanden; nur der Zufall daran Schuld. In der That wieder ein echt bureaukratischer Zufall. Die Herren stritten sich darüber, ob die Erteilung des bayerischen Indigenat's der Ernennung vorhergehen müsse oder nachfolgen könne. Das Indigenat konnte nur nach Antrag des Statsrats gewährt werden.

Es dauerte noch bis in den November, bevor diese widerwärtige Spannung ihr Ende fand. Ich hatte inzwischen noch eine Audienz bei dem König in Nymphenburg (10. October). Er fragte mich, wie ich die Schweiz gefunden habe bei meinem Besuch. „Sehr ruhig," erwiderte ich; „auch die confessionellen Leidenschaften haben sich gemildert." Er beschwerte sich, dass man nicht in der Schweiz den Einfall von Freischaren nach Deutschland verhindert habe. Ich erinnerte an die vorherige Überschwemmung der Schweiz durch deutsche Flüchtlinge und hob das Interesse hervor, das auch Deutschland habe, dass die Schweiz ein neutrales Asyl bleibe für Flüchtlinge der verschiedensten Richtungen. Ich bemerkte, meines Erachtens ereifere sich die Schweiz durchaus nicht für die Gründung einer deutschen Republik.

Der König: „Wie so? Weil die Schweizer selber erfahren haben, dass die Republik nicht tauge?"

Ich: „O nein, Majestät. Die Schweizer wollen und lieben die Republik für sich. Aber teils glauben sie nicht an die republikanischen Eigenschaften des deutschen Volkes, teils fürchten sie, in den Strudel einer deutschen

Republik hineingezogen zu werden und ihre gesicherte Stellung einzubüssen. Die Schweiz fühlt sich als Republik sicherer im Verkehr mit dem monarchischen Deutschland."

Der König: „Ich begreife das. Als einzige Republik gewinnt sie an statlicher Bedeutung. Sie ist interessanter."

Wieder sprach er seinen Vorsatz aus, auf gesetzlichem Boden vorwärts zu gehen; und wieder seinen Entschluss, alle geistigen Kräfte zu sammeln und zu benutzen.

Endlich konnte ich meine Vorlesungen an der Universität ankündigen. Meine Ernennung zum ordentlichen Professor für deutsches Privatrecht und für Statsrecht mit dem Titel Hofrat war vom 8. November datiert. Ich fühlte nun wieder festen Boden unter meinen Füssen.

Das bayerische Indigenat ward mir erteilt, ohne dass ich genötigt ward, mein schweizerisches Statsbürgerrecht aufzugeben. Das Doppelbürgerrecht wurde ausdrücklich anerkannt.

Während dieser peinlichen Spannung geriet auch mein Verhältnis zu Friedrich Rohmer in ein bedenkliches Schwanken. Bald wurde ich durch seinen Geist angezogen, bald durch widrige Erfahrungen und leidenschaftliche Äusserungen abgestossen. Ich will auch über diese Erlebnisse, die mich gemütlich tief ergriffen, nach meinen damals niedergeschriebenen Notizen im Zusammenhang wahrhaft berichten, bis es zu einer länger dauernden Trennung kam.

Zu Anfang April kam Fritz erholt von Schliersee zurück. Er liess eine Erklärung veröffentlichen, in welcher er die Zweifel gegen seinen politischen Charakter zu entkräften suchte. Dieselben beruhten hauptsächlich auf der

Verbindung mit den Ultramontanen und mit dem Fürsten
Metternich. In jener Hinsicht konnte er sich auf die „Meinungsäusserung gegen den Ultramontanismus" vom Jahr
1846 berufen; in dieser teilte er nun mit, dass er schon
1845 dem Fürsten Metternich zwei grosse Wahrheiten an's
Herz gelegt habe. Die eine, dass Deutschland, um sich
selbst zu genügen, einer höheren Einheit bedürfe, und die
andere, dass für die arbeitenden Classen besser gesorgt
und das natürliche Anrecht jedes Menschen auf einen Teil
der Erde oder dessen Äquivalent anerkannt werden müsse.
In der That seine Ideen waren immer liberal gewesen.

In allen diesen Dingen vertraute ich ihm. Aber ich
war auch entschlossen, für mich eine selbständige Stellung
in München zu behaupten, im Unterschiede von seinen anderen Anhängern, die sich unbedingt ihm ergaben. Diese
Selbständigkeit war für mich ein Lebensbedürfnis, und sie
war auch für ihn nötig; denn wurde sie gebrochen, so bedeutete meine Hilfe nichts mehr, und er selber hatte wenig
Freunde, fand Wenige, die ihn verstanden, und traf überall
auf misstrauische oder feindliche Personen. Ich sprach
darüber offen mit Theodor Rohmer und Bruckmann, dann
auch auf einem Spaziergang mit ihm selbst. Er schien
damals auf meine Ansicht einzugehen und sie zu billigen
(5. April).

Nun kam die Schrift heraus: „Der Vierte Stand und
die Monarchie", die von dem Publikum in München, soweit
es ein polititisches Urteil hatte, sehr günstig aufgenommen
wurde.

Aber da schon kam Fritz auf den unglücklichen Gedanken, den er vor Jahren weit weggeworfen hatte, er
wolle Minister werden und in dieser Eigenschaft die poli-

tische Führung übernehmen. Ich verschwieg meine Bedenken nicht. Zu einem geordneten Geschäftsgang im Statsdienste passte seine Natur gar nicht.

Dann wollte er sich nach Frankfurt in die deutsche Nationalversammlung wählen lassen. Er ging zu diesem Zwecke nach Weissenburg in Franken, seiner Vaterstadt. Aber seine Bewerbung blieb ohne Erfolg. Er stiess auf heftige Gegner, und es schien, dass seine persönliche Erscheinung manche Wähler entfremdet hatte. Er kam enttäuscht und missmutig zurück.

Gegen mich erschien er nun wieder hypochondrisch und misstrauisch. Er schien meine eigentümliche Stellung weder begreifen noch ertragen zu können. Es ärgerte ihn, dass Viele lieber mit mir verhandelten als mit ihm, und doch war das nicht zu ändern.

Meine Unterredungen mit ihm führten nicht zum Ziel. Dieses unfruchtbare Ringen ermüdete auch mich. Auf den Rat seiner Frau ging ich mit Fritz für einige Tage auf das Land. Sie hoffte, da werde am ehesten eine Verständigung möglich.

Ich sah zum ersten Mal das bayerische Gebirg, in dem ich später öfter mit meiner Familie die Sommerfrische genossen habe. Den Schliersee verglich ich mit dem Zugersee. Er kam mir rauher und viel weniger reizend vor, aber schlichter und beruhigender. Fritz war da wie zu Hause. Er dachte, sich später hier anzusiedeln.

Er sprach mit mir über die Schwierigkeiten seiner Lage, sowohl die äusseren als die inneren der eigenen Natur. „Der dritte Stand hasst mich und ich kann ihn auch nicht leiden; der zweite Stand versteht mich nicht und hat Scheu vor mir, ebenso der erste. Der vierte Stand

weiss nichts von mir." Ich erwiderte, dass ich meiner
Natur nach und als Schweizer mit den mittleren Ständen
gehen müsse. Ich sah übrigens, dass er mit Bauern ganz
gut verkehrte. Dagegen fand er in Miessbach bereits entschiedene Gegner.

Der kurze Besuch der Gebirgsgegend erfrischte die
Nerven, aber bereinigte das schwankende Verhältnis nicht.
Ich schrieb am 19. Mai: „Heute habe ich wieder einen
Wutausbruch von Fritz erlebt. Ich ertrage das nicht mehr.
Er kann nicht mit freien Männern dauernd umgehen. Seine
Anhänger haben ihn an die Manieren eines launenhaften
Despoten gewöhnt. Ich ertrage diese aufreibenden Scenen
auch physisch nicht, so wenig als moralisch."

Dann wieder interessante Gespräche über die Monarchie und insbesondere die constitutionelle Monarchie,
deren Begriffsbestimmung mich damals sehr beschäftigte.
Ich notierte am 26. Mai: „Was ist constitutionelle Monarchie? Louis Philippe und Lamartine sagten 1830: „Monarchie umgeben von republikanischen Institutionen." Das
war eine Lüge, und als dieselbe offenbar wurde, versank
die Monarchie, und die Republik war da. Nun sagt Zöpfl:
„Sie ist Republik mit einer monarchischen Institution." Ist
der Widerspruch hier geringer als dort? Sollte die Monarchie weniger Gefahr laufen unterzugehen, wenn man
sie von Anfang an dem republikanischen Princip unter-
ordnet, als wenn man die Republik zur Unterlage und die
Monarchie zur Eigenschaft macht, wie die Franzosen es
gethan haben?

„Wenn die constitutionelle Monarchie nicht mehr
Monarchie sein darf, dann ist sie eine Lüge. Eine blosse
Scheinmonarchie ist keine Monarchie.

„Aus dem Allen folgt freilich nicht, dass die deutsche Nation nicht den Versuch machen werde, die Zöpfl'sche Idee zu adoptieren. Gagern's Volkssouveränetät ist nichts anderes als Proclamierung der Republik. Eine Republik mit einem republikanischen Haupt ist doch natürlicher, als eine Republik mit einem monarchischen Haupt.

„Die starre Erblichkeit gefährdet die Monarchie; denn sie erhebt unter Umständen Puppen auf den Thron, welche die Monarchen spielen müssen, ohne Monarchen zu sein. Und nicht immer · finden sich die richtigen Hausmeier, welche erst unter der Maske jener Scheinmonarchen die wirklichen Monarchen sind, und dann auch den Namen der Könige annehmen."

28. Mai: „Fritz war bei mir. Er sprach ebenfalls über den Begriff der Monarchie und bemerkte: „Die Engländer haben die Monarchie in der Aristokratie aufgehen lassen, die Franzosen in der Demokratie. Es ist die Aufgabe der Deutschen, eine wirkliche Monarchie aufzurichten." Er sprach seinen Vorsatz aus, eine Schrift über „Deutschland und die Monarchie" herauszugeben und dann erst „die Bureaukratie" anzugreifen. Mir war das ganz recht. Indessen es unterblieb jene Erörterung der Monarchie, und es kam dann nur die Schrift von Theodor Rohmer „über die deutsche Bureaukratie" zu Stande.

Im Juli kam es zwischen mir und Fritz zu einer neuen heftigen Spannung, welche endlich mich bestimmte, mich von ihm zu trennen.

Aus meinen Aufzeichnungen teile ich Folgendes mit:

22. Juli: „Fritz wieder zurück von Schliersee. Er sieht nicht gut aus; die Gesichtsfarbe ist grau. Über die Schweiz scheint er unwillig. Er sagte mit kalt-höhnischem, weg-

werfendem Tone, der mich verletzte: „Alle Bedingungen ihrer Existenz sind zerstört. Ihre Neutralität ist dahin. Wir kümmern uns nicht mehr darum. Die französische Schweiz wird Frankreich überlassen; die deutsche nehmen wir. Die Republik ist aus. Sie muss einen Herrn haben. Deutschland hat nun Politik, die Schweiz keine mehr. Hecker wird von ihr unterstützt. Die Revolution ist von ihr auf Europa übertragen worden."

Dieser leidenschaftliche und ungerechte Angriff auf die Schweiz veranlasste mich zu entgegnen: „Die Schweiz hat dasselbe Fieber in milderer Form durchgemacht, das nun heftiger Europa schüttelt. Jetzt ruht die Schweiz aus und erholt sich. An der europäischen Revolution ist nicht die Schweiz, sondern sind die Mächte Schuld. Den Vergleich mit anderen Völkern können die Schweizer wohl aushalten. Die Schweiz hat ihre Neutralität gewahrt. Neben den Monarchien hat die Republik noch eine Bedeutung. Wälsche und deutsche Schweizer gehören noch zusammen, sie haben ein gemeinsames schweizerisches Nationalgefühl, eben als schweizerische Republikaner. Die Schweiz kann nur als Republik leben, anders nicht. Sie bedarf der Selbständigkeit und zwar einer anderen, freieren, als die deutschen Länder im deutschen Bunde oder Reiche haben. Verlust der Freiheit wäre Tod der Schweiz. Dann würde, wie in den Polen, der Grimm in der Brust der Schweizer fortleben."

In dem ganzen Gespräch spiegelte sich das gespannte Verhältnis der Personen ab. Ich war ebenso entschlossen, meine persönliche Selbständigkeit zu verteidigen, wie die der Schweiz, wider jede drohende Despotie.

Am Schluss des Gesprächs ermässigte er freilich wie-

der die Härte seiner Äusserungen, indem er hinzufügte, die
Schweiz könnte ja, wie im fünfzehnten Jahrhundert, Republik und frei bleiben und dennoch die Oberherrlichkeit
und Schutzhoheit des deutschen Kaisers anerkennen. —

„Der ganze Inhalt und die Form des Gesprächs war
durchaus absolutistisch. Überhaupt tritt mir hier fortwährend der furchtbare Widerspruch in Fritz entgegen.
Die Ideen sind meist liberal, die Praxis aber ist durchaus
absolutistisch. Dieser Absolutismus geht durch Alles hindurch, sein Hauswesen, seinen Verkehr mit den Freunden.
Ich fürchte, es ist nicht zu helfen. Er hört auf keinen Rat,
und seine ganze Energie wirft sich auf ein eigensinniges
Verharren bei dem „Sich gehen lassen.“

29. Juli: „Endlich wurde heute der Bruch erklärt.
Mein Freund Gysi aus Zürich war in diesen Tagen hier,
um mit mir in seinen Privatangelegenheiten zu sprechen.
Von Fritz wurde gar nicht geredet. In Zürich stand früher schon Gysi in keiner näheren Beziehung zu ihm, er
hielt sich fern. Dennoch war Fritz sehr geärgert dadurch,
dass Gysi ihn nicht auch besucht habe. Er betrachtete
es wie eine Verletzung der Etiquette. Ich merkte wohl,
dass er diesen Anlass ergreifen wollte, um auch mit mir
zu hadern. Anfangs suchte ich dem Streit auszuweichen.
Ich fühlte mich nicht gesund und nicht kräftig genug.
Die fortwährenden Spannungen hatten mich doch herabgestimmt in meinen Nerven. Als er immer weiter drängte,
sagte ich, ich hätte gewünscht, mein Verhältnis zu ihm
zu ordnen, sobald ich wieder frischer und ruhiger geworden sei.

„Nun brach der Sturm los. Er warf mir vor, dass
ich mich mit ihm auf gleiche Linie stellen wolle; ich hätte

meiner Frau in den Kopf gesetzt, dass ich besorgte, im
Verkehr mit ihm ebenso herunterzukommen, wie Theodor,
der nur noch eine Maschine, nur ein Werkzeug sei in seiner Hand.

„Endlich erklärte ich ihm: Ich habe aus einer Reihe
peinlicher Lebenserfahrungen die Meinung geschöpft, dass
in ihm ein Widerspruch sei zwischen der Idee und
der That. Diese Äusserung brachte ihn vollends in Wut.
Er erwiderte heftig, er wünsche mich nicht mehr zu sehen;
er werde mir, wenn ich hier bleibe, nicht zu schaden suchen, sondern eher nützlich zu sein, aber den persönlichen
Verkehr werde er fortan vermeiden. Auch ich nahm die
Trennung an. Sie war für mich eine grosse Erleichterung.
Dennoch empfand ich bei diesem Bruch einen Schmerz, wie
wenn ein Freund gestorben wäre. Ich erfuhr dabei aber
von neuem, dass er die Menschen nicht kenne, und insbesondere mich nicht kenne. Sonst hätte er eine andere
und freundlichere Lösung weit vorgezogen."

Ich schrieb damals: „Bei seiner Manier, den absoluten Herrn zu spielen, musste es dahin kommen. Ich bin
froh, dass, was ich schon früher einmal als notwendig erkannt hatte, nun in klarer Form da ist. Kommt er wieder zu sich, und ist die unerträgliche Selbstvergötterung
in ihm überwunden, wird er entweder auch in der Praxis
liberal, oder verzichtet er auf directe Praxis, so wird sich's
wieder finden."

Was ich damals von der Zukunft hoffte, hat sich
später verwirklicht.

7.

Verfassungspläne. Denkschrift an den König. Blätter für politische Kritik. Bemerkungen über die neuesten Vorschläge zur deutschen Verfassung. Statenbund, Bundesstat, Statenreich. Otto Schulthess in Frankfurt. Die Pfingstversammlung der Arbeiter. Meine Reise über Reimlingen und Frankfurt nach Zürich. Fürst Wallerstein und seine Gattin. Die Nationalversammlung und Fürst Leiningen. Aufnahme in Zürich. Civilgesetzbuch.

Die wichtigste und schwierigste Frage, welche im Jahr 1848 die deutsche Nation bewegte, war die neue Organisation von Deutschland. Der alte Bund von 1815 hatte sich unfähig erwiesen, die Nation zu befriedigen. Die Blicke der Nation waren nun nach Frankfurt gerichtet, wo eine freigewählte Nationalversammlung sich selber als verfassungsschaffende Macht, mit Beseitigung des ohnmächtigen Bundestages, proclamiert hatte. Es lagen verschiedene Verfassungsentwürfe vor.

Ich hatte damals noch kein deutsches Bürgerrecht und konnte schon deshalb nicht zu der Nationalversammlung gewählt werden. Aber auch mich beschäftigte die Frage ernstlich, und ich übte Kritik an den verschiedenen Vorschlägen.

Schon im April teilte ich dem Könige in wenigen kurzen Sätzen meine damalige Grundansicht mit. Einiges daraus verdient erwähnt zu werden.

Als die Aufgabe des „deutschen Bundes" zu jener Zeit erklärte ich in § 1: Einheit und Macht nach Aussen und Schutz der Freiheit und Ordnung im Innern. Als Princip für die Verfassung verlangte ich „Verbindung der Monarchie mit freier Volksrepräsentation, nicht bloss in den Ländern, sondern auch im Bunde",

damit zwischen diesem und jenen kein Widerspruch wie
bisher bestehe. Als Bundesregierung dachte ich mir die
Gesamtheit der deutschen Fürsten (und Städteregierun-
gen), durch ein Directorium von sieben Fürsten ge-
einigt und vereinfacht, welches auch die Bundesminister
zu ernennen hätte. Ich deutete aber an, dass im Interesse noch besser gesicherter Einheit das Institut eines
„deutschen Kaisers", der dann an die Spitze des Directo-
riums trete, später wohl kommen werde, obwohl ich aus
persönlichen Äusserungen des Königs wusste, dass er kein
Freund dieser Institution sei, von der er eine Erniedrigung des bayerischen Königtums fürchtete. Österreich,
Preussen und Bayern sollten für sich allein eine Stelle
im Directorium haben, die anderen vier Stellen durch Cu-
riatstimmen gebildet werden. So lange die beiden Grossmächte noch zu dem deutschen Bunde gehörten, musste
man natürlich auf das Kaisertum verzichten.

'Die nationale Repräsentation wünschte ich noch in
zwei Häuser zu ordnen, ein aristokratisches Ober-
haus, in welchem die Standesherren Aufnahme fänden,
das aber durch andere ausgezeichnete und hervorragende
Männer ergänzt werden sollte, und in ein demokratisches Unterhaus aus massenhaften Volkswahlen hervor-
gehend.

Ich gab damals „Blätter für politische Kritik"
heraus, eine Zeitschrift, welche die Ereignisse beleuchtete
und die politische Litteratur kritisierte. Diese Zeitschrift
war aber für den damaligen Geschmack zu kühl-verständig
und bei der geringen politischen Bildung der Lesewelt von
damals zu fremd. Sie fand wenig Leser und konnte sich
nicht halten, sondern wurde bald wieder aufgegeben.

Ich hatte hier denselben Grundgedanken in folgender Fassung ausgesprochen (S. 54):

„Die Monarchie ist die einzige Statsform, welche alle anderen Richtungen jede nach ihrer Weise in sich aufzunehmen und so dem menschlichen Geist und den verschiedenen Elementen des Volks die freieste Entfaltung in reichster Mannigfaltigkeit zu gewähren vermag. Die Bildung des Parlaments ist der Prüfstein, inwiefern die deutsche Nation gegenwärtig schon reif ist, eine solche Monarchie zu erzeugen. Würde sie eine starke Monarchie an der Spitze, eine wahrhafte Aristokratie in der Mitte und eine echte Demokratie in der Grundlage hervorbringen und ertragen, so hätte sie das grosse Problem gelöst, und es würde ihr von selbst die erste Stelle unter den Nationen zufallen."

Etwas mehr Beachtung fanden meine „Bemerkungen über die neuesten Vorschläge zur deutschen Verfassung; eine Stimme aus Bayern", obwohl auch sie die noch herrschende Verwirrung in den stats- und bundesrechtlichen Vorstellungen nicht zu heben vermochten.

Man hatte sogar in der Nationalversammlung zu Frankfurt keine klare Einsicht in den Gegensatz von Statenbund oder, wie die Amerikaner sagen, Conföderation, und Bundesstat oder Föderation (Union). Mir waren diese Begriffe von der Schweiz her bekannter. In beiden Bünden werden die verbündeten Staten noch als Staten anerkannt, in beiden aber zu einem grösseren Gesamtwesen verbunden, dort jedoch nur so, dass die Organe der Länderstaten (Particularstaten) durch ihre Organe für die gemeinsamen Zwecke zusammenwirken, hier so, dass die Gesamtheit sich als solche selber wieder zu einem nationalen

State, Gesamtstate, organisiert mit selbständigen Bundes-
organen.

Ich machte nun darauf aufmerksam, dass durch diese
Formen noch nicht alle Arten der zusammengesetzten Stats-
wesen erschöpft werden, und dass das sogenannte Statenreich zwar ähnlich dem Bundesstate, aber in der Idee und
der geschichtlichen Gestaltung von' demselben deshalb verschieden sei, weil das Statenreich nicht von der Peripherie
(den verbündeten Staten) aus, sondern von dem Centrum,
dem nationalen Statshaupt aus gegründet und zusammen-
gehalten werde. Man braucht nur an das vormalige deutsche
Reich oder an das osmanische Reich im Gegensatz zu der
amerikanischen Union oder der Schweiz seit 1848 zu erinnern, um diesen Unterschied aufzuklären.

Ich bemerkte, dass Deutschland gegenwärtig in einem
Schwanken zwischen diesen beiden Begriffen sich befinde,
und dass die monarchische Natur von Deutschland schliesslich dazu treiben werde, sich eher als Statenreich zu organisieren.

Die Gründung des norddeutschen Bundes 1867 und
des deutschen Reiches 1871, das in der That ein monarchisches „Bundesreich" ist, hat die Wahrheit der damals
ausgesprochenen Idee später bekräftigt, wenngleich das
Schwanken zwischen allen drei Grundprincipien sogar in
der Reichsverfassung von heute noch sichtbar ist.

In dieser Schrift sprach ich mich für ein Statenhaus
aus, — im Gegensatz zu meiner früheren Meinung eines
ständischen Oberhauses aber mit ungleicher Repräsentation, je nach der höheren und geringeren Bedeutung der
verbündeten Staten, — und gegen eine Teilung der Stimmen und Abgeordneten je nach Wahl der Regierungen

oder der Kammern, aber für gemeinsame Wahlen beider Factoren in den Staten.

Die schwierigste Frage war offenbar die Organisation der Bundes- oder Reichsregierung. Eine unitarische Regierung, welche das Kaisertum mit der Krone von Österreich oder mit der Krone von Preussen verbände, schien mir unmöglich, so lange beide Grossmächte zu dem Bunde gehören, und selbst dann im Frieden nicht durchführbar, wenn Österreich sich von dem engeren Verbande mit den übrigen deutschen Staten trennte, weil voraus Bayern, aber auch die anderen deutschen Königreiche sich nicht freiwillig der preussischen Hegemonie unterordnen würden.

Eine dualistische Doppelherrschaft etwa eines habsburgischen deutschen Kaisers und eines hohenzollerischen deutschen Königs erklärte ich für noch weniger annehmbar, weil sie an die Stelle der Einheit die erbliche Zwietracht setzte und zugleich die Selbständigkeit aller anderen deutschen Staten bedrohte.

Auch der bayerische Vorschlag einer Trias, welcher Österreich, Preussen und Bayern zu einem collectiven Reichsvorstand zusammenfassen wollte, schien mir bedenklich, weil er die nationale Einheit nicht herstelle, den Zwiespalt zwischen Österreich und Preussen zwar ermässige, aber nicht beseitige, und die übrigen deutschen Länderstaten zurücksetze und gefährde.

Als unpraktisch betrachtete ich den Vorschlag eines deutschen Kaisers, der nicht zugleich Landesfürst wäre, nach dem Vorbilde des damaligen „Reichsverwesers", Erzherzog Johann, weil der Kaiser dann entweder ganz machtlos wäre, oder sich doch auf die Macht seines Hauses stützen müsste.

Ebenso verwarf ich den Vorschlag eines wechselnden Oberhauptes, weil der Wechsel jede einheitliche dauernde Politik unmöglich mache.

Eher schien mir ein „Fürstenrat" (Directorium) annehmbar, obwohl auch da die Einheit der nationalen Leitung ungenügend gewahrt sei.

Diese Kritik war eher negativ als positiv. Aber sie ist ein deutlicher Reflex der verzweifelten Widersprüche, die sich gährend damals bekämpften. Dass die Beschlüsse der Frankfurter Nationalversammlung die Macht nicht haben würden, das schöpferische Werde auszusprechen, war mir bald klar geworden. Es mussten weitere Erfahrungen gemacht und noch schwere Kämpfe bestanden werden, bis der Guss gelingen konnte. Ich sprach mich in dieser Schrift auch gegen die Einbildung der constituierenden Versammlung aus, dass sie für sich allein, ohne Zustimmung der Regierungen und Länder, das Verfassungswerk in's Leben führen könne.

In vielen Beziehungen erkannte ich die Macht der widerstrebenden Kräfte, wie das Bedürfnis der Nation richtig. Aber ich war damals noch teils infolge der schweizerischen Erfahrungen, teils unter dem Einflusse der bayerischen Stimmungen zu ängstlich in der Sorge für die Sicherung der Particularstaten. Es dauerte noch einige Jahre, bis ich den Beruf Preussens, die deutsche Einheit zu erkämpfen, vollständiger begriff.

Um fortwährend gut über die Ereignisse in Frankfurt unterrichtet zu werden, hatte ich Otto Schulthess, dessen diplomatische Talente sich in Rom bewährt hatten, veranlasst, nach Frankfurt zu gehen und die Dinge in der Nähe zu beobachten. Ich besitze eine Reihe sehr interessanter Briefe desselben aus Frankfurt, in denen er seine unmittelbaren Wahrnehmungen mitteilte.

Was für tolle Gedanken damals in Frankfurt gährten, darüber mag ein Bericht vom 15. Juni Auskunft geben, den ich im Auszug hier aufnehme.

„Auf Pfingstmontag war eine Arbeiterversammlung auf den Biberer Berg bei Offenbach angekündigt. Da es hiess, die Herren Pelz, Löwenstein, Esselen werden da auftreten, so ging ich auch hin, in Gesellschaft des sehr republikanisch gesinnten Referenten eines Crefelder Blattes. Um 3 Uhr waren wir in Offenbach, gingen in einen Garten am Main, um eine Tasse Kaffee zu trinken, und siehe da, die einzigen Gäste an dem allernächsten Tische neben uns waren die Herren Pelz und Esselen in Begleit zweier Arbeiter, eines älteren Namens Bauer und eines ganz jungen. Der Ton des Gesprächs war auf Seite der Führer ein Gefühl unbedingter Autorität, auf Seite der Arbeiter unbegrenztes Vertrauen und Devotion. „Das sage ich Ihnen, Bauer,“ sagte Herr P. mit drohend erhobenem Zeigfinger, „dass mir nur keiner von euch an so was teilnimmt, bleibt mir von den Katzenmusiken fern, das würde uns unser ganzes Spiel verderben. Wenn wir einmal etwas machen, dann machen wir's am hellen Tage; die gute Sache braucht das Licht nicht zu scheuen!“ Die Arbeiter versprachen alles Gute, und ihre Cameraden abzuhalten.

„Dann erzählte Herr Pelz, wie ihm von allen Seiten erfreuliche Nachrichten zukämen, wie täglich sich neue Arbeiter-Vereine bilden, in Cöln allein nahezu 7000 Mitglieder gewonnen seien, „lauter Capitalkerle“, wie das Nationalparlament eine grosse Lüge, ein Volksbetrug sei und bald ein Ende nehmen müsse. In Herrn Esselen erkannte ich einen alten Bekannten, der mit mir in Freyburg studiert hatte, einen unwissenden und anmasslichen Schwadroneur. Er erkannte auch mich wieder und sprach mich sogleich mit dem alten studentischen „Du" an. Er schien mich für einen Gesinnungsgenossen zu halten. Es war mir indessen nicht mehr ganz geheuer, als er seines guten Freundes Fröbel erwähnte, mit dem ich hier doch nicht zusammentreffen wollte.

„Auf dem Wege nach dem Versammlungsorte machte ich durch meinen Begleiter noch eine interessante Bekanntschaft mit Herrn Faucher, Berliner von Geburt, Redacteur einer Stettiner Zeitung. Der und seine Freunde speculieren auf absolute Auflösung alles Bestehenden. Er sagte wiederholt: „Ich will nicht Monarchie, nicht Republik, nicht Aristokratie, nicht Demokratie, ich will Akratie, keinen Stat, keine Kirche, keine Gesetze, keine Tyrannisierung der Minoritäten durch die Majoritäten, keine Steuern. Alles soll freiwillig, alles durch die freie Association geschehen, wie Cobden uns das in Stettin auseinandergesetzt hat.

„Ich erwiderte ihm, das seien ja Principien ohne alle und jede Moral, auf diesem Wege würde Europa wieder in die Barbarei zurücksinken. Cobden sei kein Statsmann, sondern ein grosser Kaufmann, der die Welt für ein grosses Industrie-Etablissement ansehe.

„Inzwischen waren die Arbeiter von Frankfurt und Offenbach angelangt, etwa 2000 Mann, unter denen ungefähr hundert Bewaffnete. Mein Freund Esselen eröffnete die Versammlung. Er erinnerte an das Pfingstfest, an die Offenbarung des heiligen Geistes nach der Lehre des Christentums, dessen Stifter uns im Himmel Freiheit, im Himmel Gleichheit, im Himmel Glückseligkeit versprochen habe. Wir aber trachten darnach, schon auf Erden frei, gleich und glücklich zu werden. Das könne nur geschehen im Kampfe wider die Reaction und durch Gründung einer demokratischen Republik. Ganz ähnlich sprach auch Pelz.

„Unter den Zuhörern gewahrte ich Dr. Kehl, Saalinspector in der Paulskirche. Ich ging auf ihn zu, ihn zu fragen, ob ich bald meine Eintrittskarte erhalte. Wir entfernten uns etwas von dem Haufen, um nicht zu stören. Am Ende fragte er mich, wie mir die Sache hier gefalle. Ich erwiderte sofort: „Sehr schlecht. Auf diese Weise und von diesen Leuten wird den armen Arbeitern sicher nicht geholfen.“

„Er gab mir vollkommen recht. Eben wollten wir uns wieder zu dem Haufen wenden, als zwei junge Arbeiter auf uns zukamen. Einer zog den Hut und fragte Dr. Kehl: „Ich habe vorhin bemerkt, dass die Herren mit einander gesprochen und den Kopf geschüttelt haben. Was sagen Sie denn zu unserer Versammlung? Gefällt es Ihnen nicht, was die Herren da oben gesagt haben?“ Diese Frage kam uns provocierend vor. Kehl versuchte auszuweichen. Aber der Frager liess nicht ab und bemerkte treuherzig: „Sie müssen mir meine Frage nicht verübeln. Wir haben keine böse Absicht. Sie sind studierte Leute und da möchten wir gerne wissen, was Sie dazu sagen?“ Nun erklärte ich ihnen meine Meinung ganz offen. Die Herren da droben helfen Ihnen nicht, sie machen Sie nur noch unzufriedener mit Ihrer schlimmen Lage, sie können dieselbe nicht bessern. Das Übel liege nicht in der Statsform und sei nicht durch die Republik zu heilen. Mein Begleiter war inzwischen verschwunden. Der erste der beiden Arbeiter sagte wieder: „Das Teilen des Vermögens komme ihnen nicht in den Sinn. Sie wollten nichts geschenkt, sie verlangten nur Arbeit und anständigen Lohn. Jetzt aber heisse es oft: Viel Arbeit und wenig Lohn, oder gar: Keine Arbeit und kein Lohn, nicht einmal für's blosse Essen und Trinken. Ja, lieber Gott, was ist da zu machen? Man sieht am Ende aus wie ein Bettler, und wenn man in der Not Jemanden anspricht, kommt ein Gendarm und führt einen auf drei Monat in's Arbeitshaus. Wenn aber einer stiehlt, so kommt er auf acht Tage in's Gefängnis. Ist das Gerechtigkeit? Die Fürsten haben es gar zu arg gemacht. Ich bin ein Darmstädter. Als voriges Jahr das Brod gar so teuer war, hat unser Fürst alle Speicher voll Korn gehabt. Aber er hat kein Körnchen dem Volk geschenkt. Alles hat er zum höchsten Marktpreis verkauft. Ich kann sie nicht mehr anschauen diese Fürsten," sagte er mit feuchten Augen, „ich will ihnen nichts thun, aber — ich könnt sie halt doch hängen sehen. Und wie man uns auf der Polizei behandelt, so grob und barsch, als ob wir Vieh wären. Da sagen die „Geldsäcke" nur immer, die Handwerksburschen seien lauter Lumpen und Hallunken. Ich weiss wohl, dass es viele wüste und rohe Bursche unter uns gibt, aber alle sind doch nicht so." Das sagte er innerlich empört über die Erinnerung an jene Unbill und dann wieder erfreut, mit einem „Herrn" so vertraulich reden zu können. Ich erinnerte ihn noch daran, dass auch nicht alle „Geldsäcke" gleich seien. Ich erklärte ihm sodann, das Übel sei zu gross, als dass es durch rasche Massregeln zu beseitigen sei.

„Ich hatte das Gefühl, es thue den Arbeitern wohl, Reden anzuhören, in welchen ihre elende Lage anerkannt und Hilfe versprochen werde, aber sie haben doch keine rechte

Fiduz, dass die Herren Esselen und Compagnie helfen können. Nur das wissen sie bestimmt, dass, komme was da wolle, sie vielleicht etwas gewinnen, jedenfalls aber nichts verlieren können.

„Ganz so anständig, wie sie gekommen waren, zogen sie wieder heim. Kein Rufen und Toben, kein wüster Lärm. In Offenbach wurden sie mit Jubel empfangen. Die Bürgerwehr präsentierte das Gewehr. Nur hier und da ein Ruf: „Es lebe die Republik!" Als wir in Frankfurt im Bahnhof ankamen, da erscholl es laut: „Es leben Hecker und Struve! Es lebe die Republik!"

„Als ich in Offenbach den ganzen Zug noch einmal an mir vorübergehen liess, ersah ich endlich nochmals meinen netten Handwerksburschen in einer der letzten Reihen. Ich eilte auf ihn zu, drückte ihm rasch ein Zweiguldenstück in die Hand und verlor mich dann im Gedränge. Ich war recht froh, mit dieser Kleinigkeit gewissermassen die Perfidie gesühnt zu haben, mit welcher ich dieser Versammlung, wenigstens den Führern gegenüber, beigewohnt hatte." ——

Als endlich meine Berufung an die Universität München, wenn auch nicht der Form, doch der Sache nach, erledigt schien, reiste ich im September nach Zürich, auf einem Umweg über Frankfurt.

Unterwegs besuchte ich den Fürsten Wallerstein auf seinem Schloss Reimlingen bei Nördlingen, einem Wittum der Fürstin. Das Schloss liegt an einem Hügel, der sich bis Nördlingen erstreckt, einer schmucken kleinen Stadt mit stattlichen Mauern und Türmen. Man überschaut von dem Schlosse die fruchtbare Riesebene, die rings von Hügelreihen umschlossen ist. Die Hauptstrasse führt mitten durch, eine Reihe hübscher Dörfer verbindend. Die Landstrasse ist auf beiden Seiten mit reichtragenden Obstbäumen geschmückt. Leider sieht man sonst auf den Feldern keine Obstbäume. Nur die Dörfer verstecken ihre weissen Häusser in den grünen Bäumen. Mir erzählte der Fürst, dass sein Haus den Mangel an Bäumen verschuldet habe, indem die Fürsten von Wallerstein den Rechtssatz aufgestellt haben, Obstbäume, die in der Flur gepflanzt worden, gehören dem „Herrn".

Der Fürst zeigte mir auch das Schlachtfeld von Nördlingen, wo die Schweden im dreissigjährigen Kriege von den Kaiserlichen auf's Haupt geschlagen worden waren. Als jener später dann zu einer Wahlversammlung nach Nördlingen fuhr, teilte mir die Fürstin interessante Züge aus ihrem Leben mit. Ihr Vater war ein französischer Emigré, der als Royalist zur Zeit der ersten französischen Revolution emigriert war, ebenso wie sein Bruder, der als Geistlicher noch heimlich die verbotene Messe gelesen und dann durch die Flucht sich der Todesgefahr entzogen hatte. Den Namen ihrer Mutter kannte die Fürstin nicht. Sie war „eine Tyrolerin oder eine Schweizerin". Sie sah als sechsjähriges Kind den jungen Prinzen zum ersten Mal. Dieser besuchte ihren als fürstlicher Obergärtner angestellten Vater. Das Mädchen, neugierig, den Prinzen zu sehen, versteckte sich in einem Häuschen, das für die Hunde gebaut war. Die Hunde bellten, als ein Fremder nahte. Der Prinz fragte nach den Hunden und entdeckte das schüchterne Mädchen. Er schenkte ihr eine Schachtel mit Bonbons, die sie jetzt noch als ein teures Andenken aufbewahrte. Als elfjähriges Kind sah sie den Prinzen wieder, und da schon fasste dieser den Entschluss, sie zu heiraten, ohne dass sie darum wusste. Ihre geistige Erziehung hatte sie ganz dem Fürsten zu verdanken, den sie wie einen Gott verehrte.

Einige Monate nach der Heirat resignierte der Fürst auf die Regierung, teilweise der vormundschaftlichen Controle überdrüssig, welche die Agnaten in Anspruch nahmen, teilweise um dieser Ehe willen, welche im Widerspruch war mit dem Herkommen, das Ebenbürtigkeit der Ehegatten forderte. Die Fürstin wurde anfänglich von seinen Verwandten nicht anerkannt, und selbst die Apanage, die dem Fürsten infolge seines Verzichts auf die Herrschaft zugesichert worden, wurde so schlecht ausbezahlt, dass die jungen Ehegatten kein Geld hatten und Niemand ihnen mehr borgen wollte. Als die Fürstin im Wochenbette lag, musste sie es dankbar annehmen, dass ein mitleidfühlender Pfarrer ihr Hühner schickte, die sie nicht hätte kaufen können. So arm waren sie damals.

Erst als der Fürst in bayerische Statsdienste eintrat, und die Fürstin auch an dem Königshofe Aufnahme fand, änderte sich das Verhalten der hochmütigen Verwandtschaft. Sie wurde nun freundlich und bezeugte ihr Anerkennung und Zuneigung.

In Frankfurt sah ich die Nationalversammlung und wohnte der dreitägigen parlamentarischen Schlacht bei, in welcher über den sogenannten Waffenstillstand von Malmö zwischen Deutschen und Dänen entschieden werden sollte.

Die Versammlung machte mir einen besseren Eindruck, als ich erwartet hatte. Es fehlte meines Erachtens nur an einer kräftigen Regierung, welche ihr zur Seite stände und sie zugleich beschränkte und ihr praktisch hülfe. So machte sie zuweilen in ihrem Souveränetäts-

dünkel dumme Streiche. Auch in der dänischen Kriegs-
frage hatte sie nicht übel Lust, den Waffenstillstand zu
verwerfen. Wenn man dann aber fragte, wer für diese
kriegerische Politik als Minister eintreten wolle, und mit
welchen Mitteln man die preussische Regierung, die Frieden wollte, zum Kriege nötigen werde, so wusste Niemand
auf diese Frage zu antworten. Trotz aller dieser Jugend-
lichkeiten verliess ich Frankfurt doch mit dem festen Glauben: „Deutschland wird eine Grossmacht ersten Ranges
werden, und es wird auch die Einheit kommen."

Fürst Leiningen, der Präsident des Reichsministe-
riums, nahm mich sehr freundlich auf und vertraute mir die
diplomatischen Nöte, in die er geraten war. Wurde der
Vertrag verworfen, so bedeutete das Bruch mit Preussen
und zugleich Bruch mit England, Frankreich und Russland.
Siegte so in Frankfurt die Linke, so hatte sie weder Geld
noch Heere zu ihrer Verfügung, um ihre Politik durchzusetzen. Sie hatte nur das Eine Mittel, die Leidenschaften
der Revolution aufzurufen. Aber mir kam es vor, dass
die Nation etwas faul und müde geworden war und keine
Lust hatte zu neuen wilden Stürmen. Wenn dagegen die
Versammlung den Waffenstillstand guthiess, so wurde das
nach dem vorausgegangenen Halloh der Radikalen ein kläg-
licher Rückzug und eine beschämende Demütigung. Dennoch gab es keinen andern Ausweg. Die Versammlung
musste sich der Notwendigkeit beugen.

Ich schrieb meiner Frau: „Das Parlament macht noch
viele Fehler, aber wenn auch das junge Geschöpf noch zuweilen strauchelt und auf die Nase fällt, so wächst es doch
an Erfahrung und Sicherheit. Die Sitzung am Samstag
war sehr stürmisch. Einmal drohte die Linke, den Saal

zu verlassen. Der Tumult in der Paulskirche war ein Vorspiel des Strassenkrawalls in der Nacht, der einigen Fensterscheiben das Leben kostete. Indessen mehr Lärm als Gehalt."

Über Basel, wo ich meinen Schwager Wilhelm Wackernagel ebenfalls für die deutsche Erhebung begeistert traf, reiste ich nach Zürich. Die Aufnahme, die ich hier fand, zeigte mir, dass ich in meiner Vaterstadt doch noch gute Wurzeln hatte, welche von den Stürmen, die inzwischen über mich gekommen, nicht ausgerissen worden. Selbst Radikale, denen ich begegnete, grüssten mich freundlich. Das Wetter war prächtig, das Laub der Bäume noch frisch, die beschneiten Berge waren an ihrem Fusse von dem Herbstduft umhüllt.

Am meisten freute mich, dass die Gesetzes-Revisions-Commission einstimmig den Beschluss fasste, an den Grossen Rat den Antrag zu stellen, dass mir auch ferner die Redaction des Civilgesetzbuchs übertragen werde. Kam dieser Plan zur Ausführung, so blieb ich in fortwährendem Verkehr mit der Heimat und war nun veranlasst, alljährlich einige Zeit hier zu arbeiten. Das Vertrauen, das ich bei allen Parteien genoss, erhöhte meine Lust zu dem grossen Werke. Eine grössere Genugthuung konnte ich nicht finden.

Bei einem Festessen, das mir zu Ehren gegeben wurde, übergaben mir die Freunde ein Ölgemälde von Ulrich, das er eigens für mich gemalt hatte, eine Gebirgslandschaft aus Unterwalden. Auf den felsigen Hochbergen, den Spannörtern, ist frischer Schnee, dessen Weisse sich von dem tiefblauen Himmel scharf und glänzend abhebt. Die grünen Alpen mildern die Wildheit; unten fliesst durch dunkle Tannen ein schäumender Waldbach. In einer nahen Senn-

hütte raucht der Herd. Das Ganze ist eine echte Schweizer-
landschaft, mir um so lieber, als sie nach Unterwalden hinweist.

In Zürich erhielt ich von meiner Frau die erste Nachricht, dass mein Decret unterzeichnet sei. Der Aufschub
hatte mich unterwegs doch wieder beunruhigt, und ich erinnerte sie an das Shakespeare'sche Wort: „Aufschub ist
Folter“, und mahnte, sie solle sich nicht über die trockenen
Briefe grämen, denn „auf der Folter schreibt man keine
guten Briefe“.

<hr>

8.

**Die Universität München. Geselliges Leben. Kaulbach. Mein
Porträt. Das „Allgemeine Statsrecht“. Der constitutionell-mo-
narchische Verein. Wahlkämpfe. Wider die Reichsverfassung.
Für Adelsreform. Pfordten. Schweizer Heimweh. Persönliches.**

Mit frischem Mute arbeitete ich nun in dem wissenschaftlichen Berufe fort, der mir übertragen war. Es gab
freilich an der Universität München, die während der Regierung König Ludwigs wenig Fortschritte gemacht hatte,
mancherlei hergebrachten Schlendrian; aber ich fand auch
manche ausgezeichnete Collegen und in der zahlreichen
Studentenschar eifrige Hörer. Da der König Max II. die
Wissenschaften liebte, so waren überdem Reformen und
Erfrischungen des Lehrkörpers vorauszusehen, und diese
Hoffnungen erfreuten mir das Herz.

Mit Dönniges, dem Freunde des Königs, der vorzugsweise die Reform der Universität und die Herbeiziehung
ausgezeichneter deutscher Professoren betrieb, stand ich in
wissenschaftlicher, politischer und gesellschaftlicher Hinsicht

vortrefflich. Dönniges besass sehr tüchtige Kenntnisse, insbesondere auf dem Gebiete der deutschen Staten- und Rechtsgeschichte. Ich habe immer gefunden, dass er seinen Rat mit Sachkunde und ausschliesslich nach sachlichen Erwägungen, nie aus bloss persönlichen Motiven erteile, und sein Gutachten hatte bei dem König grosses Gewicht. Er hatte freilich viele Feinde. Die Liebhaber des autochthonen Bayerntums, welche alle Deutschen, die nicht mit altbayerischer Zunge stammelten, und die Laute schärfer und klarer aussprachen, als Ausländer und Fremde mit unverhohlener Abneigung betrachteten, und denen die Concurrenz dieser Fremden wie eine Beleidigung und Feindschaft gegen Bayern erschien, hassten in Dönniges den Norddeutschen und den Patron der Fremden; die Ultramontanen hassten in ihm den Protestanten und den Freidenker. In seiner Erscheinung, die wir gelegentlich mit Mercutio verglichen, lag etwas Herausforderndes, Keckes, Schneidiges, was zuweilen reizte und verwundete. Er setzte sich über manche Vorurteile und gelegentlich auch über die gute Sitte hinweg. Seine Beziehung zum Hofe wurde bald beneidet, bald verdächtigt.

Von den Collegen wurde ich, obwohl mich manche auch als einen fremden Eindringling betrachten mochten, doch meistens freundlich und immer höflich aufgenommen. Thiersch hatte sich während der schwankenden Berufung lebhaft für mich verwendet und bewahrte mir freundlichste Gesinnung. Auch unter den näheren juristischen Collegen fand ich gute Freunde, wie namentlich den gewandten Criminalisten Dollmann, einen gebornen Franken, den liberal gesinnten Statsrechtslehrer Pözl, einen Oberbayer, den Germanisten und grössten Kenner der scandinavischen

Rechte, Conrad Maurer, einen Pfälzer. Etwas ferner,
aber nicht unfreundlich waren die Pandectisten Arndts
aus Westphalen, durch seine Erziehung und seine Frau
mit der katholischen Partei verbunden, ein tüchtiger juri-
stischer Kopf, und Zenger, ein heiterer und gemütlicher
Autochthone, der aber seine eigenen Schliche wandelte,
und der Processualist v. Bayer, das Muster eines loyalen
königlichen Beamten, fleissiger Lehrer, in seinem Fache
überaus sicher und klar, jenseits der Pfähle des civilisti-
schen Bereichs aber von kindlicher Unwissenheit und zit-
ternder Ängstlichkeit. Zuwider war mir nur Ein College,
der Canonist Kunstmann, ein Pfäfflein mit einem Schmer-
bauche, der gelegentlich liberale Ansichten äusserte und
dennoch nach Jerusalem wallfahrtete, zur Busse für seine
Sünden.

Reicher und fruchtbarer war damals noch der Kreis
der Künstler. Für die bildende Kunst hatte König Ludwig mit Vorliebe gewirkt. Die Künstler gaben der Gesellschaft und den Festen Münchens einen farbigen, glän-
zenden Ausdruck. Unter den Künstlern ragte Wilhelm
Kaulbach als der Gefeiertste hervor. Das Kaulbach'-
sche Haus in der Gartenstrasse war das gastliche Hauptquartier der geistigen Gesellschaft. Da traf man fast alle
Fremden von künstlerischem, litterarischem, gelehrtem Namen und auch aus München die meisten Notabeln dieser
Classen.

Das gesellige Leben, welches damals in München
allerdings vorzugsweise in den Kreisen der Künstler, Schriftsteller und Gelehrten blühte, war mir und meiner Familie
sehr angenehm. Es hatte zu jener Zeit noch nichts von
dem erdrückenden Luxus feiner Speisen und Getränke an

sich. Die Bewirtung war sehr bürgerlich-einfach. Man reichte eine Tasse Thee, ein Glas Bier und begnügte sich mit ein paar Stücken kalten Braten, Schinken und Wurst. Es war schon eine seltene Zugabe, wenn zuweilen Wein und Punsch serviert ward. Der Hauptzweck dieser Gesellschaft war nicht, dem Gaumen zu schmeicheln und den Magen zu füllen. Die freie anmutige Conversation war die Hauptsache. Gelegentlich wurde die gewöhnliche Unterhaltung durch eine musikalische Leistung, ein paar Lieder, eine Sonate auf dem Klavier, ein Quartett, durch den Vortrag einer Dichtung, oder durch Vorzeigung von Bildern verschönt.

Mit Kaulbach blieb ich befreundet während meiner ganzen Münchner Periode und bis zu seinem Tode. Der Umgang mit ihm hat mir auch die weibliche Seite in der Künstlernatur deutlich gezeigt. In der That mischen sich in dem Künstlerleben schöpferische männliche Triebe mit weiblicher Empfänglichkeit und Empfindlichkeit. Das eine Mal schwelgt der Künstler in seliger Vaterlust, wenn es ihm glückt, die Idee, die ihn bewegt, im Bilde schön und klar zu gestalten. Ein anderes Mal ist er voller Sorgen und trägt lange den Gedanken in seinem Innern, bevor derselbe einen Leib erbaut und in die Erscheinung tritt. Zuweilen kommt auch ein Gefühl der Ohnmacht, der Verzweiflung über ihn. Er jammert über sein Ungeschick und seine Unfähigkeit. Bald fühlt er sich erhaben und unsterblich wie ein Gott, bald schütteln ihn die bangen Qualen weibischer Verzagtheit.

Im Winter 1850 auf 51 zeichnete Kaulbach eine Anzahl von Porträtköpfen mit schwarzer Kreide. Er wollte auch mich porträtieren. Als ich ihn in seinem Atelier

besuchte, sagte er mir, es sei ihm viel leichter geworden,
die anderen Köpfe zu zeichnen, mein Kopf sei „verflucht
schwer" nachzubilden. Dennoch wollte er kein blosses
Rassebild machen, wie die meisten Porträtmaler es thun.
Er bemerkte mir, fast nur Holbein und Van Dyk haben
es verstanden, Individuen zu malen. Er lud mich ein zu
sprechen. Er wollte die Bewegung der Züge, in der das
Individuum sichtbar wird, erhaschen.

Als das Bild fertig war, gefiel es meiner Frau nicht,
und sie äusserte das ganz offen dem Künstler, der durch
die naive Entschiedenheit sehr betroffen wurde. Das Bild
war ähnlich, es war auch belebt, individuell, aber es war
das blosse Bild eines Familienmenschen. Es hatte nichts
an sich von dem politischen Geiste, den meine Frau zu
sehen hoffte. Es gefiel den Familienfreunden eher, als uns
selber. Nun war die Künstlerehre Kaulbach's angegriffen.
Er zeichnete den Kopf zum zweiten Male von einer anderen, charakteristischeren Seite. Das zweite Bild gelang
nun sehr. Ich selber glaubte in diesem Bilde mein in-
dividuelles Wesen — nach Künstlerart etwas idealisiert in
der Form — zu erkennen. Es ist etwas von dem „Republikaner", wie Kaulbach sagte, von einem „Römer", wie
meine Frau meinte, darin. Die beiden Bilder sind in dem
Besitze meiner Familie. Das zweite Bild wurde dann von
dem Kupferstecher Merz gestochen.

In dieser ersten Münchnerzeit arbeitete ich das Werk
„Allgemeines Statsrecht" aus, welches zuerst 1851 und 52
in Einem grossen Octavband in der Cotta'schen litterari-
schen Anstalt erschienen ist.

Dieses Werk verhielt sich zu den psychologischen
Studien wie flaschenreifer Wein zu dem noch gährenden

„Sauser". Die Studien waren für das Publikum unschmack-
haft, das Allgemeine Statsrecht wurde gut aufgenommen
und hat mehrere Auflagen, zuletzt eine neue Bearbeitung
und Erweiterung in der „Lehre vom modernen Stat" 1876
erfahren.

Im Gegensatz zu der naturrechtlichen und speculativen Statslehre, die bisher als allgemeine allein bekannt
war, beachtete das Werk die geschichtliche Entwickelung
der civilisierten Statenwelt. Im Unterschiede von den besonderen Statslehren mit ihrem engen Gesichtskreis und
der Hinneigung zu der Formularjurisprudenz, in der ich
ein Verderbnis des politischen Geistes erblickte, stellte es
den principiellen Zusammenhang und den gemeinsamen
Charakter der entscheidenden Begriffe und Organe des
modernen Statswesens dar. Es beruhte auf der histo-
risch-philosophischen Methode und eröffnete weite Aussichten. Bei jeder Gelegenheit wies es auf die Zweiseitig-
keit der menschlichen Einrichtungen hin und warnte vor
den Fehlern und Übertreibungen einer einseitigen, rück-
sichtslosen Logik, welche das Leben nicht begreift, nicht
erklärt und auf gefährliche Irrwege verleitet.

In den ersten Jahren der Münchnerperiode dauerte
noch eine gewisse politische Thätigkeit neben der wissenschaftlichen fort, obwohl die letztere allmälich das Übergewicht erlangte.

Ich trat dem constitutionell-monarchischen Vereine bei, der grossenteils aus Münchner Bürgern bestand.
Die von mir entworfenen Statuten bestimmen den Geist
des Vereins so:

§ 2. „Von der Überzeugung beseelt, dass eine starke
und lebensvolle Monarchie mit gesicherter Freiheit und

ausgebildeten repräsentativen Rechten des Volkes vereinbar ist, und dass eben diese Verbindung dem geschichtlichen Charakter des bayerischen Volkes und der gesamten deutschen Nation zusagt, und zugleich den wahren Bedürfnissen der Zeit entspricht, sucht der Verein im Sinne dieser politischen Überzeugung thätig zu sein."

§ 3. „Demgemäss tritt er sowohl den Bestrebungen derer entgegen, welche geneigt wären, wohlerworbene und wohlbegründete Volksrechte dem Absolutismus hinzuopfern, als den Bestrebungen derer, welche, sei es geradezu auf den Sturz der Monarchie und die Einführung einer Republik ausgehen, sei es unter der Firma einer constitutionellen Monarchie eine blosse Scheinmonarchie wollen und so mittelbar für die republikanische Umwälzung den Boden bereiten."

§ 4. „Der König und das Volk gelten dem Verein nicht als zwei feindliche Mächte, die sich gegenseitig mit Misstrauen begegnen, und deren Interessen sich widerstreiten. Vielmehr verehrt der Verein in dem König das Haupt des mit ihm unauflöslich verbundenen Volkes, den höchsten Ausdruck der Nationalehre und des Nationallebens."

Im Auftrag des Vereins nahm ich auch an dem Wahlkampf des Jahres 1849 teil, als nach der Auflösung der bayerischen Kammer ein neuer Landtag gewählt wurde. Ich wurde selber als Candidat aufgestellt, verzichtete aber auf diese Candidatur, als ich bemerkte, dass die Wahl eines Einheimischen von derselben Richtung leichter durchzusetzen sei. Bei dieser Gelegenheit machte ich auch den Versuch, auf einer Volksversammlung in dem Allgäuer Gebirge zu sprechen. Ich wusste wohl, dass ich kein Volks-

redner, sondern eher zu parlamentarischer Rede befähigt
sei. Ich entzog mich aber dem Wagnis nicht, um die
Kräfte zu erproben. Man versicherte mich, ich habe Eindruck gemacht. Ich war selber aber nicht befriedigt durch
meine Rede. Dagegen hörte ich damals in Hindelang, dem
Orte der Volksversammlung, einen ultramontanen Redner,
den gefürchteten Pater Eberhard, und sah, wie stark er
die Masse der Bauern zu packen und zu lenken verstand.
Ich unterhielt mich mit ihm ganz gut, ohne irgendwie
meine antiultramontane Richtung zu verbergen.

Der Anerkennung der deutschen Reichsverfassung vom 28. März 1849 wirkte der Verein entgegen.
Er sah darin nicht die Befriedigung von Deutschland, sondern die Revolutionierung Deutschlands und eine ernste
Gefahr für den Wohlstand und für die politische Selbständigkeit Bayerns. Ich gab den Bedenken gegen die
Annahme einen Ausdruck, der von dem Vereine massen-
haft verbreitet ward.

Damals schon (5. Juli 1850) brachte ich in dem
Vereine die nötige Reform sowohl der Ersten Kammer, als der Institution des Adels in einem Vortrage zur
Sprache, der gedruckt wurde. Ich bezeichnete darin die
gegenwärtige Adelsinstitution als veraltet und verkommen,
als eine falsche Darstellung der Aristokratie, und verlangte eine lebendige, geachtete, alle grossen Eigenschaften
zusammenfassende wahre Aristokratie, welche unentbehr-
lich sei zu der Gesundheit des constitutionell-monarchischen States, indem sie zu vermitteln berufen sei zwischen
dem Andrang einer leidenschaftlichen Demokratie und der
Herrschsucht eines militärischen und absoluten Despotismus.
Die Rede wurde viel besprochen, auch von einzelnen hohen

Aristokraten wie von manchen Volksfreunden gebilligt.
Aber sie blieb doch ein Ruf in die Wüste. Die Regierung
traute sich nicht, die Reform vorzunehmen. Der Adel
selbst hatte wenig Lust, sich selber zu reformieren. Es
blieb beim Alten, und die Institution starb leise immer
mehr ab.

Die Gefahr der Revolution war bereits durch den
Einmarsch der Preussen in Baden, durch die Bezwingung
des Aufstandes in Dresden und in der Rheinpfalz überwunden. Aber nun trat die entgegengesetzte Gefahr eines
erneuten tyrannischen Polizeiregiments, wie es der Bundestag und die deutschen Regierungen lange geübt hatten,
wieder näher und in den Vordergrund. Das Ministerium
von der Pfordten widerstand dieser Lockung nicht. Die
Reform der deutschen Verfassung war gescheitert. Preussen, das allein die reformatorischen Gedanken verfolgte,
freilich auch mit romantischen Neigungen und zugleich
mit herrschsüchtigen Tendenzen, wurde immer mehr zu-
rückgedrängt. Österreich, von Bayern unterstüzt, stellte
sich an die Spitze der reactionären Bewegung und unternahm es, die alte von der Revolution zerschlagene Bundesverfassung wieder herzustellen. Mich erkältete und ekelte
diese traurige und verderbliche Politik an. Ich erkannte
darin eine Verschwörung der Machthaber wider die Freiheit und die Interessen der Nation. Als das Kurfürstentum
Hessen auch von bayerischen Truppen überzogen wurde,
um die boshafte Willkürmacht des Kurfürsten wieder aufzurichten ohne hinreichende Beachtung der verfassungsmässigen Volksrechte, brachte ich diese absolutistische
Politik auch in dem Verein zur Sprache, und zog mich,
da ich nirgends eine Möglichkeit für mich fand, dieser

Richtung entgegenzuwirken, von der politischen Teilnahme zurück. Bald nachher löste sich der Verein auf (1852).

Ich lernte nun auch die alten Gewohnheiten des deutschen Absolutismus kennen, der in dem Pfordten'schen Ministerium durch wohlklingende Phrasen nur schwach verhüllt war, dessen Blössen überall sichtbar wurden. Während des Kampfes mit der Revolution hatte ich auch an der Presse mich beteiligt und manchen Leitartikel in die Münchner Zeitung geschrieben, oft im Einverständnis mit Dönniges. Aber Dönniges selbst, welcher nach der Olmützer Erniedrigung Preussens an den diplomatischen Restaurationsverhandlungen zu Dresden teilnahm, konnte sich der Reaction nicht entziehen, die er gering schätzte. Der König sah darin eine Stärkung der Monarchie, für welche er gefürchtet hatte. Ihm und noch mehr den Ministern, die sich sogar im Stillen mit den Ultramontanen alliierten, war meine Auffassung der Lage und der Aufgaben zu frei, zu reformatorisch. Sie hinderten mich nicht, aber sie förderten mich auch nicht. Ich zog mich entmutigt auch von der Teilnahme an der periodischen Presse zurück.

Ich sehnte mich nach der Schweiz zurück. Das Schweizerheimweh kam über mich. Ich sprach es in einem Liede aus.

An die Schweiz.

Nach der Heimat wenden die Gedanken
Sorglich ihren Zug,
Um die Hügel, wo die Reben ranken,
Kreisen sie im Flug.

Wo den See wie eine Braut umfangen
Liebend Dorf und Stadt,

An der Urschweiz schönstem Bild sie hangen
Seiner nimmer satt.

Schweifen über Berge, Thäler, Seen,
Auen, Feld und Holz,
Steigen aufwärts zu den schneeigen Höhen,
Urgebirges Stolz.

Fühle heftiger des Herzens Pulse pochen,
Denk' ich: Vaterland!
Fühl' sein männlich Mark in meinen Knochen,
Weiss mich ihm verwandt.

Deine Stärke, Ehre, Recht und Frieden
Schwellen meine Lust,
Und die Leiden, die dir sind beschieden,
Schmerzen meine Brust.

Dunkle Wetterwolken seh' ich ziehen,
Stürme toben ran,
Ängstlich schon die Vögel heimwärts ziehen,
Fürchten den Orkan.

Ferne wall' ich in den deutschen Landen,
Ferne und verkannt,
Halte dich mit starken Liebesbanden
Treu und doch — verbannt.

Zu meinem Leidwesen bemerkte ich, dass die mir übertragene Civilgesetzgebung nicht vorwärts komme. Es arbeiteten in Zürich einflussreiche Gegner entgegen und brachten die Arbeit zum Stillstand. Ich wendete mich nun an den Grossen Rát von Zürich und bat ihn, einen entscheidenden Beschluss zu fassen (Dec. 1850). Es war für mich eine kaum mehr gehoffte ausserordentliche Genugthuung, dass der Grosse Rat von neuem das grosse

Werk mir anvertraute. „Es ist der grösste Sieg, den ich erlebt habe," schrieb ich am 5. April 1851 in mein Tagebuch.

9.

Der Statsstreich Napoleon's III. Bayerische Verfassungsprojecte. Mein Gutachten. Patrone für die Arbeiter. Litterarische Neigungen des Königs. Berufung von Dichtern und Professoren. Dönniges, Pfordten. Schweizerische Gedanken und Erinnerungen.

Den Conflict, der zwischen dem Präsidenten Louis Napoleon und der Pariser Nationalversammlung im Jahr 1851 entstanden war und zu einer gewaltsamen Lösung drängte, hatte ich mit Aufmerksamkeit beobachtet, und über Louis Napoleon eine von der damals in Deutschland herrschenden durchaus verschiedene Meinung gewonnen. Unsere Zeitungen, die Augsburger Allgemeine Zeitung voran, stellten ihn als eine Null, einen Lückenbüsser, einen ganz unbedeutenden Menschen dar. Ich bemerkte im Gegenteil, dass er dem redegewandten Gesetzgeber gegenüber die thatkräftige Regierungsgewalt sehr entschieden wahre und mit Klugheit die unteren Massen, die Vertreter der Industrie und die Armee für sich zu gewinnen suche.

Der „Statsstreich", oder, wie ich ihn nannte, der „Statsact" vom 2. December 1851 überraschte mich daher nicht so heftig, wie die Meisten. Als die ersten Nachrichten von Paris kamen, hörte ich ringsumher nur die verächtlichsten Äusserungen über das ebenso tolle als verbrecherische Unternehmen, das notwendig jämmerlich scheitern müsse. Ich belustigte mich über die naive Äusserung dieser kurzsichtigen Zuversicht, und ich bot eine Wette

8*

an für den Sieg Napoleon's. Wenn in einem Preussen der Hass wider Alles aufloderte, was an den Namen Napoleon erinnerte, so begriff ich das sehr wohl; wenn aber der Bayer als Bayer sich gegen die Napoleone erhitzte, so war mir das nicht ebenso verständlich; denn die Könige von Bayern hatten ihre souveräne Königskrone, und das bayerische Volk hatte die Wegräumung vieler feudaler pfäffischer Erbübel dem Kaiser Napoleon I. zu verdanken.

Ich schrieb damals einige Artikel, die in der Neuen Münchner Zeitung erschienen und teilweise auch von der widerstrebenden Allgemeinen Zeitung aufgenommen wurden, um den Gewaltact des 2. December, welcher dem 18. Brumaire des Onkels Napoleon bedenklich ähnlich sah, zu beleuchten, und die Billigung desselben durch die allgemeine Volksabstimmung aus der Furcht der französischen Nation vor der roten Republik und der monarchischen Gesinnung derselben zu erklären. Eine relative Rechtfertigung lag in der Gefahr, welche die verfassungsmässige Neuwahl eines anderen Präsidenten über Frankreich brachte. Napoleon hatte offenbar den Rohmer'schen Gedanken, die Monarchie auf den Vierten Stand zu begründen, in seiner Weise ebenfalls aufgegriffen und zu verwirklichen unternommen.

Der König Max II., dem die bayerische Zweite Kammer auch einigen Verdruss bereitete, überlegte damals, vielleicht von dem Napoleon'schen Vorgange ermutigt, auch eine Verfassungsänderung und liess sich verschiedene Entwürfe ausarbeiten. Ich erhielt einen des vormaligen Ministers von Abel und des gegenwärtigen Ministers von Zwehl zur Begutachtung und war veranlasst, auch meine Vorschläge zu machen.

Der Abel'sche Entwurf war im Grunde nur die Rückkehr zu der vormärzlichen Verfassung, ohne Princip, die
nackte Reaction. Ich sprach mich entschieden dagegen
aus. Besser war der Entwurf von Zwehl. Aber er war
doch ungenügend. Die Repräsentation, wie er sie vorschlug, hätte in der Höhe die gebildetsten Elemente, Beamte,
Advocaten, Privatgelehrte, Schriftsteller, ausgeschlossen und
in der Tiefe die arbeitenden Classen ohne Vertretung gelassen. Überdem mischte sie die grossen Grundbesitzer und
die kleinen Bauern so, dass keines dieser beiden Elemente
sicher war, berücksichtigt zu werden.

Ich reichte dem König ein ausführliches Gutachten
ein, in welchem ich zunächst an alle die Mängel erinnerte,
welche die ursprüngliche Verfassung von 1818 als reform-
bedürftig darstellten, und anerkannte, dass diese Mängel
durch das Verfassungsgesetz vom 4. Juni 1848 gehoben
worden seien. Als solche erwähnte ich die bevorzugte
Stellung der Grundherren in der Zweiten Kammer, während die Grundherrschaft nun aufgehoben sei, den übermässigen Anteil der Geistlichkeit an der Repräsentation, die
Art der Wahl der Städte und Märkte, welche die Bürger
ausschliesse und Alles von Magistraten und Gemeinde-
bevollmächtigten abhängig mache, die ähnlich organisierten
Wahlen der Vertreter des Landes, welche den Gemeinde-
ausschüssen überlassen und von den Herrschaftsrichtern abhängig waren, die Nichtbeachtung der grossen Volksklassen
und die engbegrenzte Wählbarkeit der Deputierten.

Dagegen empfahl ich, die allgemeine Wahl nach der
Volkszahl, welche keine Bürgschaft gewähre, dass alle be-
deutsamen Classen nach ihren Verhältnissen eine Stimme
erhalten, sondern lediglich dem Kampf und den Schwan-

kungen der Parteimeinungen und Parteileidenschaften einen Spielraum eröffne, durch eine organisierte Classenwahl zu ersetzen.

Ich schlug vor, die 143 Stellen in der Zweiten Kammer so zu verteilen, dass

1) auf die Landbevölkerung   78 Stimmen
2) auf die städtische Bevölkerung   43   „
3) auf die Geistlichkeit und die Kirche   9   „
4) auf die Akademie und die drei Universitäten   4   „
5) auf die Arbeiterbevölkerung   9   „

kommen.

Die Landbevölkerung sollte hinwieder in drei Classen geteilt werden, von denen jede eine gleiche Anzahl Wahlmänner wähle, mit Ausschliessung der grundbesitzenden Aristokratie, die in der Ersten Kammer vertreten werden sollte, und der Geistlichkeit, die eine Sondervertretung erlangte. Die erste Classe sollte aus den hablicheren Eigentümern und Erbgutsbesitzern bestehen, die von ihrem Gut ein Steuersimplum von mindestens 3 Gulden bezahlen, die zweite Classe aus kleineren Grundbesitzern und aus blossen Pächtern; die dritte Classe sollte die übrigen selbständigen Bewohner des Landbezirks umfassen, wie Ärzte, Handwerker, Techniker u. s. f.

Die städtische Bevölkerung teilte ich in vier Classen — mit Ausschliessung der Aristokratie und der Classen, die eine besondere Vertretung erhielten (Geistliche, Mitglieder der gelehrten Körperschaften), nämlich:

1) wissenschaftliche und künstlerische Berufsclassen, Gelehrte, Advocaten, Ärzte, Schriftsteller, Maler, Bildhauer, Architekten,

2) Kaufleute, Handelsleute, Fabrikanten,
3) Handwerker und niedere Gewerbtreibende,
4) die übrigen selbständigen Statsbürger in der
   Stadt, die Capitalisten ohne Gewerbe, Schreiber, aber
   auch selbständige Taglöhner, Jäger, Schiffer u. s. f.
   inbegriffen.

Jede dieser Classen sollte wieder dieselbe Zahl Wahlmänner stellen, und die Wahlmänner gemeinsam den Abgeordneten wählen. Dem Vermögen wollte ich überdem insofern wieder eine Bedeutung sichern, dass jede Classe sich in zwei Unterabteilungen teile, die höher Besteuerten und die Niederbesteuerten, von denen jede Unterclasse die Hälfte der Wahlmänner ernennt.

Auf diese Weise dachte ich die sämtlichen berechtigten Interessen zum Ausdruck und zur Geltung zu bringen und zugleich die Macht der Parteileidenschaften zu brechen.

Einen besonderen Wert legte ich auf eine Vertretung der Arbeiter, die nicht schon in den vorigen Classen vertreten waren, d. h. der eigentlichen Lohnarbeiter, Handwerksgesellen, Fabrikarbeiter, Dienstboten u. s. f. Ich erklärte es für eines der dringendsten Bedürfnisse unserer Zeit, für diese Classen zu sorgen, die weniger als andere für sich selber sorgen können und mehr als andere der Sorge bedürfen. Aber ich verwarf den naheliegenden Gedanken, diesen Classen die Wahl ihrer Vertreter selber zu vertrauen. Ich fürchtete, dass durch eine derartige Organisation des Proletariates ein für die ganze Gesellschaft gefährlicher Classenkrieg vorbereitet und die Fabriken, die Werkstätten, die Familien zerrissen würden durch die Auflehnung der Arbeiter wider die Lohnherrschaft. Ich war überdem der Meinung, dass diese Classen nicht die erforderliche Bildung und Selbständigkeit haben, um ihre Interessen selber zu wahren, und dann die Beute der Demagogen werden möchten, welche zu ihrem Schaden sie missleiten würden.

·Deshalb machte ich den Vorschlag, der König möge eine Anzahl angesehener Männer, welche ein Herz für die Arbeiter hätten, ihre Verhältnisse kennten und für ihre Bedürfnisse eintreten wollten und könnten, zu Arbeiterpatronen ernennen. Eine solche Vertretung würde zu Gunsten der Arbeiter viel wirksamer sein, als gewählte Abgeordnete aus den Arbeiterkreisen; diese Patrone würden sich bald das Vertrauen der Arbeiter erwerben, und die Statsordnung würde eher gestärkt dadurch, als bedroht.

Der König war anfänglich mit dem Vorschlage solcher Patrone für die Arbeiter sehr einverstanden und hatte geäussert, er werde das auch gegen den Widerspruch Pfordten's durchsetzen, eher den Minister als die Sache fallen lassen. Später aber änderte er seine Meinung und wollte nichts mehr von einer Vertretung der Arbeiter hören.

Auch in allen anderen Beziehungen geriet die beabsichtigte Reform der Verfassung wieder in's Stocken. Von einer Reform der Ersten Kammer, ohne welche eine richtige Organisation der Zweiten Kammer gar nicht möglich war, wollte der König von Anfang an Umgang nehmen. In meinem Gutachten machte ich trotzdem die mir nötig erscheinenden Vorschläge, welche eine Reform des Adels in sich schlossen, aber den aristokratischen Elementen hier eine Stellung und Stimme sichern sollten.

Das Hauptinteresse des Königs war weniger die Po-

litik als die Litteratur. Er zog den Statsmännern die
Dichter vor und benutzte die Musse, welche ihm die öffentlichen Geschäfte übrig liessen, um sich an den schönen Werken der Poesie zu erfreuen. Er war unglücklich darüber,
dass seine Gemahlin diese litterarische Neigung nicht teilte,
für die Schönheiten der Verse taub war und im Theater
eher das Publikum überschaute, als der Entwickelung auf
der Bühne folgte.

Er wollte in München und an seinem Hofe eine Anzahl deutscher Dichter versammeln und so die glänzende
Litteraturepoche von Weimar erneuern. So berief er nach
und nach Emanuel Geibel, Dingelstedt, Bodenstedt,
Paul Heyse nach München. Von einheimischen Dichtern
beachtete er fast nur Franz Kobell, der in pfälzischer
und altbayerischer Mundart volkstümliche Lieder sang und
ein vortrefflicher Jagdgenosse war. Es war ein anmutiges,
geistreiches Spiel, das den König erfreute und zuweilen
auch die Geister weckte und erfrischte, nicht viel mehr.
Kaulbach lachte darüber und malte zu den Füssen des
grossen Porträts des Königs einige ausgestreute Rosen,
um diesen Dichterhof zu zeichnen.

Für die geselligen Kreise Münchens waren diese Berufungen ein grosser Gewinn. Das Leben wurde bewegter,
interessanter, geistiger. Das Grau des Philisterlebens wurde
durch hellere Farbentöne verschönert.

Bedeutender wirkte die Berufung ausgezeichneter
„Fremder" an die Universität, welche ebenfalls nach dem
Wunsche des Königs hauptsächlich durch Dönniges betrieben wurde. Auch für die wissenschaftliche Thätigkeit
hatte der König ein Verständnis und eine innere Verehrung.
Er sagte mir einst an einem Symposion im Schlosse: „Wäre

ich nicht in einer königlichen Wiege geboren worden, so
wäre ich am liebsten Professor geworden; dieser Beruf
hätte mich am meisten angezogen." Ich dachte im Stillen:
„Schade, dass das Schicksal nicht unsere Wiegen vertauscht hat."

Das wissenschaftliche Leben wurde durch diese Berufungen jedenfalls sehr gefördert. Dieselben wirkten nach-
haltig und halfen auch die einheimischen Kräfte von dem
Drucke befreien, der über ihnen lag. Aber die Form der
Berufung verletzte und kränkte die Behörden und die
Körperschaft der Universität. Weder jene noch diese wurden zu Rate gezogen. Es wurde ihnen lediglich zugemutet,
das im Cabinet Beschlossene und Vollzogene anzuerkennen
und auszuführen. Den aus dem Auslande berufenen Professoren wurde es schwer gemacht, volle Anerkennung zu
finden. Es bildete sich eine Art wissenschaftlicher Fremdencolonie in München, die wenig mit den älteren Collegen
aus Bayern und noch weniger mit der Münchner Bürgerschaft verkehrte. Ich nenne als solche Berufene, die nach
und nach herbeigezogen, später aber teilweise wieder ver-
drängt wurden, den Chemiker Liebig, den Physiker Jolly,
den Historiker Heinrich von Sybel, den Pandektisten
Windscheid, den Culturhistoriker Riehl, mit denen allen
ich befreundet wurde.

Der Hass der einheimischen Gegner wendete sich
vorzüglich wider Dönniges, der als der Hauptträger dieser Cabinetsverwaltung betrachtet wurde. Alle bayerischen
Instincte waren gegen den „herrischen Preussen" aufgeregt.
Die Erbitterung, durch kleine Formfehler gereizt, erhielt
zuletzt eine Kraft und Ausdehnung, welche an die Wut
gegen die Lola erinnerten und freilich erst nach Jahren

den jähen Sturz des königlichen Günstlings bewirkten. Ich erkannte frühzeitig die Gefahr, warnte zuweilen auch vor Missgriffen, aber achtete trotz alledem die durchaus ehrenwerten Bestrebungen des Mannes, Bayern geistig zu heben.

Dönniges versuchte sich auch in praktischen Leistungen. Er übersetzte englische Balladen und schrieb ein episch-romantisches Gedicht, in dem er die gesellschaftlichen Sitten der Gegenwart darstellte und geisselte. Byron's Don Juan diente ihm als Vorbild. Er zeichnete sich selbst als den nordischen „Orlof" mit Aufrichtigkeit. An ihm machte ich übrigens die Erfahrung, die ich auch an Anderen bestätigt fand, dass das Hofleben die guten Eigenschaften des Mannes durch mancherlei Ansprüche und nichtige Genüsse aufzehre, und den rechten Ernst wissenschaftlicher Arbeit nicht kenne. Fern von der Hofgunst wäre er wohl ein bedeutender Gelehrter geworden. Als er nach seiner endlichen Entlassung freiere Muse fand, brachte er es doch nicht mehr zu fruchtbaren Arbeiten.

In dem Hause bei Dönniges sah ich auch Hebbel und bemerke über ihn und Geibel einige Erinnerungen in meinem Tagebuch.

1852. 25. Februar. „Hebbel hat zwei Balladen vorgelesen. Sein Vortrag, wie die Gedichte, voll Drang und Schwung, stossweise bewegt, aber über die maassvolle Linie des Schönen hinaus, und daher teilweise unschön und abrupt. Die Bassstimme nahm einen männlichen Anlauf und endete in weiblicher Schwäche. Sein Auge ist voll Glanz, aber machtlos. Er hat hellblonde Haare, eine einwärts gebogene Nase, eine lange Gestalt, aber eckig gebrochen."

27. Juni. „Geibel war etwas bekneipt, hat mir aber in diesem Zustande gut gefallen. Er nahm den Lorbeer-

kranz, der ihm gereicht wurde, mit einer prächtigen Mischung von aufrichtiger Bescheidenheit und selbstbewusstem
Stolz. Die Natürlichkeit und Wahrheit seines Ausdrucks
zogen mich an."

Die politischen Zustände in Bayern befriedigten mich
nicht. Auch darüber merke ich Einiges aus meinen Notizen an.

1852. 10. Februar. „Gestern sprach ich in meiner
Präsidialrede in dem constitutionell-monarchischen Verein
für die Auflösung desselben. Obwohl zuvor die Stimmen
für die Fortsetzung grossen Beifall gefunden hatten, und
die grosse Masse die Fortsetzung wünschte, so machte die
Rede doch einen bedeutenden Eindruck, besonders auf die
weiterschauenden Führer. Sie gaben mir das sehr bestimmt zu verstehen. Da der Verein den 6. März nicht
wieder zu feiern wünscht, so zeigt er damit, dass er sich
nicht getraut, die früher proclamierten Grundsätze auch
gegen das jetzige Regierungssystem und das kommende
entschieden zu vertreten. Er kann es nicht, denn es sind
zu viele Beamte in ihm, und die Bürger haben zu wenig
politische Bildung. Da er unfähig ist, den Kampf wider
das absolutistische Polizeiregiment aufzunehmen und durchzuführen, so muss er abtreten. Während der revolutionären Krisis hat er gute Dienste geleistet. In der jetzigen
ruhigen Zeit geht ihm der Athem aus."

27. Februar. „Friedliche und einstimmige Umgestal-
tung des politischen Vereins in eine blosse Privatgesell-
schaft, nachdem zwei Tage vorher noch die Fortsetzung
jenes die Mehrheit erlangt hatte."

15. März. „Gestern gelungene Schlussfeier des politischen Vereins. Man hört zuweilen den Wunsch aus-

sprechen, der König Ludwig möchte wieder die Regent-
schaft übernehmen. Der König Max gilt als schwach, und
der Einfluss von Dönniges wird überall ungern gesehen.
Er ist die verhassteste Person in Bayern und wird oft
mit der Lola verglichen. Er sucht den König zu einem
aufgeklärten Absolutismus zu treiben, für welchen der König doch nicht der Mann ist. Überdem ist diese Rolle
veraltet.

„Es hat Jemand — ich weiss nicht wer — dem
König ein Gutachten erstattet, welches ihn des geschwo-
renen Eides auf die Verfassung deshalb entbindet, weil
er durch die Revolution von 1848 dazu gezwungen worden sei. Das ist eine „absolutio per diabolum".

1853. 15. Februar. „Die jetzige Zeit ist noch elend.
Es ist unglaublich, mit welchem Behagen die Regierungen
— ohne eine Spur einer neuen Idee — meinen, mit blossen
Polizeimitteln und mit Soldaten die alten abgebrochenen
Formen erhalten zu können. Diese erbärmliche Regiererei
muss einen mit Verachtung erfüllen. Wie werden die
Herren sich wundern und innerlich zusammensinken, wenn
der jetzige ruhig abspannende und zugleich sammelnde
Zeitgeist und die allgemeine Ermüdung einer neuen nicht
revolutionären und daher auch nicht mit Gendarmen zu be-
zwingenden Geistesbewegung sich hingibt und mit Macht
die Welt erfüllt."

2. Juni. „Der Redacteur des Nürnberger Kurier
einfach fortgewiesen. Pfordten soll erklärt haben, er
wolle jede Opposition in der Presse vernichten. In der
That hat er diese unterdrückt und die ganze Pressfreiheit
für einmal aufgehoben, obwohl das Wort noch in der Verfassung und den Gesetzen steht. Wenn alte Ministerial-

räte das thun, die in dem Hass gegen jede freie Geistes-
regung aufgewachsen sind, dann kann ich das noch begreifen. Aber wenn ein Mann der Wissenschaft, der sich
aus niederen Verhältnissen mit Hilfe der Geistesbewegung
aufgeschwungen hat, so das Princip seines eigenen Daseins
verläugnet und verhöhnt, dann muss es am Herzen fehlen.
Der Graf Reigersberg ist eine willkürliche Natur von
Hause aus und verfährt despotischer als Pfordten, und
doch hat dieser die grössere Schuld auf sich geladen. Ich
denke, Pfordten ist cholerisch-sanguinisch, gerade das Gegenteil meines Temperaments. Er spielt nur den Statsmann
und lässt sich immer von den Wallungen und Stössen seiner Leidenschaft leiten, ohne die objectiven Verhältnisse
zu erwägen. Erst war er im Schweif Robert Blum's; dann
antipreussischer und österreichischer als die Österreicher;
dann, als es zu spät war, versuchte er es schwächlich mit
der Trias, aber ohne innern Halt, sprach schöne Phrasen
über Bundesrecht und unterdrückte in Hessen alles Bundesrecht, verlangte die Entfernung von Dönniges und unter-
zeichnete dessen Beförderung, blieb in der Debatte ein
„Professor“ und sprach verächtlich von der „Politik der
Professoren“, buhlte demütig um die Gunst der adeligen
Gesellschaft und erhob sich hochmütig über das Bürgertum, zu dem er gehörte, und war glücklich, dort „geduldet“ zu werden. Er versicherte hundertmal, es liege
ihm nichts an seiner Ministerstellung, und blieb doch im
Amte, trotz aller Nötigungen von oben, und trotz aller
Widersprüche, in die er mit seinen proclamierten Grundsätzen geriet. Gegenüber der schweizerischen Verwick-
lung, wo selbst Fürst Wallerstein unter weniger günstigen
Verhältnissen für Bayern rühmlich zu handeln verstand,

versäumt er wieder die prächtige Gelegenheit, richtig zu handeln, und lässt sich jämmerlich nachschleppen von Österreich und Preussen, nur darum zögernd, weil die Grossen seine Eitelkeit verletzt hatten, als sie ohne ihn ihre Verabredungen machten.“

Es ist bei solchen Erfahrungen natürlich, dass die alte Liebe zur Schweiz sich stärker in mir regte. Einige Auszüge aus dem Tagebuch werden auch in dieser Hinsicht meine damalige Betrachtung am wahrsten schildern.

1852. 15. Februar. „Die Schweiz erfüllt wieder meine Gedanken. Es ist mir, es nahe sich eine Krisis. Wird mir's vergönnt werden, noch einmal und nun reifer und dauernder für mein Vaterland zu wirken? Dort ist, doch der Boden für meine Natur. Hier werde ich nie zu voller Offenbarung derselben kommen. Als Individuum würde ich Alles sofort opfern. Als Familienvater muss ich die Pflichten für Weib und Kinder ernstlich erwägen. Ich habe dieselben früher zu oft in die Schanze geschlagen.“

12. März. „Wenn die Demokratie dahin ausartet, dass die unreifen Söhne den Hausvater, und die Knechte den Herrn mit Bewusstein ihrer Mehrheit überstimmen, und wenn die politische Rechtsgleichheit den socialen Krieg wider das sogenannte „Privilegium“ der Eigentümer führt, dann hat die Demokratie in sich keine Hilfe mehr. Dann wird eine neue Organisation nötig, welche dafür sorgt, dass die Füsse nicht in den Lüften wackeln und nicht der Kopf in umgekehrter Richtung auf dem Erdboden steht.“

25. März. In Zürich. „Es bereitet sich in der Schweiz eine Reaction vor gegen die Bundesgewalt, eine Reaction der Cantone und des Föderalismus. Ob dieselbe das rechte Maass halten werde und die rechte Form treffen werde,

steht sehr dahin. Die Ideenarmut ist gross. Wer wird Führer sein in der allgemeinen Auflösung?"

„Mir kommt es vor, das Leben auch der Cantone, wie in den Cantonen der Städte, von denen ursprünglich Geist und Leib der Cantone geschaffen worden, sei, wenn nicht völlig erstorben, doch alt und schwach geworden. Am lebendigsten sind noch die Extremitäten und die äussere Peripherie."

„Alexander Schweizer verglich den jetzigen Zustand des Zürcherregiments mit einer umgekehrten Pyramide, die auf der Spitze steht. Würde diese (Alfred Escher) zerbrochen, so würde der Rest zusammenstürzen."

„Die That kann auch in der Republik von Einem geleitet werden, aber an dem Rat müssen Mehrere und an der Ausführung Viele teilnehmen."

„In der Republik erhebt die breite Unterlage des Volks die Regierung als seinen Repräsentanten in die Höhe. In der Monarchie zieht die Spitze das Volk von oben her an und hebt es."

„Die Republik will gemeinschaftlich denken, fühlen, handeln. In der Monarchie herrscht die Einheit des Regiments. Dort das genossenschaftliche, hier das unitarische Princip der Universitas."

„Es ist in der Schweiz doch noch mehr Leben im Stamm, als ich gefürchtet hatte. Die Rinde ist jünger und frischer, aber das innere Leben ist edler, nicht bloss älter. Ich spüre etwas in Zürich von echter, nicht von fauler Resignation. Dennoch steht auch der Canton Zürich auf dem Kopf."

„Die Gefahr der repräsentativen Demokratie ist nicht der Despotismus und die Tyrannei Einzelner, wovor sie sich oft ohne Grund fürchtet; sondern ihre Gefahr ist, dass sich die Gemeinheit auf den Stuhl setze und sich da breit mache, wo für die Majestät des Volkes der Sitz bereitet sein soll."

„Die Schweiz suchte und fand ihren höchsten politischen Ausdruck in dem Bundesrat und der Bundesversammlung. Es war natürlich, dass die Repräsentanten des Bundes eine würdige Wohnung, einen Bundespalast erhalten. Aber da setzte sich wieder die Gemeinheit in den Stuhl, der für die Majestät des Schweizervolks bereitet war. Man schämte sich nicht, von der Stadt Bern, die in der Schweiz nur eine niedergedrückte einzelne Gemeinde ist, im Namen der Schweiz zu fordern, dass sie auf ihre Kosten den Bundespalast erbaue. Die Schweiz schämt sich nicht, wie ein Pfründner in fremdem Hause auf Kosten der Stadt Bern zu wohnen."

„Ich habe in Zürich viel geistiges Leben gefunden, aber es ist verzettelt; es fehlt der Zusammenhang und die Einheit, die nur der Stat geben kann. Es flackern und glänzen viele kleine Lichter da und dort, aber es bleibt Nacht im Ganzen."

„Das Parteiwesen muss durch den Organismus des Stats berichtigt werden. Herrscht es allein, so verdirbt es das Leben und zerreisst den Stat. Wir haben Alle hier viel gefehlt. Das muss nicht bloss erkannt, sondern bekannt werden."

„Die Schweiz ist alt, aber wie Europa in eine junge Zeit gekommen. Daraus erklären sich viele Widersprüche. Ich wünsche ihr ein heiteres. ruhiges Alter, das noch teilnimmt an dem Ringen der Neuzeit, aber nicht wie ein Knabe, dessen Leben erst anfängt."

„Die Städte dürfen nicht mehr die Herren des Landes sein, aber sie sind die erstgeborenen Söhne des Vaterlands und haben die Ehre des Hauses vornehmlich zu wahren und zu vertreten. Sie sollen den übrigen gleichberechtigten Gemeinden vorangehen in der Entwickelung des öffentlichen Lebens."

„Das monarchische Europa versteht die republikanische Schweiz nicht, und kann ihr daher auch nicht helfen, wenn sie krank ist."

Mai 1852. „Für Republiken gibt es zwei Systeme bezüglich der Besoldung:

1) Die Ämter sind Ehrenämter und haben keine Besoldung oder nur eine Scheinbesoldung, d. h. die öffentlichen Ämter sind den Reichen, wenn auch nicht ausdrücklich, doch stillschweigend vorbehalten. Aristokratisches Princip.

2) Die Ämter sollen den tüchtigsten Individuen verliehen werden. Dann ist Besoldung und wahre ein Bedürfnis. Die Magistrate müssen dann in ihrer Lebensstellung angesehenen Privatfamilien gleichstehen, sonst fehlt ihnen das nötige Ansehen. Demokratisches System.

Das System kleiner, ungenügender und doch wirklicher Besoldungen hat entweder als Annäherung an das aristokratische System einen Sinn, oder es ist — Gemeinheit."

Christtag. „Rüttimann zeigt mir an, dass der Grosse Rat für die Redaction des bürgerlichen Gesetzbuchs 10,000 Frkn. bestimmt habe. Ein capitales Christgeschenk. Nun scheint der Erfolg gesichert. Gott hat ihre Herzen gelenkt. Das fühle ich dankbar."

Ich hatte da zum ersten Mal die Hoffnung, dass ich

noch reich werden könnte, welche sich freilich nicht erfüllt
hat. Aber ich nahm mir fest vor, wenn ich es werde,
dann alljährlich einen steigenden Teil meines Einkommens
für wohlthätige und gemeinnützige Zwecke zu verwenden.
Ich wollte nicht bloss eine von mir anerkannte Pflicht
üben, sondern auch durch mein Verhalten für die Reichen
eine Mahnung werden, ebenso zu handeln. Leider habe
ich die Gelegenheit nicht erhalten, den Vorsatz durch die
That zu bewähren.

1853. Februar. „Der alte Graf Reigersberg — letz-
ter Kammerrichter des heiligen römischen Reichs deutscher
Nation, der mir persönlich wohlwollte, und den ich zuweilen
besuche — ist von der „Sprache" meines Gesetzbuchs ganz
eingenommen. Er sagte mir: „Feuerbach war doch auch
ein bedeutender Mann, aber seine Sprache war weder so
einfach noch so klar, sie war viel künstlicher und ge-
schraubter als die Ihre." Er meinte sogar, man thäte gut,
die bayerische Civilgesetzgebung darauf zu basieren. Das
wird sicher nicht geschehen; aber es freut mich doch,
dass ein sachkundiger bayerischer Jurist eine solche Meinung äusserte."

1853. 14. März. „Eine Bedeutung der Schweiz für
Europa ist auch die, die Verbrüderung des germanischen
und romanischen Stammes vorbildlich zu zeigen für die
künftige Brüderschaft der Deutschen und der Franzosen,
von deren Erscheinung die Wohlfahrt Europa's bedingt ist."

10.

Wissenschaftliche und Gesetzes-Arbeiten. „Kritische Überschau". Verkündigung der Verbindung der historischen und philosophischen Methoden für die Rechtswissenschaft. „Deutsches Privatrecht". Meine Vorrede. Juristische Grundansichten. Gutachten. Universitätslehre. Gesetzgebung. Erläuterungen zum Zürcher Gesetzbuch. Die Revisions-Commission. Bern, Blösch. Bayerische Civilgesetzgebung. Maximilians-Orden.

Seit dem Jahr 1853 vereinigten sich meine Collegen Arndts und Pözl mit mir, eine wissenschaftliche Zeitschrift, die Kritische Überschau der deutschen Gesetzgebung und Rechtswissenschaft herauszugeben, welche eine Reihe von Jahren dauerte und später in die Kritische Vierteljahrsschrift unter der Redaction von Pözl überging.

Das Vorwort ist von mir verfasst. Es hat eine Bedeutung für die Geschichte der deutschen Rechtswissenschaft insofern, als hier zuerst der Gegensatz der historischen und der philosophischen Schulen als abgethan beseitigt und die Verbindung der beiden Methoden als das Kennzeichen der heutigen Wissenschaft verkündet wurde.

Die Hauptstelle lautet: „Offenbar ist unsere heutige Rechtswissenschaft in eine neue Entwickelungsperiode eingetreten, und an die Gesetzgebung werden ebenso neue Anforderungen gestellt. Konnte man vor ungefähr vierzig Jahren noch mit Recht von einer historischen Schule der Juristen sprechen im Gegensatz zu einer unhistorischen, so sind wir schon lange über diesen Gegensatz hinaus. Zwar wird es zu allen Zeiten zwei Richtungen in der Wissenschaft geben, die historische, welche zunächst die geschichtliche Erscheinung in's Auge fasst, das Werden

der Dinge beobachtet und auf den Zusammenhang zwischen
der Vergangenheit und der Gegenwart hinweist, und die
philosophische, welche vorzugsweise den Blick der Idee
zuwendet und im Licht der ewigen Wahrheiten und der
obersten Gesetze alles Seins die Dinge zu erkennen trachtet.
Aber während dieser Gegensatz in anderen Wissenschaften
noch als ein feindlicher erscheint, ist derselbe auf dem Gebiete der Rechtswissenschaft schon seit einiger Zeit zu einer
friedlichen Vermittlung gelangt. Wir haben es wiederum
erfahren, wie sehr der englische Kanzler Bacon auch für
unsere Zeit wahrgesprochen, als er von den einseitigen
empirischen Juristen seiner Tage sagte: „tamquam e vin-
culis sermocinantur,“ und von den damaligen abstracten
Naturrechtslehrern: „proponunt multa dictu pulcra, sed ab
usu remota.“ Wir wissen es nun, dass die Historie ohne
Leben ist, wenn ihr das Wesen des inneren Geistes verschlossen bleibt, und dass die Philosophie eine Träumerin
ist, wenn sie die leibhafte Gestaltung der Dinge nicht beachtet, in denen der Geist sich offenbart. Nur wo Historie und Philosophie sich die Hand reichen und eng
verbündet nach der Wahrheit suchen, geht die Erkenntnis
in vollem Glanze auf.

„Auch die Nachzügler der früherhin ausschliesslichen
Parteien, welche für sich noch den Krieg fortsetzen möchten, müssen an den Frieden erinnert und eine unfruchtbare Erneuerung des beendigten Streites entschieden verhindert werden. Die wirkliche Thatkraft findet auf dem
befriedeten Boden der Aufgaben genug, um sich daran zu
versuchen. Denn nicht eine träge und eitle Ruhe darf die
Wirkung jener Verständigung sein, sondern sie ist die
Vorbedingung weiterer Arbeiten und Erfolge.

„Von da aus wird auch die neue Anforderung an
die deutsche Jurisprudenz klar, womit denn auch eine neue
Phase ihrer Entwickelung beginnt. Sie soll sich mehr und
mehr losringen von den Banden einer toten Büchergelehr-
samkeit, mehr und mehr mit dem wirklichen Leben der
Menschen in Übereinstimmung sich versetzen und seinen
Bedürfnissen dienen. Die Jurisprudenz hat in der That
die Ehre, eine praktische Wissenschaft zu sein, sie
darf keine blosse Schultheorie, noch ein Spiel müssiger
Speculation sein."

In diesem Geiste hatte ich auch mein Lehrbuch:
Deutsches Privatrecht ausgearbeitet, dessen erste Auflage im Jahr 1853 wieder in der litterarisch-artistischen
Anstalt von Cotta zu München erschien. Die zweite Auflage kam 1860, die dritte von Professor Felix Dahn besorgte und ergänzte Auflage 1864 heraus.

Die geharnischte Vorrede griff die Erbübel der
deutschen juristischen Universitätsbildung auch auf dem
Gebiet des Privatrechts an und hob mit Nachdruck den
nationalen, deutschen und modernen Charakter der
Rechtsbildung hervor, im Gegensatze zu einem fremdarti-
gen Romanismus und einer antiquarischen Gelehrsamkeit.
Es heisst darin:

„Unsere Zeit hat viel mittelalterliches Recht weg-
geräumt und grösserenteils wohl daran gethan. Die gänzliche Aufhebung der Leibeigenschaft, die Ausbreitung des
gemeinsamen Privatrechts über alle Stände, die Befreiung
des Bodens von ewigen Lasten, die sorgfältige Ausscheidung des Privatrechts von dem öffentlichen Rechte, die
Beseitigung der letzten Ruinen des beide verbindenden
Lehenrechts, die noch störend der Bewegung der Gegen-

wart im Wege lagen, sind wirkliche Fortschritte in der
Entwickelung der Privatwohlfahrt, welche das Privatrecht
ordnet und schützt.

„Es haben manche Juristen gemeint, die Wissenschaft
vom deutschen Privatrecht habe um dieser Änderungen
willen fast allen Rechtsstoff eingebüsst und werde in der
Folge genötigt sein, sich wieder in die bescheidene Stellung
einer Dienerin der edeln Matrone, römische Jurisprudenz
genannt, zurückzuziehen.

„In der That haben die Germanisten zu solcher Meinung einige Veranlassung gegeben, indem sie sich früherhin viel zu viel mit den nun antiquierten Rechtsinstituten
beschäftigt und viel zu wenig die lebensfrische Saat des
modernen Lebens beachtet und gepflegt haben. Es ist
aber im Ganzen eher ein Gewinn als ein Verlust unserer
Wissenschaft, dass dieselbe so genötigt worden ist, ihre
Augen von den entwurzelten Pflanzungen des Mittelalters
weg und dem grünen Wachstum der neueren Zeit zuzu-
wenden.

„Die Erkenntnis und Fortbildung des modernen
Rechts ist zugleich der einfachste Weg, die ungebühr-
liche Herrschaft römischer Begriffe und Gesetze allmälich
zurückzudrängen und zu beseitigen; denn in demselben
Maasse, in welchem das neue Leben Anerkennung findet,
wird der veraltete Gedanke aufgelöst und die abgestorbene
Form zerfallen. Es gilt das nicht weniger von den römischen als von den mittelalterlichen Antiquitäten: und unsere Zeit scheint entschlossen, mit beiden aufzuräumen.

„Ich bin vollständig überzeugt, dass die Römer einen
welthistorischen Beruf hatten, für die Verwirklichung der

Statsidee und für die Ausbildung des Privatrechts; ich nehme an, dass das römische Recht nicht mit dem römischen State untergehen durfte, sondern bestimmt war, auch dem neueren Europa als eine hohe Autorität überliefert zu werden; ich zweifle nicht daran, dass nach Jahrhunderten noch römisches Recht von den Juristen studiert und als ein bleibendes Element auch in dem dannzumaligen Rechte verehrt werde. Aber diese Überzeugung hindert mich nicht, die Art, wie vor nicht gar langer Zeit ziemlich allgemein in Deutschland der Gesetzgebung Justinian's officielle Geltung zugeschrieben worden ist, und wie noch heutzutage viele gelehrte Juristen das Corpus Juris zu betrachten pflegen, für eine der absurdesten Verirrungen und Verkehrtheiten zu halten, in welche der menschliche Geist hat geraten können.

„Die praktische Ausbreitung des römischen Rechts über Europa gehört vorzüglich der zweiten Hälfte des XV. und dem XVI. Jahrhundert an, und diese entscheidende Eroberung geht mit der Ausbreitung des Renaissancestils Hand in Hand. In beiden offenbart sich der Charakter jenes Zeitalters. Wie dann dieser Stil nach und nach ausschweifender und überladener geworden und in den eigentlichen Zopfstil ausgeartet ist, der im XVII. und XVIII. Jahrhundert als allgemeine Mode in allen Kunstwerken dominiert, so ist in derselben Zeit auch der Pedantismus und die formelle Gesetzesautorität des sogenannten gemeinen römischen Rechts — eben der juristische Zopfstil — überall ausser in England auf den hohen Schulen der Wissenschaft und in den Gerichtshöfen herrschend geworden. Leider müssen wir bekennen am ärgsten in Deutschland, viel ärger und ausschliesslicher als in dem romanischen

Frankreich, wo der Gedanke, dass das römische Recht nur als ratio scripta d. h. um seiner innern Wahrheit willen Geltung habe, vor manchen groben Missgriffen bewahrte, und viele germanische Rechtsgewohnheiten unverkümmert blieben. Selbst zur Stunde noch hat sich die deutsche Wissenschaft und Praxis trotz der gewaltigen Schläge, welche die neuere Gesetzgebung seit 100 Jahren der Autorität der Justinianischen Gesetzgebung versetzt hat, und trotz der im Laufe der letzten 50 Jahre neu gewonnenen Einsicht in die wahre Natur des römischen und des deutschen Rechts, mit welcher eine fortgesetzte Legalherrschaft des Corpus Juris unverträglich ist, von jenem Zopfstil nicht emancipiert. In einigen Beziehungen ist es sogar infolge der neueren Fortschritte der Wissenschaft in unseren Tagen noch schlimmer geworden, als zuvor.

„Allerdings kennen wir jetzt das römische Recht der classischen Zeit in manchen Stücken besser und verstehen daher auch den Geist der Pandekten gründlicher, als unsere Vorgänger, die sogenannten Praktiker. Dennoch waren die Fortschritte in der romanistischen Erkenntnis von neuen Fehlern in der heutigen Praxis begleitet. Gar nicht selten war in dem missverstandenen römischen Recht der Praktiker ein Kern modernen Rechtsgefühls enthalten, ihre römischen Irrtümer waren zuweilen deutsche Wahrheiten. Hat nun die neuere Wissenschaft jenen Irrtum aufgedeckt und zerstört, so hat sie oft die darin verborgene Wahrheit zugleich — gleichsam mit dem Bade das Kind — weggeworfen. Und wenn sie durch neue Untersuchungen mit verbesserten Hilfsmitteln neue Aufschlüsse über den Sinn des römischen Rechts gewonnen hat, hat sie nicht häufig die wunderliche Zumutung an die Praxis gestellt, dass von jetzt an der neu aufgefundene alte Rechtssatz als Gesetz anzuwenden sei? Und ist nicht eben so oft dieser Zumutung mit gehorsamer Demut begegnet worden? Hätte sie für den neu gefundenen Rechtssatz um seiner innern Wahrheit willen Beachtung gefordert, dann hätte diese Forderung einen guten Sinn gehabt, dann aber war es auch gleichgiltig, ob derselbe in dem Corpus Juris Justinian's geschrieben stand oder nicht. Aber sie hat jene Zumutung gewöhnlich auf die legale Autorität des recipierten römischen Rechts gestützt und ganz übersehen, dass jener Rechtssatz unmöglich von unseren Vorfahren recipiert worden sein konnte, da sie von ihm nichts gewusst hatten. Den Renaissancestil hatten jene mit Bewunderung aufgenommen, den rein antiken Stil begriffen sie nicht und wollten sie nicht. Oder soll das der Fortschritt der Zeit sein, dass wir diesen Stil nicht bloss in seiner Herrlichkeit verstehen und als vortreffliches Bildungsmittel benutzen lernen, was gewiss sehr gut ist, sondern zugleich, dass wir der antiken Form unser heutiges Rechtsleben einzufügen und anzupassen suchen, was nicht minder gewiss eine grosse Verkehrtheit wäre?

„Von den grossen römischen Juristen haben wir nicht nur überlieferte Rechtssätze zu lernen, sondern vorzüglich die Kunst, das Leben um uns her mit juristischem Bewusstsein zu erkennen und zu erfüllen. Papinian und Ulpian haben wohl auch die römischen Gesetze ihrer Zeit gekannt und die Edicte studiert. Aber wenn ihnen ein Rechtsfall vorgelegt wurde, so haben sie nicht zuerst nach einem geschriebenen Gesetzesparagraphen ängstlich gesucht und sich bemüht, jenen Fall mit Not und Drang unter diesen zu subsumieren. Sie haben sich nicht unglücklich und verlassen gefühlt, wenn sie nicht eine fremde Autorität citieren konnten. Sie waren sich vielmehr bewusst, selbst Autorität zu sein. — Es stünde besser mit unserer Jurisprudenz, wenn Romanisten und Germanisten mehr sich beflissen hätten, das heutige Recht mit derselben Geistesfreiheit zu betrachten, wie die grossen Römer es zu ihrer Zeit gethan haben. Wenn auch unsere Lage eine andere ist als die damalige, so bedarf doch die heutige Jurisprudenz nicht weniger als die alt-römische der frischen und hell in's Leben hineinsehenden Geisteskraft, und es kann diese so wenig wie damals durch die Gelehrsamkeit ersetzt werden. Ich gebe zu, die Begriffsbestimmungen unserer gelehrten Schulen sind genauer und richtiger, als die Definitionen der Römer gewesen sind. Aber die römischen Juristen haben den in seiner Lebenskraft verstandenen, — wenn auch ungenau definierten — Rechtsgedanken gewöhnlich durch richtige Anwendung bewährt, die neueren Rechtsgelehrten aber geraten oft in der Anwendung der wohl definierten Schulbegriffe in Verlegenheit und vergessen oder verkennen über der logischen Formel das Princip. Ist der Fehler einer tadelnswerten Definition nicht geringer, als der einer falschen Anwendung des Rechtspincips? — —

„Wir sind gegenwärtig in einer allmälichen Absonderung und Ausstossung derjenigen Bestandteile des römischen Rechts begriffen, die unserer Zeit fremd und im Widerspruch sind mit ihren Bedürfnissen. Verständige Romanisten helfen selber mit an dieser Ausscheidung. Die Germanisten aber sind zunächst berufen, dieselbe einzuleiten und — durchzuführen.

„Sollte endlich nicht die Einsicht sich Bahn brechen, dass der Begriff des gemeinen Rechts selbst während

der letzten hundert Jahre eine innere Umwandlung, eine
ganz andere Erfüllung erfahren hat? Was vor hundert
Jahren noch eine Wahrheit war, das römische Recht sei
vorzugsweise das gemeine Recht von Deutschland, hat heute
in dem grösseren Teile von Deutschland alle Geltung verloren; und während vor hundert Jahren noch das Corpus
Juris die einzige Civilgesetzgebung war, die in Betracht kam,
wenn gesagt wurde, was für Rechtsgrundsätze unter der
deutschen Nation verbreitet (d. h. gemeines deutsches
Recht) seien, so müssen jetzt neben ihr das preussische
Landrecht, der Napoleonische Code, das österreichische Gesetzbuch und nicht minder auch die neueren gesetzgeberi-
schen Arbeiten ebenfalls berücksichtigt werden.

„Freilich ist nicht zu läugnen: durch diese Umge-
staltung wie durch die Fortschritte der neueren Wissenschaft ist das Übel der Unsicherheit über das, was denn
wirkliches Recht der Deutschen sei, und die Rechtsver-
wirrung. grösser geworden, als sie vor hundert Jahren gewesen.

„Aber wir haben keinen Grund zu verzagen. Wir
sehen, dass dieses Übel vorzüglich in den Ländern empfunden wird, die keine umfassende Civilgesetzgebung empfangen haben, und dürfen daraus schliessen, dass in einer
zeitgemässen neuen Gesetzgebung — das geeignete
Heilmittel liege; und indem wir jene Fortschritte der
Rechtswissenschaft in den letzten fünfzig Jahren über-
blicken, dürfen wir die Hoffnung haben, dass gegenwärtig
eine deutsche Gesetzgebung, welche den Widerstreit der
Doctrin erledigen, die noch gesunden Überlieferungen der
Vergangenheit bewahren, das heutige Rechtsbewusstsein
ausdrücken und der zukünftigen Fortbildung als Unter-

lage dienen würde — ein mögliches Werk geworden ist."

In dieser Vorrede ist nicht bloss meine damalige,
sondern meine fortdauernde Grundansicht über die Aufgaben der deutschen Jurisprudenz ausgesprochen. Ich habe
fortwährend in diesem Geiste gehandelt und auch die zahlreichen Rechtsgutachten, zu denen ich während meines
Lebens veranlasst war, immer nach solcher auf das Wesen
der Dinge gerichteten und voraus das lebendige Rechts-
princip wahrenden Methode bearbeitet.

Aber ich hatte das Gefühl, ziemlich isoliert zu stehen.
Selten begegnete ich einem angesehenen Juristen, der ebenso
dachte. Die meisten schätzten die formalen Abstractionen
höher als ich und hielten sich an die überlieferte Doctrin.
Auf den Universitäten fuhr man fort, das römische Recht
gerade so zu lehren, wie man das von der Zeit des alten
„römischen Reiches deutscher Nation" gewöhnt war. Das
deutsche Recht im engern Sinn wurde überwiegend in An-
lehnung an diese römischen Doctrinen vorgetragen. Mein
Lehrbuch fand zwar eine gute Aufnahme, aber es wurde
doch weit weniger beachtet, als das von Gerber, der mehr
der romanistischen und formalistischen Richtung folgte.
Von einer durchgreifenden Reform der Jurisprudenz und
des juristischen Unterrichts auf den Universitäten, wie ich
sie wünschte, war keine Rede. Einzig die Aussichten auf
eine künftige deutsche Gesetzgebung, von der ich allein
die Heilung erwartete, erfüllten sich später vollständiger
und reicher, als ich zu hoffen gewagt hatte.

In demselben Jahr 1853, in welchem mein Deutsches
Privatrecht erschienen war, kam auch der erste Band meines Privatrechtlichen Gesetzbuches für Zürich mit

Erläuterungen heraus (Zürich bei F. Schulthess). Durch kurze dem Gesetze beigefügte Erläuterungen wollte ich den Sinn desselben auch dem einfachen Bürger klar machen, damit er in der Regel sich selber in dem Privatrecht zurecht finden könne, das doch voraus für die Privaten bestimmt war. Der erste Band enthielt das Personen- und Familienrecht, welches mit dem 31. März 1854 in Kraft trat. Später setzte ich das Werk in derselben Weise fort, sobald die übrigen Teile des Gesetzbuchs, das Sachenrecht (1. Juli 1854), das Obligationenrecht (16. April 1855) und das Erbrecht (21. Dec. 1855) angenommen waren.

Das Gesetzbuch und die Erläuterungen wurden von der Bevölkerung sehr gut aufgenommen. Obwohl das Land klein war, für welches dasselbe galt — der Canton Zürich zählte ungefähr 250,000 Seelen —, so wurde doch schon im Jahr 1854 eine zweite Auflage meines Werks nötig, und es folgten noch mehrere neue Auflagen.

Über die Beratung des Gesetzesentwurfs in der Revisions-Commission zu Zürich im Frühjahr 1853 notierte ich Folgendes: „Die Commission war ein Extrakt der verschiedenen politischen Fractionen, von dem hochconservativen Dr. Finsler bis zu dem Socialisten Treichler. Mein Hauptgegner Dr. Alfred Escher, der das Zustandekommen des Werks lange gehindert hatte, war aus der Commission ausgeschieden, unmittelbar vor meiner Ankunft in Zürich. Er gab aber von da an die Opposition auf. Trotz der Gegensätze kam es zu voller Harmonie. Es bestand grosse Freiheit der Meinungsäusserung und wechselseitige Unbefangenheit in der Würdigung der verschiedenen Meinungen. Die Zeit der Parteileidenschaften und Parteiblindheit war vorbei, Augen und Ohren waren offen. Die

Stimmung war zuletzt so freundlich und freudig gehoben, dass es am Schlusse zu einem improvisierten Diner kam. Dubs war anfangs noch etwas gespannt und misstrauisch. Das verlor sich aber bald infolge des persönlichen Eingehens auf die Sache. Er ist voll Gedanken, nur noch etwas jung und unreif. Er wird aber die falsche Schule abschälen und sich durcharbeiten. Sulzberger war in gewissen Partien beharrlich und hielt an der Consequenz seiner Ideen fest, aber erkannte die innere Berechtigung auch der Gegenmeinung rückhaltlos an. Rüttimann benahm sich sehr liebenswürdig und sogar Finsler milde. Friedrich v. Wyss sprach durchweg gediegen, Brändli bewegt. In ihm erkannte ich den Wert einer guten Schule. Gwalter ist im Kleinen sorgfältig, im Grossen bescheiden. Treichler war sehr gehalten und verständig.

„Ich glaube nicht, dass anderwärts so heterogene Elemente so zusammenstimmen würden. Es ist doch etwas Specifisches in dem Zürchergeist, und die früheren Radikalen haben Erfahrungen gemacht und sind reifer geworden. Die radikale Heftigkeit scheint von der Zeit überwunden. Bei dem Diner wurde politisiert. Auch die heikle Frage von Österreich und von Neuenburg wurde besprochen und von verschiedenen Seiten beleuchtet. Dennoch blieb die freundliche Stimmung unverdorben. Wer das vor Jahren für möglich erklärt hätte, wäre ausgelacht worden als ein sanguinischer Schönseher."

Ich verhandelte in jener Zeit auch viel mit Blösch, der damals noch an der Spitze der Berner Regierung stand, über die Verfassung von Bern und suchte hier auf Reformen einzuwirken, wie ich sie früher für Zürich geplant hatte. Blösch war im Grossen einverstanden. Gonzenbach wollte mich sogar nach Bern berufen. Obwohl die schweizerische Anhänglichkeit in mir noch mächtig und durch die freundlichen Erlebnisse in Zürich, wie durch die widerwärtigen Erfahrungen in Bayern gesteigert war, so sah ich doch noch keinen Weg offen. Eine blosse Professur an der Universität Bern hätte mir nicht genügen können. Meine Lehrthätigkeit in München war doch sehr viel bedeutender. Vielleicht hätte es sich in Verbindung mit dem Kanzleramt an der Universität oder mit einer dauernden Stellung als Gesetzesredactor machen lassen. Aber dazu war die Stellung der Regierung selber noch zu wenig gesichert. Ich musste auf den Gedanken verzichten.

Die Eindrücke in Zürich im Herbst 1853 waren die gleichen wie im Frühjahr: „Keine Spur mehr von Parteitendenzen. Immer nur entschied die Sache. Alle wollten das Beste."

Die Zürcherarbeit wurde auch in München beachtet. Eine Äusserung des alten Grafen von Reigersberg habe ich früher erwähnt. Der bekannte Pandektist und gründliche Kenner der praktischen Bedürfnisse, Seuffert, machte sogar in der Allgemeinen Zeitung den Vorschlag, man solle mir und Professor Arndts gemeinsam die Redaction eines bayerischen Civilgesetzbuchs übertragen. Ich notierte dazu: „Der Gedanke ist hier schon oft angeregt worden. Ich bezweifle aber, dass der König denselben mit der nötigen Energie aufnimmt. Die Aufgabe wäre gross und würdig, aber nähme die vollen Kräfte für Jahre in Anspruch. Jedenfalls würde ich sie nur übernehmen, wenn sie in jeder Weise hoch verstanden würde, und unter keinen Umständen, wenn man sie als eine bureaukratische Frohnarbeit auffasste. Die Art, wie Arndts früher bei ähnlicher Gelegenheit missbraucht und misshandelt worden, ist mir eine Warnung."

1853. 23. Juli. „Ich habe mit Dönniges über die Aufgabe Bayerns gesprochen, die deutsche Civilgesetzgebung zu unternehmen. Er will mit dem König in Hohenschwangau darüber reden. Wie leicht könnte dieser hier grossen Ruhm erwerben. Er hätte nur einige Energie und Noblesse zu verwenden. Der politische Gewinn wäre sehr bedeutend. ' Dennoch zweifle ich sehr, dass er die Sache recht angreife und durchführe. Ich werde mich nur einlassen, wenn ich den Eindruck empfange, dass es Ernst sei."

1854. 2. Jan. „Die Minister Pfordten und Kleinschrod schlagen Ringelmann vor für die Bearbeitung des Civilgesetzbuchs. Der König mag ihn nicht; aber jene werden's am Ende doch durchsetzen. Die ganze Sache ist wieder gründlich bureaukratisch ruiniert, da weniger das Interesse an der Sache, als der Wunsch der Minister entscheidet, ihren in Ungnade gefallenen Freund zu bedenken."

1854. 17. Jan. Ringelmann war bei mir als Redactor des bayerischen Civilgesetzbuchs. Ich habe ihm versprochen, wenn er es wünsche, mit Rat und That beizustehen, und werde das Versprechen aufrichtig halten. Der Ärger, dass mir ein Werk entging, durch das ich für Deutschland zu wirken hoffte, soll mich nicht abhalten. Vielleicht ist's besser so."

Der Besuch war doch nur eine Höflichkeit. Ich wurde später nicht ernstlich zu Rat gezogen.

Das Jahr 1853 brachte mir noch eine Auszeichnung. Als am 28. November der Maximiliansorden für Wissenschaft und Kunst gestiftet wurde, erhielt ich denselben in der ersten Verleihung. Von Juristen waren

nur noch meine Lehrer Savigny und Eichhorn bedacht
worden. Die Auszeichnung war mir wertvoll, weil sie
gegenüber der Bureaukratie meine Stellung hob. Kaulbach und Thiersch erzählten mir Manches über die ersten
Besprechungen. Einige Namen wurden „eingeschmuggelt".
Im Ganzen war die Gesellschaft sehr gut. Mit dem Orden
war Hoffähigkeit verbunden; ob nur für die Ordensritter,
oder auch für ihre Frauen, das war noch die grosse Frage,
die zu bejahen den Hofmarschällen schwer fiel, und die auch
nicht bejahend entschieden wurde. Auch die geringe Ehre,
welche der Aristokratie des Geistes erwiesen wurde, erregte aber den Zorn vieler adeliger Herren und Damen
und den Neid serviler Beamten. —

11.

Beziehungen zu Fr. Rohmer. Meine Zweifel. Lösung des Ver-
lags. Alexander Bruckmann tot. Neue Geldhilfe. Theodor Rohmer's „Religion Jesu". Die Fortschritte der Speculation. Eine
Wendung in Friedrich Rohmer. Die Lösung des Welträtsels. Der
makrokosmische Gottesbegriff. Mein bisheriger Gottesglaube und
meine bisherigen Ansichten von Gott und der Natur. Befriedigung
durch den Rohmer'schen Gottesbegriff.

Während mehr als drei Jahren sah ich Friedrich
Rohmer nicht mehr, wenngleich er fortwährend in München
wohnte. Auch mit seinen näheren Freunden verkehrte ich
nicht. Nur ausnahmsweise wurde ich durch einzelne, meistens unerfreuliche Vorfälle an ihn erinnert. Aber mein
Interesse für die Wissenschaft dauerte auch in der Zeit
noch fort, als die Zweifel an der Person am stärksten

waren. Mein Tagebuch gibt über Stimmungen und Ansichten jener Zeit den sichersten Aufschluss.

1849. Juni. „Die Armut an statsmännischen Kräften
in Bayern ist unglaublich und die vorhandenen sind schwer
zu benutzen. Friedrich Rohmer war vom Hofe desavouiert
worden, in einer Form, die noch schlimmer schien, als sie
gemeint war. Seither hat er sich noch mehr der Linken
angenähert, ohne von dieser anerkannt zu werden. Er
hat die Annahme der Frankfurter Reichsverfassung empfohlen, was die Revolutionierung Bayerns bedeuten würde,
ohne die Aussicht, die Revolution beherrschen zu können.
In dieser Zeit ist er sicher kein praktischer Statsmann,
und doch will er's sein.*) Ich habe ihn übrigens seit Jahr
und Tag nicht gesehen und ziehe vor, ihn nicht zu sehen,
denn er wird durch mich nicht corrigiert, und ich würde
in den Strudel der verzehrenden Leidenschaft hineinge-
rissen. Noch ist mir Friedrich Rohmer ein Rätsel. Ich
begreife nicht, wie dieser unendlich reiche Geist so arm
an realer Macht sein kann, und wie er seiner eigenen
Leidenschaften nicht Herr wird, obwohl er sie kennt. Die
Ideen in ihrem Kern so human, die Praxis so despotisch;
die Gedanken so organisch und fruchtbar, und das Leben
so zerrissen und fruchtlos; das Bedürfnis nach Anerken-

---

*) Anm. des Herausgebers. Bluntschli bezieht sich hier
auf Friedrich Rohmer's „Sendschreiben an das königl. bayerische Stats-
ministerium für Annahme der Deutschen Reichsverfassung. München,
Ende April 1849, Druck und Verlag von Georg Franz". Wer heutzutage diese Schrift liest, wird von Friedrich Rohmer's politischem
Scharfblick eine andere Ansicht gewinnen, als welche Bluntschli, damals mit den deutschen politischen Dingen noch weniger vertraut und
noch überwiegend conservativ gerichtet, hier ausspricht.

nung und Wirksamkeit so mächtig in ihm, und jahrelanges Hinsiechen ohne Erfolg; die tiefsten Blicke in die menschliche Seele, und die gänzliche Verkennung der Menschen im Verkehr. Ihm, dem geborenen Bayer, wäre es in dieser Zeit — ich erfahre das täglich an mir — so leicht gewesen, schon lange eine grosse und mächtige Partei um sich zu haben, wenn er nur nicht in solcher Abgeschlossenheit verharrte und die Menschen menschlicher zu behandeln wüsste. Ist er das Bild des „Menschen", der es aus sich zu nichts bringt, wenn er nur auf sich stehen will? Ist er der Mann der Wissenschaft und in Selbsttäuschung befangen, wenn er sich für den Mann der That hält? Ist er der Held der Phantasie? Sind in ihm hohe Individualität und fehlerhafte Rasse gemischt, ohne Möglichkeit der Reinigung und der Scheidung?"

1850. Januar. „Schaden erzählte mir, Friedrich Rohmer habe in Schliersee mich als einen „Zopf" dargestellt, der erst durch ihn 1842 liberal geworden sei. Das stimmt mit der Note seines Sendschreibens zusammen.*) — Einen offenen Streit meide ich so lange als möglich, weil ich weiss, dass gerade, wo frühere Freundschaft waltete,

---

*) Anm. des Herausgebers. Gemeint ist Friedrich Rohmer's Erklärung an die bayerischen Wahlmänner vom 16. Juli 1849, München, Georg Franz, 1849. Hier heisst es in der Anmerkung auf S. 6: „Ich muss hier erwähnen, dass ein Mann von grossen Fähigkeiten, welcher, nachdem er im J. 1842 den einseitig conservativen Standpunkt, den er bis dorthin eingenommen, infolge des Anschlusses an die von mir aufgestellten Principien mit dem liberal-conservativen vertauscht hatte, mit Geist und Mut meinem politischen Weg gefolgt war, — Dr. Bluntschli von Zürich — bald nach seiner Übersiedlung nach Bayern eine nach meiner Meinung jenen Principien nicht entsprechende politische Stellung ergriffen hat."

der Streit leidenschaftlicher entbrennt. Auch ist derselbe
fast nicht anders zu führen, als dass ich Alles sage. Das
aber würde kaum verstanden und noch weniger richtig ge-
würdigt. — Es ist unmöglich, dass ein Geist von solcher
Höhe des Individuums, wie Friedrich Rohmer zu sein behauptet, die mancherlei elenden Gebrechen und Fehler nicht
zu überwältigen vermöchte. Sein äusseres Leben ist eine
fortwährende Verneinung dessen, was er als Geist sein
will.“

1850. October. „Dumme Ausweisung Rohmer's durch
die Polizeidirection wegen eines Artikels der Neuesten Nach-
sichten, der ohnedies vergeblich versucht hatte, Aufsehen
zu machen. Aufhebung des Beschlusses durch die Regierung.“ *)

1852. 3. Januar. „An diesem Tage sah ich Friedrich
Rohmer zum ersten Mal wieder seit mehr als drei Jahren.
Er wünschte seine Beziehung zu der Beyel'schen Verlags-
handlung zu lösen und seine Werke einem anderen Verleger zu übergeben, und ersuchte mich um meine Vermittlung. Ich bin dazu bereit, wenn Aussicht ist auf Rück-
erstattung der zum Voraus bezahlten Honorare. Er ist
seither stärker geworden. Er schien trotz der augenschein-
lichen Geldnot ziemlich heiter und voll jenes unzerstör-
lichen Selbstvertrauens. In Ermangelung einer wirklichen
Stellung kann er den Schein einer solchen nicht lassen.
Im Übrigen war das Gespräch unbefangen. Er will im Museum Vorlesungen halten über die Geschichte der mensch-

---

*) Anm. des Herausgebers. Der Artikel vom 12. October
1850 behandelte „die Wirren in Kurhessen“. Vgl. die Actenstücke
bezüglich der Ausweisung und momentanen Verhaftung Friedrich Rohmer's. München, im November 1851.

lichen Gesellschaft. Er sagte, er wolle sich nun selber umsehen, um Geld zu erhalten, Das wird ihm schwer fallen, denn Credit hat er nicht erworben. Er meinte, Louis Napoleon werde sich nicht lange halten und seine eigene Zeit sei nahe. Wie vor zehn Jahren."

Die Verhandlung mit der Beyel'schen Buchhandlung war anfangs fruchtlos. Rohmer wollte seine Schuld nicht anerkennen und sprach sogar von einer Gegenforderung, die ihm zustehe gegen mich. Dadurch wurde die Buchhandlung zur Klage genötigt. Dann erst kam es zu einer Verständigung auf Grundlage der anerkannten Schuld. Ich vermittelte jene. Weiteren Erfolg hatte die Sache doch nicht, da das innere Hemmnis, sein Werk darzustellen, fortdauerte.

1852. Februar. „Alexander Bruckmann, der Schwager Friedrich Rohmer's, hat seinem Leben freiwillig ein Ende gemacht. Er war einer der Besten, die sich mit Opfermut um Friedrich Rohmer geschart hatten. Ob er an der Verzweiflung an ihn gestorben ist?*) Es ist furchtbar, was Friedrich Rohmer in sich selber und in seinen Freunden und Anhängern an Kräften consumiert. Er wollte „sich gehen lassen". Das ist's, was ihn ruiniert hat. Gerade hier muss man ihm entgegentreten. Ich hatte das früher

---

*) Anm. des Herausgebers. Alexander Bruckmann lebte als Historienmaler in Stuttgart, woselbst ich ihn und seine Frau im Jahre 1849 noch persönlich kennen gelernt habe. Er war eine vornehme Natur von seltenem Charakteradel und umfassendster Geistesbildung. Im letzten Stadium eines schweren Rückenmarksleidens, als er geistige Nacht und physische Unfähigkeit (volle Lähmung) befürchtete, hat er seinem Leben ein Ende gemacht, unter so hartem Geschick allerdings zweifelnd und fast verzweifelnd,

viel zu sehr versäumt. Jetzt bin ich entschlossen, mir von meinem Recht nichts abzwingen zu lassen."

1852. 11. Juli. „Ich habe neuerdings nach vielen zum Teil peinlichen Unterhandlungen mit Theodor Rohmer für Friedrich ein Capital gewagt, um ihm zu helfen. Es erinnert mich das an meine erste Hilfe in der Not von 1841. Ich habe aber dabei in Erinnerung an meine Erfahrungen und an meine Familie sorgfältiger und geschäftsmässiger gehandelt. Vielleicht, dass der zweite Pfeil mich den ersten, den ich verschossen habe, wieder finden lässt. Theodor versicherte mich, Fritz habe neue wissenschaftliche Findungen gemacht. Meine Erwartungen sind sehr herabgestimmt. Ich würde die einzige Rechtfertigung auch meiner übermässigen Zuneigung und Aufopferung darin finden, wenn er der Welt noch Grosses leisten und er noch bei meinen Lebzeiten Anerkennung finden würde. Ob das möglich sei, oder ob erst nach dem Tode die wissenschaftliche Bedeutung der Psychologie klar werde, die dann nicht mehr wie heute als Charlatanismus verachtet wird, das hängt davon ab, wie er die letzte ihm gegebene Frist benutzt und sich persönlich benimmt. Mit der eigenen Überschätzung und der Unterschätzung aller Anderen ist ein verderblicher Ausgang unabwendbar."

20. December. „Theodor Rohmer sagt mir: Hätte er nicht in den letzten Jahren so viel Unglück gehabt, so wäre er nicht so tief in das Christentum eingeführt worden. Er arbeitet an einem Werk über Jesus und die Religion Jesu und betrachtet das als eine Hauptaufgabe seines Lebens. Mir ist's, wie wenn die Lösung dieser Aufgabe, das Christentum der heutigen Bildung wieder verständlich und annehmbar zu machen, auch eine Lösung

des Bannes wäre, .der auf allen Rohmer'schen Bestrebungen
liegt. Ich bemerkte Theodor, ich halte es für eine Grund-
bedingung, dass das Buch ohne alle Prätension geschrieben
werde. Er versicherte mich, er werde das thun. Auf meine
Äusserung, es habe mich am meisten gestört, wahrzunehmen, dass Fritz seine Fehler nicht zu beherrschen verstanden habe, erwiderte er, wie die Zeit fortschreite, werde
Fritz maassvoller und umgänglicher werden. Es müsse sich
vom Juni 1853 an zeigen, ob er in der männlicheren Phase
der Zeitentwickelung auch die Schlacken abwerfe. Ich erinnerte mich an meinen Jünglingstraum. Sollte wirklich
der Rauch noch verschwinden?"

31. December 1852. „Seit Jahren habe ich zum ersten
Mal wieder die Rohmer'sche Zeitrechnung an der neuesten
Geschichte geprüft und in der That eine höchst merkwür-
dige Bestätigung gefunden. Der Sonderbundskrieg fällt
genau in die dreifach potenzierte Sentimentalität und ist
charakteristisch für die ganze Zeit.*) Die europäische Re-

---

*) Anm. des Herausgebers. Vgl. Bd. I., S. 286 f., S. 306 f.,
S. 309 ff. — Bluntschli rechnet, wie folgt:

1) 1840—1890: — 50jähriges Zeitalter der **Sentimentalität**
(drittes) innerhalb der 800jährigen Weltperiode der Sprachkraft.

2) 1847 (Anfang) bis 1850 (Anfang): — (dritter) $3^1/_8$jähriger
Zeitabschnitt der **Sentimentalität** innerhalb dieses 50jährigen Zeitalters der Sentimentalität.

3) Dieser $3^1/_8$jährige Zeitabschnitt zerfällt wiederum in 16 Teilabschnitte von je 72 Tagen oder Fünfteljahren. In den dritten dieser
kleinsten Teilabschnitte, wo innerhalb des $3^1/_8$jährigen Zeitabschnitts
der Sentimentalität abermals die **Sentimentalität** an der Spitze
ist, fällt der Sonderbundskrieg (November 1847); in den vierten, wo
„Brust" in der Entwickelung vortritt (Februar 1848), fällt die europäische Revolution. Mit dem achten, wo innerhalb des $3^1/_8$jährigen

volution von 1848 ist der höchste Ausdruck der ganzen
radikalen Zeitperiode. Sowie aber innerhalb der dreijähri-
gen Herrschaft der Sentimentalität die Phase der Sprache
erreicht wird, die mit dem Grundcharakter des ganzen
Weltalters übereinstimmt, so siegt wieder das monarchische
Princip über den demokratischen Grundzug der ganzen Periode von drei Jahren. Mit dem Juni 1853 beginnt die
männliche Entwickelung des Zeitalters der 50 Jahre. Mein
politisches Leben fiel bisher zuerst in die absolutistische
Entwickelung des vorhergehenden Zeitalters und sodann
in die radikale Entwickelung des jetzigen Zeitalters. Ich
habe daher Hoffnung, in den nächsten 25 Jahren eine
grössere Zeit zu erleben. Zu Anfang derselben stehe ich
noch in reifem und kräftigem Mannesalter, freilich nur
noch drei Jahre lang. Aber die männliche Natur in mir
wird doch dann nicht mehr von der Zeit negiert und sich
auch ferner noch bewähren können. Meine Zukunft wird
daher grösser werden als meine Vergangenheit. Ich kann
es noch erleben, wie sich eine neue Weltordnung losringt."

Zeitabschnitts der Sentimentalität Sprache vortritt (Anfang des Jahres
1849), wird der Höhepunkt der demokratischen Bewegung überschritten.

4) Mit Ablauf des ersten Fünftels des Jahres 1850 ist der
$3^{1}/_{5}$jährige Zeitabschnitt der Sentimentalität zu Ende. Es folgt
1850 (2. Fünftel) bis Juni 1853 der $3^{1}/_{5}$jährige Zeitabschnitt der Brust.
Mit Ablauf desselben ist die radikale oder Kindheits-Phase des
50jährigen Zeitalters der Sentimentalität abgeschlossen. — Mit dem Juni
1853 beginnt daher mit dem Vortreten von Geschlechtssinn die
männliche d. i. die liberale, resp. liberal-conservative Entwickelung „des Zeitalters der 50 Jahre" d. h. des 50jährigen Zeitalters der Sentimentalität innerhalb der 800jährigen Weltepoche
der Sprachkraft. — Noch sei bemerkt, dass die hier aufgestellte Be-
rechnung eine beiläufige ist,

1853. 14. Februar. „Gestern besuchte ich Theodor Rohmer in Pasing. Er hatte mir die Einleitung seines „Jesus von Nazareth" mitgeteilt und war nun krank an einem Nervenleiden des Kopfs. Das Gespräch ging in die Tiefe der Wissenschaft. Er gab mir auch Kenntnis von neuen Findungen, so dass ich den Eindruck von riesenhaften Arbeiten in der Speculation bekam, mit denen sich Fritz in der Zwischenzeit beschäftigt hatte. Freilich kann nur Fritz selbst das endliche Resultat abschliessen und klar machen. Aber es fiel mir auf, dass die Speculation, wie sie heute dargestellt wurde, für mich verständlicher geworden war und meinem Instinct für Wahrheit besser zusagte, als die ursprüngliche Darstellung in „Anfang und Ende der Speculation". Es leuchtete mir ein, dass die Unterlage, die verbunden mit der Eigenschaft das Sein bilde, grösser und umfassender sei, als die Eigenschaft, die aus ihr hervorgeht. Wenn die ursprüngliche Eine Unterlage gleich dem ewigen Raume ist und, wie es damals hiess, Gott ist, — wie es später hiess, die Unterlage in Gott ist, so ist Gottes Allgegenwart auch wissenschaftlich begriffen, was unermesslich wirken wird.

„Die adamitische Rasse, die allein in der Bibel beachtet wird, ist bestimmt, die übrigen Rassen im Verlauf der Zeit zu humanisieren. Der eine Zweig sind die Semiten, mit den grossen Religionsstiftern Moses, Christus, „dem erstgeborenen Sohn", und Mohammed. Der andere Zweig, von dem die Bibel wenig spricht, sind die „Kainiten", oder wie wir sagen, die Arier.*) Diesen ist

---

*) Anm. des Herausgebers. Über die Kainiten als Arier vgl. den Art. Bluntschli's „Arische Völker und Arisches Recht" im Statswörterbuch I. S. 319 ff. Er sagt daselbst S. 320: „Es ist nicht

die Herrschaft verliehen. Aus ihnen kommt der Geist,*) „der nachgeborene Sohn". Das Christentum einerseits und die Wissenschaft andererseits, die sich nicht mehr bekämpfen und verneinen, sondern ergänzen, werden der Mensch-

---

unmöglich, dass die älteste Spur des Glaubens an die Verwandtschaft und zugleich an den Gegensatz der beiden Völkerfamilien der Arier und der Semiten sich schon in der mosaischen Schöpfungsgeschichte des Menschen finde. Wenn der Ursprung der höchsten Menschenrasse der lichten Gotteskinder in Adam personificiert erscheint, so ist es nicht unwahrscheinlich, dass in den beiden Söhnen desselben, in Kain und Abel, schon Typen zu erkennen sind der beiden Familien, die sich nachher feindlich trennen. Kain wird uns als der Erstgeborene, als der Mann, der Herr, der Ackerbauer, als der selbstbewusste, trotzige Krieger geschildert; der zweitgeborene Abel dagegen als der fromme, milde, gottergebene Hirt. Man kann den Unterschied in der ursprünglich unverdorbenen Anlage der Arier und der Semiten nicht schärfer in wenig Zügen zeichnen." Damit stimmt auch Bunsen überein, wenn er die Sethiten, die in Abels Spur wandelnden „Gotteskinder" (Gen. 6), als Semiten, die Kainiten, „die Menschensöhne" d. i. Weltkinder, als Arier auffasst. Cf. Bibelwerk, Bd. I., Leipzig 1858, S. 18 f., und Bd. V., Leipzig 1860, S. 52 f. — Den Ausdruck „die Rohmer unter den Cagliostros" in seinen Zeichen der Zeit (Leipzig 1855, Bd. I., S. 8) hätte sich indessen Bunsen besser gespart. Dass aber ein Mann wie Bunsen, auf blosses Hörensagen hin, so urteilen konnte, ist wieder nur ein schlagender Beweis von der Gewalt der Verleumdung, welche gegen F. R. sich aufgetürmt hat.

    *) Anm. des Herausgebers. Der „Geist" ist hier nicht im christlichen und kirchlichen Sinn als der heilige Geist zu verstehen; denn der heilige Geist oder der Geist der Offenbarung eignet nach F. R., und zwar im höchsten Grade und in grösster Fülle nur der Person Jesu; sondern „Geist" ist hier zu verstehen als der logische Geist, der denkende Geist als solcher. Und was Theodor Rohmer sagen will, ist hiernach dieses: Während die Offenbarung, speciell die Verkündigung Jesu (seine Aussagen von Gott), auf einem unmittelbaren Innewerden Gottes im Gemüt und durch das Gemüt

jederzeit einen unversieglichen Quell sittlicher Stärkung
und geistiger Einsicht in den Zusammenhang der Dinge
und in die Entwickelung der Natur und der Weltgeschichte.
Mein Selbstbewusstsein zeugte für meinen Geist, und mein
Geist war sich so entschieden bewusst, dass er nicht aus
sich stamme, sondern aus dem Geiste Gottes abgeleitet sei,
dass ich es niemals begriff, dass es unter den Menschen
Atheisten gebe. Atheismus kam mir auch dann als offen-
bare Thorheit, als eine Art Wahnwitz vor, wenn er eine
philosophische oder eine naturwissenschaftliche Form des
Ausdrucks erhalten hatte. Ich konnte mir weder den
grossartigen Bau des Sonnensystems und der Gestirne in
dem unermesslichen Raume, noch die weisen Einrichtungen
der Erde mit ihren elementarischen Gegensätzen von Luft,
Wasser, Erde und ihrem kosmischen Wechsel der Jahres-
zeiten und von Tag und Nacht ohne einen denkenden
Gottesgeist denken, der das Alles mit Bewusstsein geordnet habe; noch konnte ich den Gang der Weltgeschichte
verstehen, ohne eine von langer Zeit her und aus der Ferne
wirkende Geistesmacht, die keineswegs ihre Kraft aus der
Einsicht und aus dem Willen der Menschen schöpfte, sondern durch das Schicksal den Völkern Aufgaben stellte,
an welche diese vorher nicht gedacht hatten, und ihnen
Prüfungen auferlegte, die oft mit schweren Leiden verbunden waren. Ich glaubte auch, in meinem eigenen Leben mehr als einmal die Schickung und die Leitung Gottes
erfahren zu haben, und hatte das Vertrauen, dass dem
grossen Gott auch der kleinste Mensch nicht zu gering sei,
um seiner zu gedenken. Ich nahm in den kleinsten und
unscheinbarsten Tierchen und Pflanzen doch eine solche
Fülle von organischen Kräften und Formen, eine so weise

Harmonie des ganzen gegliederten Körpers und eine so regelrechte Entwickelung ihres Lebens wahr, dass auch das nicht ohne Gott zu verstehen war. Was bedeutete überhaupt der quantitative und relative Gegensatz von Klein und Gross für Gott, mit dem das Grösste sich nicht messen konnte, dem das Kleinste nicht entgehen konnte?

Aber trotz dieses Gottesglaubens und teilweisen Gottesbewusstseins in mir konnte ich doch auf die Hauptfrage über das Verhältnis Gottes zu dem Universum, zur Natur, zu den Menschen keine klare Antwort geben.

Ich war von früher Jugend an gelehrt worden, Gott als Geist anzubeten. In der That, der Gott, an den ich glaubte, war Geist. Das Wesentliche in meinem Verhältnis zu ihm und in meinen Gedanken an ihn war Geist.

Aber was war denn die sichtbare, mit den Sinnen wahrnehmbare Natur mit der handgreiflichen Materie? An die Lehre unserer Theologen, dass die Natur eine Creatur Gottes sei, glaubte ich nicht, wenngleich ich nicht bezweifelte, dass auch die Gestirne nicht von Ewigkeit her geballt seien, sondern nur im Verlauf der Zeiten die Gestalt und Bewegung erhalten haben, nach denen wir Menschen den Fortschritt der Zeit bemessen. Geradezu widerwärtig war mir die pfäffische und mönchische Meinung, dass die Natur böse sei und immer bekämpft und unterdrückt werden müsse. Ich freute mich der Natur, ich ehrte und liebte die Natur. Ich hasste alle Unnatürlichkeit auch in den menschlichen Verhältnissen. Ich verlangte, dass die Natur von den Menschen beachtet und geachtet werde.

Auch das war mir klar, dass in der Natur nicht die blosse, als geistlos gedachte Materie wirke. Ich erörterte einmal mit meinem berühmten Collegen an der Universität, dem Chemiker Liebig, die Frage. Er war, wie alle Chemiker, gewöhnt, die Materie von ihrer materiellen Seite her zu betrachten und nur das für wahr zu erklären, was durch die Sinne, insbesondere mit Hilfe der Wage, der Augen, des Geruchs, der sichtbaren Experimente nachgewiesen war. Ich behauptete, dass die Gesetze, welche auf solche Weise von den Chemikern entdeckt werden, wie z. B. das der Cohäsion, der Affinität u. s. f., eben weil das Gesetze seien, welche sich in der Erscheinung der Körper offenbaren, wie alle Gesetze überhaupt Geist seien, wenngleich ein Geist, der nur in der Materie und mittelst der Materie wirke, aber die Materie durchdringe, bestimme und beherrsche. Ich führte aus, dass die Chemiker, indem sie von Gesetzen sprechen, einen Gegensatz zwischen dem leiblichen, wägbaren Stoffe und der geistigen Kraft darin anerkennen, und dass diese geistige Seite des Gesetzes weder wägbar noch überhaupt den Sinnen für sich wahrnehmbar sei, sondern erst in ihren Wirkungen und nur in Verbindung mit der stofflichen Seite erkennbar werde. Liebig gestand mir schliesslich die Wahrheit dieser Bemerkung zu. Ich habe ihn überhaupt immer wahr erfunden und ihn eben deshalb hoch geachtet. Er stand nie an, seinen eigenen Irrtum zu bekennen, sobald er sich davon überzeugt hatte, dass er geirrt habe. Er prüfte immer von neuem und immer unbefangen.

Mit der materialistischen Weltanschauung mancher Naturforscher konnte ich mich nie befreunden. Ich konnte es begreifen, dass ein Chemiker in einem Gemälde von Michel Angelo nur den Grund von Mauerkalk und die darauf gestrichene Ölfarbe, in einem Carton von Kaulbach nur Papier und Kreide sah; ich nahm es dem Mathematiker

nicht übel, wenn er die Kuppel des römischen Pantheon
nur als geometrische Figur betrachtete; ich verstand es,
wenn der Physiker bei einer Symphonie von Beethoven an
die Zahl der Schwingungen dachte, welche die verschiedenen Töne bemass und bestimmte, oder wenn er das schöne
Farbenspiel der Blumen ausschliesslich nach den verschiedenen Strahlenbrechungen des Sonnenlichtes beurteilte. Ich
hatte an sich gegen solche wissenschaftliche Betrachtung
nichts als das einzuwenden, dass sie die Hauptsache nicht
erkläre, dass sie nur untergeordnete Beziehungen aufdecke.
Ich fand, dass viele Naturforscher, wenn sie von der Natur
im Ganzen reden, ganz denselben Irrtum machen, und über
einzelne im Grunde untergeordnete stoffliche Seiten den
Geist übersehen, der in dem Ganzen waltet und sein Wesen bestimmt.

Ich hatte gelegentlich schon in meiner Jugend pan-
theistische Anwandlungen. Der indische Pantheismus, welcher Gott als Weltgeist in der Welt sich offenbaren lässt
und die Körperwelt als Emanation Brahma's erklärt, miss-
fiel mir keineswegs. Aber ich spottete zugleich über die
indische Vorstellung, dass die gesamte Körperwelt nur
Schein sei, und verwarf die Buddhistische Auflösung alles
Seienden in dem uranfänglichen und wieder zu ersehnen-
den Nichtsein (Nirwâna) als in sich nichtig, allem Lebens-
bewusstsein widersprechend. Geradezu abgeschmackt kam
mir die Vorstellung manches deutschen Philosophen vor,
dass Gott erst im Menschen und durch den Menschen zu
seinem geistigen Selbstbewusstsein habe gelangen können.
Ich sah darin einen ganz dummen Hochmut einzelner ge-
scheiter Menschen und erwiderte darauf: Die Menschen
sind heute noch nach vieltausendjähriger Arbeit nicht

einmal so weit gekommen, um die reiche Anlage des Menschenkörpers auch nur in allen Hauptbedingungen zu begreifen, oder die uralte Natur der menschlichen Seele und des Menschengeistes auch nur annähernd zu erkennen. Wie können sich denn die Menschen einbilden, diesen Körper und diesen Geist, welche sie nicht einmal hinterdrein verstehen, mit seinen Anlagen zum voraus gedacht und aus sich selbst gebildet zu haben? Wie können sie sich anmassen, Gott die Fähigkeit zu denken abzusprechen, wenn sie nicht für ihn denken, sie, die gar nicht denken könnten, wenn ihre Denkkraft ihnen nicht von dem göttlichen Denken abgeleitet wäre?

Bei einer solchen Vorbereitung und Richtung meines Geistes war ich in hohem Grade geeignet und geneigt, den Rohmer'schen Gottesbegriff für Wahrheit zu halten. Schon im ersten Momente wirkte die Mitteilung desselben elektrisch auf mich. Es fielen eine Menge Schleier, die meine Augen verhüllt hatten, zerrissen weg. Es war mir, wie wenn die Sonne leuchtend und strahlend aufginge, und die Nacht und die Dämmerung verschwände.

Je mehr ich dann später mich mit dem grossen Gedanken beschäftigte, je ernster und vielseitiger ich demselben nachdachte, und je sorgfältiger ich seine Consequenzen erwog, um so fester wurde ich von dieser fruchtbarsten Wahrheit überzeugt. Ich wusste freilich nicht, dass ich mit dieser Welt- und Gottesansicht ziemlich allein stehe, dass die Mitwelt weder fähig noch reif sei, dieselbe aufzunehmen. Diese spätere Erfahrung störte mich nicht in meinem wohl durchdachten Glauben und Wissen. Ich verlor auch die Hoffnung nicht, dass eine spätere Welt den Samen, der nun in der Erde verborgen liegt, werde dank-

bar aufgehen sehen und nahrhafte reiche Früchte von dieser Pflanzung geniessen werde.

Ich schrieb darüber in mein Tagebuch:

Juli 1853. „Die äussere Wahrscheinlichkeit ist gegen
einen Erfolg der neuen Idee. Friedrich Rohmer ist persönlich discreditiert. Die philosophischen Denker sind selten,
und die meisten in ein bisheriges System verrannt. Die
Männer der Wissenschaft beschäftigen sich meistens mit
einem speciellen Fache und nehmen kein Interesse an den
grossen Fragen, die weit ausserhalb ihres bearbeiteten Gebietes liegen. Der Hochmut vieler Gelehrten wird sich
gegen das Ansinnen empören, dass sie von einem un-
zünftigen Privaten, der keiner bestehenden Schule angehört, das Beste lernen sollen. Die Männer der Kirche
verwerfen jede Autorität in diesen höchsten Dingen, die
nicht durch das überlieferte Dogma oder die Bibel ge-
heiligt ist. Die grossen Volksklassen kümmern sich entweder nichts um diese grossen Probleme, oder halten sich
an die gewohnten Autoritäten und haben kein selbständiges Urteil. Die Fürsten lassen sich von der herkömm-
lichen verbreiteten Bildung mitschleppen oder sind misstrauisch gegen eine Wissenschaft, die das Höchste zu erkennen und zu bestimmen wagt. Der ganze Zeitgeist
scheint ungünstig. Es könnte nur glücken, wenn Gott
hilft. Als eine günstige Vorbedingung sehe ich nur den
furchtbaren Zwiespalt an, der die gegenwärtige Menschheit
zerreisst und ihr den Frieden raubt, den Zwiespalt zwischen Glauben und Wissen, der niemals schroffer und nie
gefährlicher war als jetzt. Es werden höchstens einige
wenige Geistesaristokraten, die frei von Vorurteilen sind,
die Wahrheit erfassen. Die Consequenzen, die Anwendungen

werden dann eine etwas grössere Anzahl gewinnen. Die Massen werden vermutlich erst dann gewonnen, wenn das Christentum von da aus beleuchtet wird."

Mein Vertrauen zu der Rohmer'schen Wissenschaft war neu gestärkt, aber mein Vertrauen zu der Rohmer'schen Praxis keineswegs hergestellt. Ich wollte weder die politische noch die persönliche Verbindung in der früheren Weise mit Fritz Rohmer erneuern. Aber auch er hatte von seinem Standpunkte Bedenken. Er verlangte sogar durch Theodor, ich solle meinen Irrtum zugestehen, dass ich gegen die Einführung der Reichsverfassung in Bayern gewirkt habe. Ich lehnte die seltsame Zumutung sofort ab und erklärte in einem Briefe an Theodor, dass ich weder in eine politische Verbindung noch in eine nähere persönliche und Familienbeziehung mit Fritz treten werde, sondern nur einen wissenschaftlichen und den persönlichen Verkehr wünsche, wie er zwischen gebildeten Männern üblich sei, welche ihre persönliche Freiheit wahren und sich mit Urbanität begegnen. „Ich bleibe entschlossen: Entweder keine, oder nur eine so bemessene freie Beziehung."

12.

Die beiden Anschauungen des Bauern. Die äussere Not. Theodor bearbeitet die Kritik des Gottesbegriffs in den gegenwärtigen Weltanschauungen. Seine Leiden.

Während der Sommerferien bezog ich mit meiner Familie eine ländliche Wohnung zu Miessbach, nahe dem bayerischen Gebirg. Wir wohnten da vom 14. August 1853 bis zum 8. September.

Am 19. August hatte ich mit einigen Bekannten die Rothewand, eine der dortigen Berghöhen, bestiegen und mich an dem Anblick des Hochgebirgs erlabt. Über die stolzen mächtigen Häupter der Tyroler Schneeberge ragen wie zwei Könige der hohe Venediger und der Grossglockner empor. Die grünen bayerischen Kalkberge kamen mir verglichen mit jenen Riesen doch nur wie eine niedere ritterschaftliche Aristokratie, und die breiten fruchtbaren Hügelrücken im Vorland nur wie höherer Bürgerstand vor. Als ich von der Bergfahrt erfrischt nach Hause zurückkehrte, begegnete ich unterwegs zum ersten Male wieder Friedrich Rohmer, der noch in Schliersee einsam lebte, auf dem Wege. Die erste Begrüssung war unerwartet und unbehaglich. Wir verabredeten auf den folgenden Tag eine Zusammenkunft in Agatharied, einem Orte, der zwischen Schliersee und Miessbach in der Mitte liegt und von beiden grösseren Orten aus oft auf Spazierwegen besucht wird.

Der Tag, an welchem die Besprechung stattfand, war durch den Wechsel gekennzeichnet zwischen plötzlichen und rasch vorüberziehenden Gewitterschauern und einem grellen stechenden Sonnenlichte. Die fast sechsstündige Unterredung wurde teils in dem hölzernen Pavillon über der Kegelbahn, teils auf Spaziergängen im Freien, zuletzt

in meiner Wohnung zu Miessbach gehalten und blieb fortwährend ungestört.

Friedrich Rohmer hatte gegen seine Gewohnheit ein
paar Bände aus den Werken Friedrichs des Grossen und
Goethe's mitgebracht. Er bemerkte: „Ich muss Goethe
Abbitte leisten. Ich hatte ihn früher nicht recht gekannt.
Das Beste freilich hat er versteckt. Er traute seinen
deutschen Lesern nicht. Erst seitdem ich selber mich
durchgearbeitet habe, sehe ich, wie weit Goethe schon in
seiner Vorstellung von Gott gekommen ist, wie weit er
Schelling und Hegel übersehen hat. Friedrich der
Grosse aber war ein weit grösserer Philosoph als die
gesamte deutsche Philosophenschule. Er hat den wahren
Gottesbegriff bereits gehabt und ausgesprochen. Er hat
denselben zwar nicht wissenschaftlich begründen und recht-
fertigen können; aber er hat ihn richtig geschaut."

Er erzählte mir, er habe zu seinem Trost nach seinen furchtbar aufregenden Arbeiten in dem Pfarrhaus zu
Schliersee eine alte reiche Bibliothek gefunden, die von
einem aufgehobenen Kloster stamme, und er habe dann
viel gelesen, auch Kirchenväter studiert. Origenes schon
habe die zwei Seiten in Gott erkannt und sogar ausgesprochen, das Weltall sei Gottes Leib. Er sei freilich
deshalb von den Zeloten angegriffen und verfolgt worden;
aber am Ende habe die Kirche ihn selig gesprochen.

Über Spinoza bemerkte er: „Spinoza hat den Dualismus in Gott bereits gesehen (Ausdehnung und Concentra-
tion); aber er wagte nicht, ihn Gott zu nennen, und fin-
gierte noch einen Gott im Hintergrund. Der Sprung über
diesen Graben schien ihm zu verwegen. . Ich habe lange
vor dem Graben gestanden, bevor ich den Sprung gewagt.

Es hat eine heftige Anspannung des Mutes erfordert, um darüber wegzusetzen.“

Über die deutschen Philosophen urteilte er nicht günstig, auch nicht über Kant, von dem er sagte: „Kant dachte wie ein Philister und hat deshalb auch alle Philister leicht überzeugt.“ Schelling warf er vor, er habe die Welt betrogen: „denn er weiss, dass er die Welt zum Narren hält. Er scheut sich dabei selbst vor der Blasphemie nicht. Schelling hat sogar die Frechheit gehabt, zu sagen, der Sohn d. h. Christus sei vor dem Vater d. h. Gott. Das ist Unsinn und Blasphemie. Und auf einen solchen Mann will sich heute die Kirche stützen! Um sich vor dem Ansturm des Pantheismus zu retten, flüchtet sie zu der Offenbarungstheorie Schellings und merkt nicht, dass Schelling selber Pantheist ist. Die Hexenküche, die Goethe im Faust gezeichnet hat, passt ganz auf diese Schelling’sche Theologie.“ Er sagte zum Abschluss des Gesprächs über die Philosophen, indem er auch Plato, Aristoteles, Bacon erwähnte: „Ich hoffe noch eher ein Verständnis bei den Theologen, als bei den Philosophen; denn jene sind mehr geübt, über Gott zu denken, und haben in ihren Traditionen mehr Inhalt.“

Da der makrokosmische Gott lebendig ist, sich bewegt, fortschreitet, so war damit auch die Idee der Vervollkommnung, der Entwickelung, des Fortschritts gegeben, und die alt-hergebrachte Vorstellung der Unveränderlichkeit Gottes als Irrtum überwunden: „Gott ist nicht die ewig sich gleich bleibende Vollkommenheit, sondern die unendliche Vervollkommnung. Jene wäre ewiger Tod, diese ist unvergängliches Leben.“

Gerade dieser Gedanke, die notwendige Consequenz

des makrokosmischen Gottesbegriffs, der mich im ersten
Moment stutzig machte, leuchtete mir rasch ein. Er erklärte die Entwickelung des Weltkörpers und die Bewegung der Natur, die ohne ihn unverständlich waren. Er
eröffnete auch eine herrliche Aussicht in die Zukunft der
Welt und in den Fortschritt der Geschichte. Die umge-
staltende und befruchtende Einwirkung auf die Politik trat
mir nun vor die Augen. Die klägliche Thorheit der Le-
gitimitäts-Politik, die von der Unveränderlichkeit der göttlichen Anordnung ausging, war nun definitiv verurteilt,
der liberale Fortschritt geradezu Pflicht geworden. Der
Gedanke musste befreiend und schöpferisch wirken, wenn
er von den Menschen begriffen ward.

Die Wahrheit des Gedankens konnte nicht bestritten
werden. Jene Unveränderlichkeit Gottes war ja nicht zu
denken ohne Unempfindlichkeit Gottes, nicht ohne Bewe-
gungslosigkeit Gottes. Der immer gleiche Gott konnte sich
nicht regen, konnte Nichts schaffen, konnte kein Bewusstsein haben, weder von sich, noch von der Menschenwelt. Zu
ihm zu beten war geradezu sinnlos; denn weder konnte er
das Gebet hören, noch dasselbe erhören. Das Gebet an diesen Gott war ein Gebet an die steinerne Sphynx vor der
Pyramide. Der unveränderliche Gott war die absolute Starr-
heit, die unendliche und unbesiegbare Langeweile, er war
in der That das Bild des Todes. Es war in ihm nicht
einmal, wie in dem grossen Gedanken des Nichtseins als
der ewigen Unterlage, die Fähigkeit des Werdens.

Über die Anwendungen (Applicationen) des neuen
Gottesbegriffs sprach Friedrich Rohmer damals nur wenig.
Er deutete nur an, dass sie nach allen Richtungen hin
grosse Fortschritte des Wissens und der Cultur bedeuten.

Aber entweder war er zu müde, um sich auch darüber näher auszusprechen, oder er war vorerst noch mit dem Grundgedanken zu sehr beschäftigt, um jetzt schon die secundären Folgen zu überlegen. Er meinte, die Phantasie werde auch wieder zu ihrem Rechte kommen, sie werde vorerst in Bildern die Aussichten in die zukünftige veredelte Weltordnung darstellen.

Über Persönliches äusserte er: „Die Verleumdung ist der Teufel. Die Griechen haben das in ihrer Sprache gesagt. Unsere Strafgesetze beachten die Verleumdung viel zu wenig, sie sind darin noch ganz roh und barbarisch. Die Verleumdung vergiftet das Leben der Familien und der Individuen. — Es ist ein wahres Wort, dass der Mensch mit 40 Jahren gescheit wird. Ich bin froh, dass ich endlich noch in meinem vierzigsten Jahre unter Dach gekommen bin. — Über meine Nächsten war ich, als ich endlich ganz allein stand, erst wütend. Aber dann kam auch sofort die Billigkeit wieder. Ich sah, dass ich sie zu sehr nach mir beurteilt hatte. Ich hatte das gethan, weil ich noch nicht fertig war mit meiner Arbeit, die ich wie Sisyphos den Stein täglich auf die Höhe wälzen musste, und die wie dieser immer wieder in die Tiefe zurückstürzte. Ich verstand die Anderen nicht. Wir sehen die Dinge mit verschiedenen Augen an und urteilen daher verschieden. Jetzt bin ich billiger und milder geworden."

Sehr angelegen besprach er die Art und den Ort der Bekanntmachung der Lösung. Er dachte an Paris als die Weltstadt. Die Rücksicht, dass seine Wissenschaft in Deutschland entstanden und in deutscher Sprache gedacht sei, entschied dann für das deutsche Werk.

Er dachte sich offen an die deutsche Nation und die

deutschen Fürsten zu wenden, ihnen seine Erfahrungen und die Geschichte seiner Geistesarbeit zugleich mit dem grossen Resultate vorzulegen und beiden seine Dienste anzubieten. Werde der Antrag verworfen, dann wollte er in's Ausland, zunächst nach Paris gehen.

Auch über die Form der Darstellung wurde viel verhandelt, und mancherlei Projecte erwogen und verworfen.

Bei einem späteren Besuche von Fritz in Miessbach kam dann eine erste Aufzeichnung der Lehre zu Stande, die er dictierte. Er hob darin die Fehler des Pantheismus, welcher die Philosophie beherrsche, und die Fehler des Theismus, welcher die christliche und die mohamedanische Theologie leite, mit scharfen Zügen hervor und den Gegensatz seiner Lehre, welche alle diese Fehler berichtige. Es war das aber eine durchaus skizzenhafte erste „Conversation". Ich machte sodann den Versuch einer vollständigeren und gleichmässiger gearbeiteten Darstellung dieser Kritik. Dieselbe wurde später von Theodor Rohmer für seine „Kritik des Gottesbegriffs" benutzt und feiner durchgebildet.

Immerhin war ich mir bewusst geworden, dass mir durch das Schicksal die verantwortliche und schwere Aufgabe aufgeladen worden sei, für die Darstellung und Klärung des makrokosmischen Gottesbegriffs mitzuwirken.

Friedrich Rohmer war doch sehr ermüdet von allen seinen aufregenden Denkarbeiten. Er machte mir zuweilen den Eindruck eines alten, hinfälligen, totmüden Mannes; nur zuweilen erheiterte sich sein Bild zu merkwürdiger Frische und strahlendem Lichtglanz.

Die alten logischen Scrupel, die ihn seit vielen Jahren unaufhörlich wie Erinnyen verfolgt und gequält hatten,

verschwanden doch nicht sofort und nicht gänzlich nach
der letzten befreienden Findung. Er forschte dem Grunde
des Irrtums nach, der die früheren Denker, und der ihn
selbst missleitet habe. In diesem Bestreben untersuchte
er neuerdings die alten Kategorien

Unterlage und Eigenschaft
Raum und Zeit
Ruhe und Bewegung

und erwog hin und her die Frage, ob nicht

Materie und Geist
Körper und Geist

denselben beizufügen und wieder gleichzusetzen sei.

Es dauerte doch wieder Jahre, bis auch diese Zweifel
ihre endliche Lösung fanden. Inzwischen aber war er noch
gehemmt. Ich will nicht hier über alle diese Arbeiten berichten. Es gehört das zur Geschichte der Rohmer'schen
Wissenschaft, die noch nicht geschrieben werden kann,
nicht in meine Biographie. Aber ich will zweier Punkte
erwähnen, die damals in's Klare gesetzt wurden und sowohl für meine Ansichten, als für die wissenschaftliche
Erkenntnis überhaupt wichtig geworden sind.

Das Erste: Eine Menge von Irrtümern in den verschiedenen Wissenschaften beruht darauf, dass man nicht
den Makrokosmos und die Mikrokosmen unterschied und
dann oft makrokosmische Kategorien als mikrokosmische
verstand oder umgekehrt mikrokosmische Vorstellungen
und Wahrnehmungen auf die allgemeine Natur und Gott
übertrug. Man denkt sich z. B. Raum und Zeit beide begrenzt, so viel Quadratmeter oder Hectaren oder so viel
Minuten oder Stunden u. s. f. Das ist mikrokosmisch gedacht. Wenn man Raum und Zeit makrokosmisch be-

trachtet, dann hat man den ewigen Raum, der keine Grenze haben kann, der überall sich ausbreitet, der in dem Makrokosmos selber ist, als dessen Unterlage, — und die unendliche Zeit, die unaufhörlich fortschreitet, ohne jemals zum Abschluss zu kommen, die auch in Gott ist und die in der Bewegung der Gestirne sichtbar wird. Unzählige Male aber sind makrokosmischer Raum und Zeit mit mikrokosmischem Raum und Zeit verwechselt worden. Auch in der Stats- und Rechtswissenschaft hat ganz derselbe Irrtum ungemein schädlich gewirkt. Alle jene Vorstellungen von absolutem Recht der Fürsten, der Väter, der Eigentümer sind falsch, weil sie die Eigenschaft des Absoluten, die notwendig makrokosmisch ist und nur dem absoluten Wesen d. h. Gott zukommen kann, auf menschliche Verhältnisse übertrugen und die Menschen thörichterweise wie Götter betrachteten.

Ebenso übertrug man umgekehrt die menschliche und daher mikrokosmische Vorstellung der Person in mikrokosmischer Weise auf Gott und stellte die Götter als beschränkte Menschen dar. Hätte man unterschieden, so hätte man gesehen, dass der makrokosmische Begriff der Person ebenso unbegrenzt ist, wie der mikrokosmische Begriff begrenzt.

Man hat sich vollends nicht getraut, die Kategorie

Körper und Geist,

die man in dem Menschen fand, in makrokosmischer Weise auf Gott anzuwenden. Dennoch ist es gewiss, dass es kein lebendiges Wesen geben kann, das nicht aus

Körper und Geist

besteht. Man hat dann nicht mehr gewusst, was aus der Natur zu machen sei, die doch auch körperlich und un-

begrenzt, unermesslich, unvergänglich ist. Hätte man die
Kategorie makrokosmisch verstanden, so war Alles klar.

Das Zweite: Man operiert in der Wissenschaft auch
oft mit Sachen und leitet von den Sachen Wahrnehmungen ab, als wären sie wirkliche Wesen, Existenzen.
Die leblosen Sachen, das Haus, der Tisch, der Stuhl existieren nicht, sie sind nur Teile der Materie, Stücke von
Stein, Holz u. s. f., die lediglich von den Menschen zu
Zwecken der menschlichen Wirtschaft und des menschlichen Gebrauchs und Genusses hergerichtet sind. Sie
scheinen wie Geschöpfe, sie sind keine Geschöpfe, sie haben kein Wachstum, kein Leben in sich. Alle wirklichen
Wesen bestehen immer aus

Körper und Geist,

wenn auch die geistige Seite vielleicht wenig entwickelt
ist und nur unbewusst wirkt; denn Leben ist ohne Geist
nicht zu denken. Man hat dann Kategorien, die von den
lebenden Wesen abstrahiert sind, auch auf solche Sachen
bezogen und ist da gelegentlich angestossen. So ist die
Verwirrung auf allen Seiten immer grösser geworden. Man
wendete die Kategorien Raum und Zeit u. s. f. auch auf
diese Sachen an, für die sie gar nicht gelten, da sie Kategorien des Seins, der Existenzen sind. Auf diesem Wege
ist die materialistische Naturbetrachtung entstanden. Sie
nannte einzelne Stücke der Materie Körper, und meinte
den Körper ohne Geist gesehen zu haben. Der Stuhl, der
Tisch, der Stein sind keine Körper. Nur was lebt, hat
einen Körper und zugleich Geist. Man übersah, dass die
Teile der kosmischen Materie nur Teile der Natur sind,
die lebt, und die als Ganzes der Körper Gottes ist.

Die Widerlegung des Pantheismus beschäftigte in

dieser Zeit Friedrich Rohmer sehr ernstlich. Ohne zuvor
den Irrtum in der logischen Schlussfolgerung der Pan-
theisten klar gemacht und entkräftet zu haben, fühlte er
sich in der Darstellung des richtigen Gottesbegriffs aufgehalten. Endlich drang er durch. Indem er den Grund-
irrtum des Pantheismus aufdeckte, überwand er auch den
Irrtum seiner eigenen früheren Speculation in Anfang und
Ende. Der Irrtum war der, dass die denkenden Menschen,
indem sie die Welt ausser sich betrachteten, in dem
instinctiven Gefühl, dass in der Natur Einheit sei, Alles,
was sie sahen, die Erde, die Gestirne, die Pflanzen, Tiere,
Menschen als Eins zusammenfassten und Universum nannten.
Anstatt, wie sie anfänglich ihr eigenes mikrokosmisches
Dasein von dem Universum unterschieden hatten, dieselbe
mikrokosmische Existenz aller anderen Geschöpfe ebenso
der Einen Existenz des Makrokosmos gegenüberzustellen,
warfen sie Alles in den Einen Begriff des Universums zusammen und nahmen den Makrokosmos und die Mikrokosmen als Ein Wesen, während in Wahrheit verschiedene
Existenzen da waren.

Die tieferen Denker kamen wohl auf die Eine Unterlage, das Nichtseiende, den Raum, als den nicht wegzu-
denkenden Urgrund des Seins. Dann aber übersprangen
sie alle Zwischenstufen des logischen Gedankens und liessen
ohne Bedenken aus der Einen Unterlage die Vielheit
der Existenzen· unmittelbar hervorgehen. Das ist unmöglich. Die Einheit der Unterlage, welche ohne die
Eigenschaft (Oberlage) nicht sein kann, führt logisch notwendig zur Einheit der Eigenschaft. Ist die Unterlage
ewig, so muss die Eigenschaft, die aus ihr hervorgeht,
unendlich sein. Beide zusammen sind das ewige und un-

endliche Sein, das nur Eins sein kann, d. h. eben der Makrokosmos. Die Vielheit der geschöpflichen Existenzen kann nicht aus der Einen Unterlage hervorgehen, die nicht ist, sondern nur aus dem unendlichen Einen Wesen, das wir Gott heissen. Würden die Geschöpfe direct aus der Unterlage hervorgehen, so wären sie unendlich, nicht endlich. Wir hätten viele Götter, die sich ausschliessen.

Alle diese Gedanken sind nur nach und nach klarer geworden. Man hatte auch mit der Sprache zu ringen, welche durch die uralten, vielfältigen Irrtümer verwirrt und entstellt war.

Einen weiteren Fortschritt machte Friedrich Rohmer zu Anfang des Jahres 1854. Eine wunderliche Laune des Schicksals hatte ihn in einen Streit mit einem bayerischen Zollbeamten verwickelt. Er hatte denselben im Ärger über dessen Benehmen beleidigt und war nun auf die Klage desselben von dem Gerichte wegen Amtsehrenbeleidigung zu einer Gefängnisstrafe von vier Wochen verurteilt worden.

Es war für Fritz eine harte Erfahrung, gegen die sich sein souveräner Stolz und seine Freiheitsliebe heftig empörten; und dennoch musste er sich fügen. Er verbüsste die Strafe auf der Festung Wülzburg als Gefangener. Es ging aber besser, als wir gefürchtet hatten. Der Commandant änderte bald den rauhen Ton, und der Aufenthalt auf der Festung wurde nach wenigen Tagen so behaglich, als es nach den Umständen möglich war. Fritz fühlte sich in der Nähe seiner Vaterstadt Weissenburg bald heimisch. In dieser unfreiwilligen Musse reifte eine köstliche Frucht seiner Speculation, die er in einem Briefe vom 1. Mai mir mitteilte:

„Sie werden sich ohne Zweifel und Theodor genau erinnern, dass, wenn das Bedürfnis einer Schlussfindung wieder hervortrat, ich mich immer an den Satz wendete: Sein besteht aus Unterlage und Eigenschaft, von dem aus ich die Lösung immer wieder angriff. Kurz vor oder mit der Lösung warf ich aber den Satz hinweg; jetzt, wo ich bloss mehr das Resultat vor mir sah, bekümmerte ich mich nicht weiter um jenen Satz, indem ich die Untersuchung auf die Fixierung der Form verschob.

„Indessen sind dazwischen manche Formbestimmungen bezüglich der Abstractionen mit untergelaufen. Aber ich bekümmerte mich nichts um Unterlage und Eigenschaft, vielmehr liess ich diese Definition fallen.

„Zu meinem Erstaunen bleibt aber ganz „Anfang und Ende der Speculation" mit Ausnahme der falschen Schlüsse vollständig stehen, an die sich sodann sofort die Lösung vom Februar 1853 d. h. die einzige anschliesst. Meine (frühere) Ansicht, dass die Eigenschaft eben so gut den Teilen der Unterlage, als den Teilen der Oberlage zukomme, war falsch. Eigenschaft ist specifisch das (aus der Unterlage) Hervorgehende. Was wir als Teile der Unterlage ansahen, sind nicht Teile der (Einen) Unterlage (die keine Teile hat), sondern Teile des Ganzen, (in dem) Unterlage und Eigenschaft (verbunden ist)."

Ich habe den Inhalt der Klammern ganz in dem Sinn des Briefs zur Verständlichung hinzugefügt.

Der wiederhergestellte Zusammenhang der neuen Gottesidee mit der alten Speculation, die Correctur der falschen Schlüsse in dieser und die Auflösung des bisher verschlungenen Knotens wirkten besonders auf Theodor gewaltig, der sich ebenfalls unaufhörlich mit diesen speculativen

Problemen beschäftigt hatte. Theodor fühlte sich nach dieser Mitteilung mitten in der Erschöpfung seiner Kräfte, an der er litt, wie elektrisiert. Jetzt fand er die Sprache wieder, nachdem er sich bisher vergeblich abgemüht hatte, den neuen Gedankengang darzustellen. In wenig Tagen kam nun die erste logische Aussprache des Gottesbegriffs in 30 Paragraphen zu Stande. Die gehobene Stimmung des Verfassers bezeichnete er treffend durch das Motto aus Goethe's Faust:

> Täuscht mich ein entzückend Bild,
> Als jugenderstes längst entbehrtes, höchstes Gut?
> Des tiefsten Herzens frühste Schätze quellen auf.
> Der schnell empfundne, kaum verstandne erste (Gottes) Blick,
> Der fest gehalten überglänzte jeden Schatz.

Den Eindruck, den ich von dem ersten Entwurfe Theodor's erhielt, schilderte ich damals so: „Ich weiss kein anderes Bild als dieses. Die Entwickelung des Gedankens aus dem Nichts zu Gott und durch Gott zum Menschen ist dem Eindruck vergleichbar, den unsere Sinne empfinden, wenn die schwarze undurchsichtige Nacht, die unser Auge mit tausend Schleiern verhängt, einen Schleier nach dem andern sinken lässt, bis dann ein düsteres und kaltes Dämmerlicht erscheint. Später leuchtet dann der Wiederschein der nahenden Sonne glänzend am Firmament. Zuletzt steigt die Sonne selber in heller Pracht an dem Horizonte auf. Das Menschenauge ist zu schwach, um ihr lange in's Antlitz zu schauen. Geblendet muss es sich wegwenden. Aber die Sonne erleuchtet nun die Erde und alle die Gestalten, welche die Oberfläche der Erde beleben. Diesen wendet sich nun das Auge zu, erfreut über die klare Beleuchtung."

Nach seiner Rückkehr von Wülzburg äusserte sich Friedrich Rohmer eines Abends bei mir in Anwesenheit Theodor's: „Es handelt sich jetzt nur um die Findung von Schliersee. Halten Sie sich an meinen Brief. Die Hauptsache ist darin. Alles Andere mag später kommen. Wir werden die Psychologie vielleicht erst als alte Männer darstellen. Jetzt ist es die Aufgabe, den Menschen Gott begreiflich zu machen. Die Findung von Schliersee ist mein (speculatives) Testament."

Er äusserte über Gott noch: „Die grösste Idee ist die, aber sie kann leicht missbraucht werden: Gott kann sich selber nie vollständig ausfüllen, nie ausleben. Es bleibt in seiner ewigen Unterlage immer noch Leeres zurück, und immer noch Dunkles. Die Vorstellung von dem Einen Teufel, der dem Einen guten Gott als böser Gott, als Gott der Finsternis entgegentritt, ist falsch; denn es gibt nur Eine ewige Unterlage und nur Eine unendliche Eigenschaft. Aber die dunkeln Partien sind auch in Gott, und Gott hat auch mit Sich Selbst zu thun. Er ist ja die unendliche Vervollkommnung. Aber er ist des Sieges über die dunkeln Partien mit Notwendigkeit gewiss.

„Was werden die echten Liberalen sagen, wenn man ihnen erklärt, Gott sei der ewige Fortschritt? Werden sie dann nicht denken, wenn Gott mit der Zeit fortschreitet, so müssen wir seinem Fortschritte folgen, aber uns hüten, unseren Fortschritt zu überstürzen? Sein Fortschritt ist ein Impuls und eine Schranke für ihren Fortschritt, denn wir sind Mikrokosmen und er ist der Makrokosmos.

„Der Zeitgeist wird nun klar. Der Mensch muss die Bewegung des Zeitgeistes beachten, und muss sich in seinem eigenen Fortschreiten darnach richten. Er darf es nicht übersehen, dass in dem Zeitgeiste sich die organische Folge der allgemeinen Zeitbewegung darstellt. Der Mensch muss daher warten, und der Statsmann muss warten, wenn die Zeit noch nicht gekommen ist."

Ich habe später in meinem Artikel des Statswörterbuchs und in der Politik die Lehre vom Zeitgeist genauer darzustellen gesucht, denselben aber nicht als Bewegung des makrokosmischen Geistes selbst aufgefasst, — denn wäre er das, so müssten die Wirkungen des Zeitgeistes auch in der kosmischen Natur und in den Tieren sich zeigen, — wohl aber als die von Gott vorgesehene und geordnete Bewegung des Geistes der Menschheit.

Fritz war an jenem Abend ungewöhnlich frei, und die Fülle der Gedanken sprudelte unaufhaltsam fort; und dennoch wurde von Zeit zu Zeit auch die Ermüdung sichtbar. Dann senkten sich die Augenlieder und sein Gesicht erhielt einen düsteren, fast starren Ausdruck.

Ich glaubte nicht an seine Versicherung, dass er die Darstellung des makrokosmischen Gottesbegriffs schreiben werde: er täuschte sich und Andere mit solchen Vorsätzen. Ich sagte ihm das und erinnerte an die unerfüllten Pläne, die Selbstbiographie und die Psychologie zu schreiben. Und doch drängte ich ihn nach Kräften, dass er wenigstens die entscheidenden Sätze selber schreibe. Er versuchte es oft. Es wollte nie gelingen. Nur Einmal zwang er sich, den Anfang selber niederzuschreiben, am Tage vor seinem Tode.

Damals, zwei Jahre früher, erwiderte er auf mein Andrängen: „Sie glauben nicht, dass ich die Sätze schreiben werde. Ich werde sie nicht schreiben. Die Vorrede werde ich schreiben, dann adieu Schreiberei. Ich bin nicht von der Art. Ich habe „Anfang und Ende der Speculation"

geschrieben. Niemand kennt das und Niemand erinnert
sich daran. Ich habe die Rede an die Belletristik geschrieben. Ich habe sie wieder gelesen. Ich brauche mich
ihrer nicht zu schämen. Sie ist schön und wahr. Sie ist
wenig beachtet worden. Nun muss ich noch etwas für den
Styl thun. Die deutsche Sprache ist so reich und so tief.
Sie verdient es, dass ich in ihr mich ausspreche. Ich
muss den Menschen wieder Gott nahe bringen. Ich habe
von Gott zu reden. Die wissenschaftliche Darstellung und
Begründung überlasse ich Theodor und Ihnen. Ich habe
aber auch in mir Schwierigkeiten wegzuräumen. Ich darf
nicht wie ein Prophet reden, und doch muss ich das
Höchste sagen. Ich muss als einfacher Mensch reden,
und doch müssen sie es spüren, dass die Macht Gottes
mit mir ist. Sie berufen sich alle auf Gott, der Czar, die
Türken, die europäischen Mächte. Ich aber habe die Pflicht
auf mir, das entscheidende Wort von Gott zu sprechen.
Ich sage das nicht, um mich zu überheben; ich sage es
bescheiden. Ich kann mich dieser Pflicht nicht erwehren.
Ich darf mich aber auch nicht überstürzen. Nur wenn
ich mit mir selber im Reinen bin, kann ich es und werde
ich es.

„Es thut doch Jeder nur das, was in ihn gelegt ist.
Warum treiben so viele Chemie? Weil ihre Natur sie auf
die Chemie hinweist. Sie können schreiben, wenn Sie
wollen, weil Ihre Natur die Fähigkeit und den Zug dazu
hat. Ich kann nur unter seltenen Voraussetzungen schreiben, weil das meiner Natur entspricht. Ich muss meine
Natur nehmen, wie sie ist. Ich kann nicht anders.“

22. Juli 1854. Ich kam auf den Gedanken, der Kategorie

Unterlage und Eigenschaft

die von

Anlage und Entwickelung

beizufügen. Dadurch wird ein fruchtbarer Gesichtspunkt gewonnen. In der Anlage liegt die Entwickelungsfähigkeit verborgen. Die Entwickelung ist die Eigenschaft, die aus der Anlage, als der Unterlage, hervorgeht. Die Anlage ist die Ruhe, die Entwickelung die Bewegung. Beide, Anlage und Entwickelung, sind in der wirklichen Existenz verbunden. Was ist, kann nur durch Entwickelung aus seiner Anlage, wie es ist, erklärt werden.

Ich versuchte es, in einem Aufsatz über

Raum und Zeit

die Bedeutung dieser Kategorie, als der beiden Seiten der wirklichen Wesen, in dem Makrokosmos und den Mikrokosmen darzustellen, um mich in der Rohmer'schen Lehre zu üben, und fand, dass die Freunde in Zürich, denen ich den Aufsatz vorlas, die Lehre verstanden. Auf Einzelne wirkte der Vortrag zündend. Dennoch machte ich die Erfahrung, dass selbst die, welche durch die Wahrheit getroffen wurden, nur einen Moment die Köpfe hoben und dann in der alten Weise unbekümmert weiter lebten, wie die Kühe auf der Weide, wenn das Locomotiv der Eisenbahn zuerst an ihnen vorbeipustet, die Häupter staunend in die Lüfte heben und dann wieder senken und ruhig weiter grasen.

Die Last, welche mir aufgewälzt wurde, war um so grösser, je weniger auf Fritz selbst viel zu rechnen war, wenn das Einzelne fixiert werden musste. Überdem war Theodor, der zunächst berufene Interpret der Wissenschaft, offenbar invalide. Die Anstrengungen, Aufregungen und Sorgen hatten seine Kräfte aufgezehrt. Er konnte nur selten noch mit Fritz verkehren, dessen Natur ihn viel zu sehr angriff. Er musste getrennt von Fritz leben. Er war überdem mit der Religion Jesu sehr beschäftigt und betrachtete diese Arbeit als seine besondere Aufgabe neben der, die Fritz'sche Lehre darzustellen. War aber Theodor gehemmt, dann war Niemand als ich übrig, welcher der Nachwelt berichten konnte von dem grossen und schweren Geisteswerk. Es kam in der That so, und die Verantwortlichkeit, die mir das Schicksal aufgeladen, beunruhigte und drückte mich, so sehr ich innerlich erfreut und gehoben war durch die neu entdeckte Wahrheit, die mich befriedigte.

In Fritz selber zeigte sich die Ermüdung öfter und stärker als früher. Er sprach zuweilen vom Sterben. Er äusserte einmal: „Ich fürchte den Geist, den ich herbeigerufen. Er ist überwältigend." Dann erinnerte er an die Sage von dem Bilde zu Sais und die Drohung des Todes für den, der es wage, den Schleier wegzuheben.

Dann aber war er wieder so frisch, so klar, so voll von Kraft, dass die Momente der Ermüdung und der melancholischen Stimmung vorüber schienen.

Vorerst stand ihm noch ein schwerer Schlag bevor. Seine Frau Mathilde starb am 18. October 1854, eines der letzten Opfer, welche die Cholera in München vor ihrem Erlöschen gefordert hatte. Sie war schon vorher krank. Auch ihr Nervensystem war zerrüttet; auch sie war ein Opfer geworden der unerträglichen Missverhältnisse, in welche das Leben zweier genialer Menschen hineingeraten war.

Fritz war von Badenweiler herbeigeeilt. Er hatte noch der Sterbenden gesagt: „Mathilde, verlass mich nicht.

Bedenk' es wohl, thu' was du kannst." Sie antwortete: „Ich habe mich gewehrt, ich kann nicht mehr." Dann ergab sie sich in das Schicksal.

Fritz kam an dem Abend zu mir, um seinen Schmerz auszusprechen. Er sagte: „Es ist eine grosse Seele dahingegangen. Ich bin nun allein, ganz allein. Ich stehe ganz einsam in der Welt. Ich war oft von ihr weg; und wenn wir beisammen waren, so war oft Streit unter uns. Aber ich war im tiefsten Grunde doch ihrer ganz sicher und sie auch meiner. Ich habe nie mit einem Menschen sprechen können, wie mit ihr. Sie allein hat mich, wenn es in die Tiefe ging, sofort verstanden. Sobald ich in der rechten Sprache fragte, so bekam ich die rechte Antwort. Sie dachte gross und sie war gerecht. Der Zwiespalt in ihrer Natur war furchtbar. Hätte ich sie als vierzehnjähriges Mädchen kennen gelernt, so wäre Alles anders geworden. So fand ich sie im Elend und musste sie herausreissen. Ich habe aber durch die Verdorbenheit ihrer äusseren Zustände hindurchgesehen in die Erhabenheit ihres Wesens. Für sie ist der Tod ein Glück. Sie wäre der Lähmung entgegengegangen, wenn sie länger gelebt hätte. Wenn ich an eine schönere Zukunft dachte, so machte ich Pläne für sie. Es hätte ihr doch nichts geholfen. Die Erinnerung an die verlorene Jugend wäre um so heftiger aufgewacht und hätte ihr jeden Lebensgenuss verbittert. Für sie ist's besser so. Aber mich trifft der Schlag schwer. Ich habe nichts mehr, als die Pflicht. Ich weiss wohl, dass ihr Tod mich in den Augen der Welt erleichtert, dass mir der Rücken nun frei geworden ist. Aber für mich ist dieser Tod doch das grösste Unglück. Ich habe keine Seele mehr, mit der ich ganz verbunden bin, mit der ich das Leben teilen kann. Woran denn sollte ich mich erfreuen? An der Wissenschaft? Ja, die Wissenschaft ist mir jetzt mehr als die Politik, mehr als die Macht. Aber auch sie ersetzt mir nicht den Verlust. Es bleibt mir nur die Pflicht. Mein Vater hat mich geliebt. Er wird sie dort empfangen."

Es fiel mir auf, dass Fritz nach Mathilden's Tode weit öfter als früher an seinen Vater erinnerte und auch Manches aus seiner Jugend erzählte, als sein Vater noch ihn erzog.

Bei einem Besuche, den er von Fürstenfeldbruck aus im November bei mir machte, wies er auf einen neuen Weg hin, auf dem die Wahrheit zu finden sei. Dieser zweite Weg der Naturbetrachtung sagte mir besser zu, als der logische Weg der abstracten Kategorien, den Theodor mit Vorliebe betrat.

Er äusserte darüber Folgendes: „Die Wahrheit muss so klar werden, dass der einfache, denkende Bauer sie begreift. Nur wenn der sie verstehen kann, ist sie klar. Es kommt nicht auf die gelehrten Deductionen an. Wenn der Bauer in's Freie geht und sich umschaut, so sieht er das Universum ausser sich und um sich. Wenn er dann sich fragt: Was ist das? und er ist nicht gescheit genug, um lange nachzudenken, so lässt er die Frage stehen, ohne sich um die Antwort zu kümmern. Wenn er dann doch eines Trostes bedarf, so sucht und findet er den Trost in der Religion. Ist er aber gescheit und ein denkender Kopf, so fängt er an zu grübeln und zu zweifeln, und er findet sich in dem Wirrwar nicht zurecht. Nun merken Sie scharf auf:

Der Mensch hat nur zwei Anschauungen, sich selbst (den Mikrokosmos) und das Universum (den

Makrokosmos). Der Mensch kann nur zwei Schlüsse machen:

Entweder von sich aus auf Gott.

Oder von Gott aus auf sich.

Der Mensch kann nicht anders denken. Will er richtig gehen, so muss er beide Schlüsse machen, einen nach dem andern. Dann merkt er es, wenn er einen Fehlschritt gemacht hat. Der eine Schluss beleuchtet den anderen. Das versteht der Bauer, denn das ist einfach menschlich gedacht. Auf diese Weise lässt sich die Wahrheit finden. Dieser Same wird aufgehen, auch in Ihnen, und er wird Früchte bringen."

Damit war auch der Zusammenhang der Speculation mit der Psychologie hergestellt, der vorher wie abgeschnitten schien.

Diese Eröffnung wirkte auf mich sehr bedeutend. Sie gab mir den Anstoss zu einer neuen Darstellung der Gotteslehre von der Naturbetrachtung aus. Ich sagte mir damals schon: In der That, der Mensch empfindet und denkt das Universum, wenn er in die Natur hineinschaut, ausser sich. Wäre der Mensch Gott, oder ein blosses Stück von Gott (eine Blase in dem Meerschaum der Welt), so würde er nicht zwischen sich und dem Universum unterscheiden, er würde sich als Universum oder als Teil des Universums fühlen. Der Pantheismus ist also im Widerspruch mit dem natürlichen Selbstbewusstsein des Menschen. Und hätten die Theologen von sich aus richtig auf Gott geschlossen, so hätten sie, wie sie in sich ein Selbstbewusstsein fanden, das ohne den Dualismus von Unterlage und Eigenschaft, Anlage und Entwickelung, Körper und Geist nicht zu denken ist, auch ein unendliches Selbstbewusstsein Gottes in derselben Weise wahrgenommen und sich nicht einen Gott vorgestellt, der in sich keine Bewegung und weder Bewusstsein noch Leben haben kann. Pantheismus und Deismus sind beide geschlagen durch den richtigen Bauernschluss.

Friedrich Rohmer fühlte sich im Besitz eines unermesslichen Geistesschatzes, den er durch riesenhafte Anstrengung und mit den grössten Opfern gefunden hatte. Aber dieser Schatz war noch verborgen. Nur ein paar vertraute Freunde kannten und schätzten denselben. Nur wieder eine vielseitige und vieljährige Arbeit konnte denselben allmälich zu Tage fördern und fruchtbar machen. Die Welt wusste nichts und wollte nichts davon wissen. Sie glaubte nicht an den Schatz und misstraute denen, die davon sprachen, als Betrügern und Schwindlern.

Die geistige Arbeit ging zwar vorwärts. Von Zeit zu Zeit wurde mehr Licht, mehr Klarheit gebracht. Aber die äusseren Umstände waren das hässliche Gegenbild des innern Reichtums. Der Kampf mit der gemeinen Lebensnot wurde immer schwieriger. Die Hilfsquellen der Freunde waren fast alle versiegt oder flossen nur noch sehr spärlich. Zuweilen schlugen die sorgenvollen Wellen über den Köpfen zusammen. Die Schwierigkeiten waren um so grösser, als Fritz sich trotz allem „gehen liess", als gäbe es für ihn keine Hindernisse, als hätte er jederzeit alle nötigen Hilfsmittel zu seiner Verfügung. Es war das freilich seiner Natur gemäss. Aber sein Schicksal kam mir in dieser Hinsicht vor, wie wenn ein Eichbaum in einen Blumentopf gepflanzt worden wäre. Die Verlegenheiten, die ungenügende Ausstattung reizten ihn und erbitterten ihn. Das Übel wurde ärger, indem er es verhöhnte und sich betäubte.

Am heftigsten litt Theodor unter diesen Sorgen. Seine Gesundheit war ohnehin zerrüttet. Dennoch raffte er seine letzten Kräfte zusammen, um noch die Einleitung zu dem Werke zu schreiben, welches den makrokosmischen Gottesbegriff darstellen sollte. Diese Einleitung ist dann unter dem Titel: Kritik des Gottesbegriffs in den gegenwärtigen Weltansichten zu Anfang des Jahres 1856 erschienen, ohne Namen des Verfassers. Es ist wohl selten oder nie eine Schrift unter so viel Leiden des Autors geschrieben worden, wie diese scharfe Kritik, in welcher der Pantheismus und der Theismus glänzend widerlegt werden. Dennoch war dieselbe ganz das Werk Theodors. Fritz kümmerte sich nicht darum, und Theodor konnte ihn nicht mehr beraten, da er seine Gegenwart nicht mehr ertrug. Einige Hilfe leisteten Widenmann und ich, aber sie bedeutete wenig. Theodor selber war schwer krank; die Arbeit hatte seine letzte Nervenkraft aufgezehrt.

Als es im Herbst 1855 möglich wurde, ihn nach Reichenhall zur Kur zu bringen, war er so erschöpft, dass er nicht mehr gehen, kaum fahren konnte. Doch erholte er sich einigermassen, so dass er bei seiner Rückkehr wenigstens ein paar Mal an den Besprechungen mit Fritz teilnehmen konnte. Meistens war er aber dazu zu schwach.

Dass meine Gesundheit in dieser ebenso grossen, als schweren Zeit aushielt, betrachtete ich als ein besonderes Glück. Aber die Last der Mitteilung fiel nun immer schwerer auf meine Schultern.

13.

Letzte Mitteilungen von Friedrich Rohmer. Der Dualismus. Die IV und die XVI in Gott. Die Menschen mit Geistes- und die Menschen mit Gemütsströmung. Christus als Logos. Sibyllinisches. Die speculative Sprache. Über Unsterblichkeit. Wechsel von Wachen und Schlafen hier und dort. Moralische Aufgabe für den Stat. Schlaf Gottes. Untergang und neue Schöpfung des Weltkörpers. Über Pflanzen und Metalle. Der Titel: Gott. Meine Ekstase. Gedichte von Fritz. Pan. Erfolg der Kritik. Falsche Dreiheit. Verhältnis des individuellen Geistes im Menschen zu Gott. Finden der Sprache. Die ersten Sätze. Hinab in den Urgrund. Hoffnung auf das Licht. Tod.

Während des Jahres 1855 sah ich Friedrich Rohmer nur einige Male. Er war meistens von München abwesend. Fast immer wirkten seine Mitteilungen über die Wissenschaft von Gott, über die Psychologie, über die Irrtümer der Speculation, über die Unsterblichkeit und die Natur des menschlichen Geistes überaus anregend und aufklärend. Zuweilen machte er mir aber, wenn ich ihn während der Gährung beobachtete, einen unheimlichen Eindruck, so insbesondere, als er von der Disharmonie in der Welt sprach, und auf das ungerechte Unglück hinwies, welches zuweilen die unschuldigen Menschen treffe und sie verzweifeln mache an der göttlichen Gerechtigkeit und dem göttlichen Wohlwollen. Er sprach aber auch in solchen Momenten grosse Wahrheiten aus, wie die, dass Gott durch die Natur, seinen Körper, auch gebunden sei und nicht wider die Naturgesetze handeln könne, so lange er diesen Körper der Natur habe und wolle. Er könnte ihn freilich auflösen, wenn er wollte; aber er thue das nicht um kleiner Ursachen willen. Manches wie Erdbeben, Stürme, Überschwemmungen, die den Menschen verderblich werden, erkläre sich als notwendige Naturbewegung. Die Menschen müssen sich dieser fügen, wenn sie ihr nicht entweichen können.

Er wollte den Weg zur Psychologie finden und warf die Frage auf, ob aus der Einen Unterlage, dem ununterschiedenen Nichts, das man nicht für Verneinung des Seins, sondern als Anlage des Seins verstehen müsse, die göttliche Eigenschaft zuerst als Zweiheit, dann als Vierheit, zuletzt als die XVI Urkräfte des Geistes hervorgegangen sei. Er liess die Frage offen, ob vielleicht jene Vierheit im Zusammenhang sei mit den IV chemischen Elementen Sauerstoff, Kohlenstoff, Stickstoff, Wasserstoff, oder mit den alten Elementen Luft, Erde, Feuer, Wasser. Er hielt das Alles für problematisch, aber war durchaus der Meinung, dass die XVI Kräfte schon in Gott unterschieden waren, bevor Gott Mikrokosmen erschaffen habe.

Aus der Fortbildung der Psychologie, die während der Zeit meiner Trennung entstanden war, interessierte mich vorzüglich die verschiedene Entwickelungsfolge der Männer mit Geistesströmung und derer mit Gemütsströmung. Jene begann mit dem Auge, diese mit der Sentimentalität. Die Wissenschaft und der Stat gehörten vorzugsweise der ersten, die Religion und die Kirche der zweiten Richtung an. Vieles wurde daraus in der Geschichte des Stats und der Kirche erklärt. Auch Christus bekam nun eine andere Stellung in der Psychologie als früher. Er war nun der höchste Ausdruck der Sprache d. h. der Logos, aber mit Gemütsströmung und daher in so unmittelbarem Rapport zu Gott. Das leuchtete mir sofort ein und befriedigte mich weit besser, als die ältere Auffassung, dass er die Personification des Geschlechtssinns gewesen sei.

Am 18. November 1855 schrieb Fritz:

„Im Raum ist das Sein. So lautete die bisherige Idee.

„Der Raum ist des Seins Unterlage. So sage ich. Hier steckt der Irrtum der Welt, d. h. der formale. Hier steckt die Sphinx."

Was für düstere Gedanken aber daneben in ihm gährten, dafür zeugt ein kurzes Gedicht, welches er unter der Aufschrift „Sibyllinisch" im Dezember 1855 an mich von Badenweiler aus richtete, sowie die Todesahnung, die er in demselben Brief vom 19. Dezember meiner Frau gegenüber aussprach, welcher er schrieb:

> Wohin mein Herz, soll es nun annoch gehen?
> Was soll des Stolzes bittres, kaltes Wehen?
> Statt von den Schuften leid' ich nun vom Sehen.
>
> Ein früher Tod, ein spätes, spätes Alter:
> Das ist, sagt mein erhabener Verwalter,
> Dein Loos; nun suche nur in deinem Schalter.

Das späte Alter bezog sich offenbar auf das späte Verständnis seiner Wissenschaft und die späte Anerkennung seines Wesens. In beiden Beziehungen war seine Ahnung richtig.

Seit dem 9. April 1856 war Fritz wieder in München. Er besuchte mich nun öfters und war fähiger und geneigter, sich mitzuteilen, als ich es je in früheren Zeiten erlebt hatte. Er folgte einem inneren Drang, noch sein Letztes auszusprechen. Da Theodor krank und ausser Stand war, ihn anzuhören, so betrachtete er mich als den einzigen Menschen, bei dem er sich ungehemmt und offen aussprechen könnte. Körperlich schien er erholt. Er war stärker geworden; er hatte, wie ich sagte, ausgepolsterte Backen bekommen. In geistiger Hinsicht machte er den Eindruck ruhiger Sicherheit. Er war in sich fertig geworden. Die Sätze brachte er freilich wieder nicht mit.

Einiges muss ich aus meinen damaligen Aufzeichnungen hier erwähnen, weil es zu meinem Leben gehört.

9. April. Satz von Fritz: „Das Sein ist nicht definierbar. Gott ist sich selber unbegreiflich, weil das unendliche Nichts in Ihm ist. Wie sollten wir endliche Wesen ihn begreifen können? Man kann nur sagen: das ewige Sein ist der Makrokosmos, und die endlichen Existenzen sind Mikrokosmen; und sowohl der Makrokosmos als die Mikrokosmen bestehen aus Unterlage und Eigenschaft.

„Was in dem Leibe Gottes endlich erscheint (die Gestalt der Natur), ist innerlich unendlich, weil es zu seinem ewigen Sein gehört. Wenn dagegen der Leib des Menschen endlich erscheint, so ist derselbe wirklich endlich, wie der Mensch selber. Das Wort „endlich" hat also einen anderen Sinn, je nachdem es auf Gott oder auf den Menschen bezogen wird. Man hat beides verwechselt und ist deshalb in die Irre geraten.

„Ich bin vom Irrtum aus mit Hilfe der Logik zur Wahrheit fortgeschritten. Nun die Wahrheit da ist, muss der umgekehrte Weg gemacht und von ihr aus der Irrtum beleuchtet und beseitigt werden.

„Die Idee des Logos war in Gott, aber es stand bei ihm, die Idee mikrokosmisch zu beleben, oder nicht."

15. April. „Die Allgemeine Zeitung bringt endlich meine Anzeige der „Kritik des Gottesbegriffs" und zwar vorn. Das Eis ist gebrochen. Die Entfernung Kolb's war glücklich. Dr. Altenhöfer hat nicht den Hass von Kolb

wider Rohmer, noch die feinen Nerven Kolb's. Die Anonymität der Schrift hat diese Unbefangenheit möglich gemacht."

17. April. „Nachdem er erwogen hatte, ob er nicht Unterlage und Oberlage ($\dot{v}\pi o\varkappa\varepsilon i\mu\varepsilon\nu o\nu$ und $\overset{\backprime}{v}\pi\varepsilon\varrho\varkappa\varepsilon i\mu\varepsilon\nu o\nu$) statt Unterlage und Eigenschaft sagen sollte, wogegen ich mich entschieden erklärte, da dann nur ein Wechsel des Orts bezeichnet würde, bemerkte er: „Wäre die Sprache in ihren Spitzen genau richtig, so wäre die Wissenschaft schon längst da. Man müsste die Wahrheit nicht mit solcher Anstrengung suchen. Man könnte sie bequem aus der Sprache herauslesen. Die Sprache ist voll richtiger Ahnungen, aber sie bedarf doch hinterdrein, wenn die Wahrheit wissenschaftlich erkannt ist, der Verbesserung und einer schärferen Ausprägung durch die Wissenschaft."

„Ich habe immer wieder nach völlig zutreffenden Wörtern gesucht. Ich sehe nun, dass dies unmöglich ist.

„Hätte ich nicht die Psychologie gehabt, so hätte ich mich nicht getraut, die Gottesfrage zu beantworten. Durch die Psychologie habe ich mich selber kennen gelernt. Diese Selbsterkenntnis allein konnte mir den Mut geben, das Rätsel zu lösen."

Dieser Gedanke regte ihn wieder furchtbar auf, bis spät in die Nacht hinein. Um seine Erregung zu entladen, las er das erste Heft des Statswörterbuchs durch, das eben erschienen war, und schrieb kritische Noten oder Zeichen hinein.

20. April. „Ich weiss es, wenn ich die Sätze nicht mache, so bin ich verloren. Ich täusche mich nicht über die Lage. Es ist aber Nichts mehr mir im Wege. Ich kann's jetzt machen. Täglich lege ich mich mit der Angst

zu Bette: „Wenn mich nur der Schlag nicht trifft“, und ich
bete: „Lieber Gott, lass mich heute Nacht nicht sterben.“
Es wäre zwar schon Alles da, auch wenn ich stürbe. Sie
und Theodor können es der Welt mitteilen. Aber trotzdem
ist die Sprache, meine Sprache nötig. Und es ist Terroris-
mus nötig.“ Auf meine Bemerkung, es sei nicht genug,
dass das Kind ausgetragen sei; erst wenn es schreie, sei
es, erwiderte er: „Der Vergleich ist gut; die Sätze müssen
schreien. Dafür will ich sorgen.“

„Dann sprach er viel über Christus und erklärte: ob
Christus ausnahmsweise durch eine göttliche Zeugung entstanden ist, das weiss ich nicht, das geht mich auch nichts
an. Die innerliche individuelle Darstellung des Logos, der
Sprache, ist jedenfalls die Hauptsache. Darauf kommt es
an. Aber ich glaube an eine Auferstehung von Christus
d. h. an eine verklärte Erscheinung, wie sie auch Paulus
erlebt hat. Denn ohne das wäre das Christentum nicht
geglaubt worden in der ersten Zeit und nicht so stark geglaubt worden. Die Menschen glaubten, einen sichtbaren
Beweis für die Unsterblichkeit zu haben. Ohne das wäre
das Christentum bald erloschen.“

Er war an diesem Abend ganz gross und gemütlich,
so dass er den wohlthuendsten Eindruck machte.

Als er am Tage darauf wieder kam, erschien er mir
wie elektrisch geladen. In der That war das ein höchst
merkwürdiger Abend. Bald sprach, bald schrieb, bald
dictierte er, bald las er vor.

Schon seit längerer Zeit hatte er viel über die Un-
sterblichkeit gedacht. An diesem Abend löste sich der
Drang, indem er zuerst daran erinnerte, dass die alten
Hellenen den Tod als Bruder des Schlafes dargestellt haben.

Schon früher war es klar geworden, dass die Unterscheidung des Makrokosmos und der Mikrokosmen ein Licht auf die dunkle Frage der Unsterblichkeit werfe. Da sowohl Gott als der Mensch aus Körper und Geist bestand, so war es folgerichtig zu denken, durch den Tod des Menschen vollziehe sich die Scheidung in der Weise, dass die Leiche des Menschen wieder in den allgemeinen Naturkörper (die Elemente) sich auflöse, und dass der Individualgeist ebenso in den göttlichen Geist zurückkehre, aus dem er gekommen sei. Das war freilich nicht Unsterblichkeit, wie die Kirche sie lehrte und die Menge sie glaubte. Aber es war Rückkehr des Menschen zu Gott, und in Gott war die Fortdauer gegeben.

An dem 21. April nun setzte Fritz als selbstverständlich voraus, dass der individuelle Geist des Menschen, nachdem er im Tode von dem der Erde verfallenden Leibe geschieden sei, nun, wie er gar nicht anders könne, in den göttlichen Geist übergegangen sei. Dann verglich er den Wechsel zwischen Wachen und Schlafen hier auf der Erde, und Schlafen und Wachen dort in Gott. Er sagte: „Das Verhältnis zwischen dem Wechsel hier und dort dreht sich um."

„Auf der Erde ist unser höheres Leben am Tage, wenn wir wachen. Dann denken und handeln wir mit Bewusstsein. In der Nacht und im Schlafe ruhen wir aus von der Thätigkeit des Tages. Wir sind in der Nacht schlafend auch mehr als am Tage der makrokosmischen Natur hingegeben, und erhalten von ihr aus wieder den nötigen Ersatz für die Kräfte, die wir am Tage durch unsere Arbeiten und Thaten ausgegeben haben. Wir schlafen, damit wir fortleben können am Tage.

„Gerade umgekehrt wird das Verhältnis sein, wenn
der Geist, der im Menschen gelebt hat, nach dem Tode in
den Geist Gottes eingeht. Indem er dann in Gott ruht,
hat er einen Anteil an der Herrlichkeit Gottes. Dieses
Ruhen in Gott, der Schlaf dort, ist also höchste Seligkeit.
Wenn dort der vormalige Menschengeist wieder an sich
denkt und aufwacht zur Arbeit an sich, so ist das eine
Trübnis, eine mindere Seligkeit, möglicherweise Unseligkeit.
Das Wachen des Individualgeistes dort ist eine Unterbrechung des höchsten Lebens in und mit Gott. Wenn
der Mensch auf Erden schläft, um am Tage leben und arbeiten zu können, so lebt und arbeitet der Mensch auf
Erden, um dort in Gott ruhen d. h. schlafen zu können.“

Ich selber verstand den Gedanken, den Fritz nur in
den obersten Spitzen ausgesprochen und niedergeschrieben
hatte, —

(der Mensch im irdischen Leben):

Wachen (Eigenschaft) — Schlaf (Unterlage),

(der Mensch in Gott):

Schlaf (Eigenschaft) — Wachen (Unterlage) —

anfangs nur halb und konnte ihn erst am Tage darauf,
als ich Alles nochmals überdachte, ganz erfahren. Dagegen
hatten meine Frau und auch mein Sohn Carl denselben
instinctiv sofort ergriffen.

Fritz las dann aus Shakespeare's Romeo und Julie
vor. Er liebte diese Tragödie der Liebe leidenschaftlich.
Er hielt sie für das schönste Gedicht der Welt. Er wurde
durch dasselbe tief gerührt und dachte wieder an Mathilde.

Als er einmal mit meiner Frau allein war, konnte
er sich der Thränen nicht erwehren. Er äusserte: „Mein
Los ist wahrhaft bemitleidenswert, obwohl ich Alles habe.

Ich trage furchtbar schwer. Nur die Sorge, dass ich sterben könnte, bevor ich der Welt geholfen habe, hält mich. Wäre ich sie los, so würde ich gerne sterben. Was habe ich denn vom Leben? Keine Familie, keine Frau, kein Kind."

Sonderbar! meine zart besaitete Frau hielt alle Aufregungen dieses Tages ruhig aus bis zum Schluss, während ich selber trotz meiner eisernen Nerven so müde ward, dass ich ihn verliess und zu Bett ging, um zu schlafen. Auch mein jugendlich kräftiger Sohn wurde in kurzer Zeit wie geknickt in seinen Nerven und ebenfalls tief ermüdet. Nur in Fritz gährte und arbeitete es unablässig mit furchtbarer Gewalt.

23. April. „Nochmals über Schlafen und Wachen in Gott. Das Leben des Geistes nach dem irdischen Tode kann in Gott zur seligen Ruhe gelangen. Das ist die himmlische Seligkeit, nach welcher der gute Mensch sich sehnt. Sie entspricht der glücklichen Nachtruhe auf der Erde. Aber sie ist heller, reicher; denn sie ist Teilnahme an dem Leben des göttlichen Geistes. Sie kann aber auch zum Leiden des Geistes werden, der sich seiner Schuld bewusst wird, und dessen getrübte Natur nicht der göttlichen Idee entspricht, nicht in Harmonie ist mit dem göttlichen Leben. Das ist die Unseligkeit, das die Hölle, vor der den Bösen bangt. Dann beginnt neue Arbeit. des Individuums an der eigenen Reinigung. Hier sind unendlich viele Abstufungen möglich. Die kirchlichen Vorstellungen von dem Fegfeuer und den Höllenqualen sind Ahnungen und rohe Bilder der Wahrheit.

„Die Erscheinung von Christus nach der Auferstehung offenbart die Möglichkeit, dass der individuelle Geist sich einen relativen Scheinkörper bilden kann. Die Möglichkeit dafür ist in der Unterlage, dem Nichtsein gegeben. Es ist das freilich nur ein ätherischer Körper, der aber genügt, um auch ein relatives Bewusstsein hervorzubringen."

Auch über die Möglichkeit einer Rückerinnerung an früheres Leben sprach Fritz, ohne eine bestimmte Überzeugung auszusprechen. Er meinte, manche bedeutende Menschen von hellem Verstande, sogar Lessing haben diese Vorstellung gehabt. Zuweilen tauchen in den Träumen solche Bilder auf. Es wäre möglich, dass das eine makrokosmische Einwirkung wäre, die auf den schlafenden Menschen grösser sei, als auf den wachenden. In Gott sei jedenfalls die Erinnerung sicher.

Wieder einen vollen Eindruck seiner Genialität bekam ich am 25. April auf einem Spaziergang nach Giesing. Ich hatte ihn im Grünen Baum abgeholt, wo er zu Mittag gegessen. An diesem schönen Nachmittag war er ungewöhnlich mitteilsam.

Anfangs sprach er von politischen Aufgaben. Er sprach die Idee aus, der heutige Stat müsse auch eine Gemütsmacht üben. Thue er das nicht, so werde er niemals die richtige Stellung gegenüber der Kirche erringen, die dann die einzige moralische Macht in der Welt sei. Wenn er seine moralische Kraft gezeigt und den Völkern erwiesen hat, dann kann er ohne Gefahr der Kirche volle Freiheit verstatten. Er schlug vor, der Stat solle zwei Orden stiften und ausstatten, den einen der Thatherren für grosse Thaten, die der Menschheit und den Völkern zu Gute kommen; den anderen als zahlreicheren Ritterorden des heiligen Geistes für edle Männer, die sich im Leben als edle Naturen bewährt haben. Wenn

er so ergänzend der Kirche an die Seite trete, so möge
auch die Kirche, indem sie für die Wissenschaft wieder
Etwas leiste, dem Stat ergänzend begegnen. Für Deutschland sollte auch der deutsche Herrenorden wieder belebt
werden.

Ebenso sprach er von Bayern, und der mittleren
Stellung zwischen Preussen und Österreich. „München ist
nur ein grosses Dorf, und dennoch hat München eine Bedeutung zwischen Wien und Berlin.“

Dann kam er auf Spinoza zu reden: „Spinoza hat
allerdings auch schon die Pforten der Hölle wissenschaftlich überwunden. Aber nur für sich selber, nur in sich,
nicht für die Welt. Er hat sich freigemacht, er hat nicht
die Welt befreit. Er war nicht bloss ein grosser Denker,
er war auch ein edler Mensch. Er verdient ein gross-
artiges Denkmal.“

Das Gespräch ging leicht hin und her, ohne irgend
welche Aufregung. Je nachdem sich ein Stoff bot, wurde
derselbe erhascht. Wir ruhten dann eine Weile bei dem
Weinbauer in Giesing aus und erfrischten uns.

Aber auf dem „Heimwege“ entlud sich wieder ein
gewaltiger Geistessturm. Auf der Höhe hielt er an. In
der Ferne erhoben sich am Horizont düstere Wetterwolken.
In der Nähe warf die Sonne noch einen hellen und scharfen
Schein auf das Isarthal und die Stadt zu unseren Füssen.

Er erinnerte vorerst an den Mythus der Höllenfahrt
Christi und an die Fahrt des Faust bei Goethe in die
dunkle Tiefe „zu den Müttern“. Die Urtiefe ist die ewige
Unterlage, das Nichts, die Unterlage des makrokosmischen
Gottes. Die Mütter sind die psychischen Urkräfte in Gott,
die „Sechzehn“.

„Aus der Vereinigung der Geschlechter entsteht neues Leben. Aber Gott ist Eins, Er scheidet sich nicht in zwei Geschlechter. Er ist vollständiger, nicht geteilter Organismus, volles Leben. Aber es sind in Gott auch weibliche Kräfte, wie männliche. Der Gegensatz derselben ist in ihm nicht zu Mann und Weib ausgebildet wie unter den Menschen. Aber der Gegensatz der Kräfte ist in seiner Natur. Es ist ewig Weibliches in Ihm. In der ewigen Unterlage, dem Nichts, ist Alles. Auch Gott muss, wenn er sich in den Anfang versenken will, in diese dunkle Tiefe niedersteigen. Er muss, wenn er Neues schaffen will, die Kraft dazu aus der Tiefe seines Wesens holen, aus dem dunkeln, bisher noch nicht erfüllten Grunde.

„Indem Gott selber Sich in Seinen Grund vertieft, ruht er in dem Nichts. Das ist der Schlaf Gottes, in welchem auch Gott aus dem Nichts neue Lebenskraft entnimmt. Er kann, in der Ewigkeit begraben, ruhig schlafen, weil er seines Erwachens sicher ist, weil er allmächtig ist, weil die Erinnerung mit dem Bewusstsein wiederkehrt.

„Es kann diese Versenkung in den Urgrund und dieses Schlafen Gottes auch nur teilweise geschehen, ohne dass der Weltkörper, wie er ist, in seinem Leben und seiner Bewegung irgend gestört wird. Es ist aber denkbar, dass es im Ganzen geschehe. Dann müsste der Weltkörper untergehen und sich wieder in dem uranfänglichen Nichts, dem Chaos, auflösen. Es kehrte die Weltnacht wieder. Aber es würde daraus ein neuer Weltkörper und ohne Zweifel vollkommener als der gegenwärtige neu hervorgehen, wenn Gott wieder erwachte aus dem Schlaf und Sich Seiner Fortschritte wieder bewusst würde.“

Fritz schrieb das tiefe Wort nieder: „Die Mütter in

Gott müssen gesättigt werden, damit Gott fortlebe und fortschreite.“

Die Idee erinnerte sowohl an die christliche Ahnung in der Apokalypse von dem „neuen herrlicheren Jerusalem“, als an den altgermanischen Mythus, dass der Allvater nach dem Untergange der Götter und nach dem verzehrenden Weltbrand eine neuere schönere Erde und einen seligeren Himmel schaffen werde. Der Gedanke war aber schärfer und klarer, als jene religiösen Ahnungen.

An diesem, wie an früheren Tagen, war ich erstaunt über die Kraft seiner Sprache, wie seiner Gedanken. Er schien mir gesunder als je. Aber dieser Eindruck wechselte zuweilen mit dem entgegengesetzten. So traf ich ihn eines Abends, als er von meiner Wohnung nach Hause ging. Sein Gang war unsicher. Ich begleitete ihn, als mir das auffiel, in seine Wohnung. Er versuchte noch, einige abgebrochene Sätze zu dictieren, sank aber ermüdet auf den Stuhl zurück. Da sass er regungslos, bewusstlos, mit geschlossenen Augen. Ich bekam den Eindruck, als sei er sterbend. Es war sehr beängstigend. Dennoch war er am Morgen darauf wieder ganz frisch. Nur erinnerte er sich nicht mehr an das, was er in der Nacht zuvor gesprochen hatte. Er sagte, er habe in der Nacht geträumt, er sei gestorben, und als er am Morgen erwachte, habe er zu sich gesagt: „Guten Morgen, also doch noch hier.“

Er fühlte sich dann wieder so frisch, dass er sogar daran dachte, sich wieder zu verheiraten.

In ganz heiterer und liebenswürdiger Stimmung sprach er am 29. April über die Pflanzen, die noch an Gott gebunden, von Gott nicht zu trennen seien, und die den Menschen dazu dienen, Gott zu vermitteln. „Ein frommes Ge-

müt sieht Gott in der Pflanze. Aus der Pflanze spricht
Gott zu ihm. Durch das kleinste Pflänzchen, das ein armer Mensch im Zimmer oder vor dem Fenster hat, kann
er zu Gott sprechen und spricht Gott zu ihm."

Nachdem er dann das Grab der Mathilde auf dem
Kirchhof besucht hatte, sprach er auf dem Heimweg über
die Metalle und äusserte: „Die Metalle hat Gott nicht
für Sich, sondern für die Menschen in Seinem Körper gebildet. Sie sind keine Geschöpfe, sie sind Teile des makrokosmischen Körpers. Aber Gott hat an den Menschen
und dessen Bedürfnisse gedacht, als er die Metalle machte,
lange bevor es Menschen gab.

„Die Menschen fühlen sich angezogen von den Me-
tallen. Ich empfinde diese Anziehungskraft der Metalle
ebenfalls, nicht wenn ich das Silber betrachte, das mich
gleichgiltig lässt, aber wohl, wenn ich Gold sehe. Das
ist unterläglich. Gott und der Teufel bedienen sich dieses
Mittels, um auf die Menschen zu wirken. Wären die Metalle nicht, so wäre kein Verkehr und keine Cultur unter
den Menschen. Sie sind daher nötig nicht für die Er-
zeugung der Menschen, aber für die Entwickelung der
Menschen. Darin offenbart sich die Vorhersorge Gottes
sehr deutlich."

Für mich enorm bedeutend war der erste Mai, auf
den zugleich der christliche Festtag der „Himmelfahrt
Jesu" fiel; denn ich machte an diesem Tage eine Lebens-
erfahrung, wie ich sie niemals an Anderen gemacht und
auch an mir selber früher und später niemals. Ich lernte
das kennen, was man Ekstase nennt.

Ich besuchte am Morgen Fritz in seiner Wohnung.
Wir sprachen über die Form der Mitteilung. Ich erklärte

mich entschieden gegen den früheren Vorschlag, die Schrift
„des Welträtsels Lösung“ zu nennen, als unwürdig,
kleinlich, marktschreierisch. Wenn die Realität offenbar
geworden sei, so brauche man nicht mehr von Rätsel zu
reden. Darauf sagte Fritz, nachdem er sich einige Zeit
besonnen hatte, ohne besondere Aufregung, ganz ruhig:
„Wie wäre es, wenn ich ganz einfach hinschriebe

Gott,

ohne alles Weitere. Das wäre dann das Erste und würde
anonym erscheinen. Das Zweite wäre die Unsterblichkeit
und könnte vielleicht mit Namen erscheinen.“

Dieser einfache Vorschlag,

Gott

zu schreiben, ergriff mich, ohne dass Fritz irgend Etwas
hinzufügte, zwar nicht schon im ersten Augenblick, aber
allmälich und dann mit so furchtbarer Gewalt, dass es
mir war, als empfände ich im Innersten meiner Seele die
Nähe Gottes. Ich ward unwillkürlich von der Majestät
Gottes ergriffen und durchglüht. Ich kümmerte mich um
nichts, auch um Fritz nicht im mindesten. Ich spürte
Gott ganz unmittelbar und ebenso unwiderstehlich
als grossartig. Ich kam mir vor, wie berührt und geweiht von dem göttlichen Geiste. Die Gemütserregung in
mir war so überwältigend, so gewaltig, wie ich sie niemals erfahren hatte, weder vorher noch nachher. Dabei
hatte ich das lebhafteste und aufrichtigste Gefühl der Demut. Ich fragte mich: „Wie komme ich dazu? mit meinen unzureichenden Kräften?“ Ich konnte es nicht fassen.
Trotzdem fühlte ich in diesem Moment eine furchtbare
Macht in mir, die siegreich von mir ausströme. Diese
Macht war ein Reflex der unermesslichen Macht Gottes

ausser mir. Ich hatte, es mögen Andere, die dergleichen
nie erfahren haben, das für Verrücktheit halten, das bestimmte Gefühl, dass mein Wesen erglühe und leuchte.

Fritz, der meine Ekstase sah, ging eine Weile fort
aus dem Zimmer, damit ich mich allein wieder erhole. Er
war selber nicht erregt. Auch in mir ging diese Erregung
rasch vorüber. Aber sie liess in meinem Geiste einen un-
auslöschlichen Eindruck zurück. Auch heute noch, dreiund-
zwanzig Jahre später, kommt mir das damalige Erlebnis
wie ein höchst bedeutender heiliger Act vor, den ich nur
als unmittelbaren Rapport meines Geistes mit dem Geiste
Gottes verstehen kann, nicht als eine blosse Einbildung
meiner erregten Phantasie. Ich war dabei die ergriffene,
nicht die ergreifende Person und fühlte mich durchaus
nicht als Gott, aber als von Gott beseelt und durch-
leuchtet.

Sonderbarerweise kam auch über Fritz eine Gemütserregung, aber erst am Nachmittag und von ganz anderer
Art. Er machte derselben Luft, indem er einige Gedichte
niederschrieb. Das erste derselben will ich mitteilen.

Als Christus starb, so sagt der alte Mythus, —.
— (Es schifften griech'sche Schiffe auf dem Meer) —
Ein Sturm entstand, ein schrecklich Streiten in der Luft.

Sie waren Griechen: „Der grosse Pân ist nun gestorben!“
„Durch Eines Menschen Sterben ist er tot.“
Natur und Erde hatten es verloren,
Ein Mensch hat Gott — und auch das All zurückbeschworen.

Ein Dichter könnte den Gedanken schöner und klarer
ausdrücken, aber die Grösse des Gedankens nicht steigern.

Seine Ermüdung an dem Abend dieses Tages war
entsetzlich. Oft klagte er: „Ich armer, gequälter Geist.“

Dann folgten wieder Tage des Wechsels zwischen der Zuversicht, fertig zu sein mit allen Vorarbeiten, und den neuen Erwägungen von einzelnen Fragen.

Die Kritik des Gottesbegriffs war sehr rasch vergriffen worden. Eine zweite Auflage wurde nötig. Kolb ärgerte sich über diesen Erfolg, und dass die Allgemeine Zeitung dazu beigetragen habe. Sie sei, meinte er, mystificiert worden. Sonst hätte sie, nach dem Streit mit Rohmer, die Rohmer'sche Schrift nicht angezeigt. Aber Kolb war ein kranker Mann, vom Schlage gerührt. Ich hörte ihn kläglich stöhnen, als ich am 10. Mai die Redaction in Augsburg besuchte. Er hätte mich jedenfalls nicht ertragen können. Ich konnte daher nur mit Dr. Altenhöfer sprechen. Die Freunde Rohmer's aber waren natürlich freudig gestimmt und hofften, wenn die Kritik so günstig aufgenommen werde, so werde die Wahrheit auch Eingang finden. Das war freilich eine Täuschung. Die Negation empfahl sich als solche dem Zeitgeiste besser als die Position, für die die Geister noch nicht reif waren.

14. Mai. Äusserung von Fritz: „Der Fehler der Menschen war: Statt zu sagen:

Das Sein (die Einheit) hat immer zwei Bestandteile in sich, ist also dualistisch,

setzten sie erst das Sein als Einheit, und dann jeden der beiden Bestandteile wieder als Einheit. So bekamen sie falsche Gleichungen und am Ende auch die Dreiheit.

„Der Hebel mit seinen zwei Armen ist ein mechanisches Bild der richtigen Zweiheit, die zusammengehört und in ihrer Verbindung die Welt bewegt.“

16. Mai. Warnung vor der Verwechslung des Gegensatzes von

Makrokosmos und Mikrokosmen
Gott und Geschöpfe
als von lebendigen Wesen, mit dem Gegensatze der beiden
Bestandteile (Unterlage und Eigenschaft u. s. f.) sowohl in
Gott als in den Geschöpfen.

Sodann: „Die Unterlage des Makrokosmos d. h. Gottes
ist der Raum, der keineswegs von der Materie erfüllt ist,
ist geistige Potenz, ununterschieden von leiblicher Potenz,
unterläglicher Geist. Nun gibt es aber auch in dem Menschen, der aus Körper und Geist besteht, unterläglichen
Geist. Darauf beruht der Rapport des menschlichen mit
dem göttlichen Geiste, darauf auch die Möglichkeit der
Unsterblichkeit.“

Das war mir früher schon klar geworden; und ich
hatte darauf die Vervollkommnungsfähigkeit und die Selbstvervollkommnung des Menschen basiert. Der Gedanke wurde
dann von Fritz selber noch schärfer so ausgesprochen:

18. Mai. „Das menschliche Individuum ist eine be-
lebte Idee Gottes, ein einzelnes Wort Gottes, in die endliche Schöpfungswelt von Gott gesprochen, aber im Körper
mit allen Seelenkräften, die auch Gott in sich hat, aus-
gestattet, und in dem Individualgeiste mit den Geistes-
kräften unterläglich begabt, welche der besonderen Idee
Gottes entsprechen, und berufen, nun sich selber fortzu-
bilden und sich selber auszusprechen. Indem der Mensch
diese Bestimmung erfüllt, kann er selber an dem Fortschreiten Gottes durch seine Thaten und Werke sich beteiligen.

„Wäre die Materie tot, und nur der Mensch ein
Geisteswesen, so würde der Mensch, der aus der Natur
stammt, von dem Tode zum Leben kommen, und wenn

er dann stirbt, wieder aus dem Leben in den Tod zurückkehren. Das ist ja Unsinn."

Am Dreieinigkeitstage schrieb und dictierte er Folgendes:

„Wenn wir uns Gott als Dualismus denken, so wissen
wir, dass wir den Urgrund Gottes nicht begreifen können.
Von dem Urgrund Gottes kann ein geschaffenes Wesen,
weil es beschränkt ist, nie einen Begriff haben, da die
ewige Unterlage Gottes unbegrenzt sein muss. Gott selber
kann seinen Urgrund begreifen, weil er das unendliche
Sein ist. Denselben beständig und ewig zu begreifen, muss
er nach seiner unendlichen Natur streben. Gott begreift
Sich, indem er Seinen Grund in Sich hat, ohne diesen Begriff je zu vollendeter Selbsterkenntnis abschliessend bringen zu können, weil er dann aufhören würde, der unendliche Geist und das ewige Leben zu sein, weil er dann die
ewige Ruhe würde. Aber Sein Geist weiss, woher er
kommt und wohin er geht, während wir Menschen nur
dadurch einige Klarheit gewinnen, dass wir erkennen, der
Urgrund sei in Gott, und in Gott auch unendliches Leben,
unsere Existenz aber und unser Leben seien von Gott abgeleitet.

„Die menschliche Persönlichkeit existiert nur dadurch,
dass sie (der Individualgeist) eine lebendige Idee Gottes
ist, welche, gleichviel von welchem Inhalt und welcher
Art, von Gott in die endliche Welt hineingesprochen worden ist. Da der Schöpfer eines Wesens in seinem Geschöpfe doch nicht Sich Selber widersprechen wird, so hat
auch Gott als Schöpfer dem Menschen ein Zeugnis mit-
gegeben der göttlichen Natur mit ihren reichen und wohlgeordneten Kräften."

Schon vorher zu Pfingsten war er endlich frei geworden von dem alten Banne der Kategorie Unterlage und Eigenschaft. Das hatte ihn immer wieder aufgehalten und irre geführt. Nun erklärte er definitiv: „die logische Unterscheidung in dem Sein von

Unterlage und Eigenschaft

hat keine höhere Bedeutung, als alle anderen Gegensätze

Raum und Zeit,

Ruhe und Bewegung,

Notwendigkeit und Freiheit,

Anlage und Entwickelung

und so fort. Es kommt nur darauf an, den Dualismus in dem Sein zu begreifen. Dann lässt sich das Sein von verschiedenen Kategorien aus untersuchen. Man kann den Standpunkt und die Betrachtung verändern. Man wird die Wahrheit am sichersten finden, wenn man sie von verschiedenen Seiten her prüft, wenn man die Kategorien mit einander vergleicht."

Das Zusammentreffen der entscheidenden, letzten Arbeiten und Äusserungen mit christlichen Festtagen mochte zufällig sein, aber es war auffallend und gar nicht gesucht. Fritz selber hatte keine kirchlichen Neigungen noch Gewohnheiten.

Am 9. Juni endlich fand Fritz auch die Sprache, nach der er sich so lange vergeblich gesehnt hatte. „Jetzt oder nie," sagte er und schrieb dann die ersten Sätze nieder. Ich hatte ihn zufällig am Abend beobachtet, als er in dem königlichen Hofgarten bei schon beginnender Dämmerung die Sätze mit Bleistift in grossen Zügen niederschrieb. Er schilderte die Vertiefung in den dunkeln, lautlosen Urgrund. Er brachte dann Abends die Sätze mit zu uns und schenkte das Manuscript meiner Frau. Er war aber an diesem Abend sehr ermüdet und konnte die Schrift nur mühsam vortragen. Mich frappierte der mächtige Lapidarstil, aber das Ganze gewann für mich erst die Klarheit, als ich die Sätze in's Reine schrieb, nachdem ich vorher die Bleischrift mit Tinte überzogen hatte. Auch die Anderen wurden überrascht, als sie die Reinschrift lasen. Es war nichts geändert, kein Wort, keine Silbe; und dennoch machten die Sätze einen ganz anderen Eindruck. Nur die Interpunktion und schärfere Scheidung der Sätze war neu.

Es war das Einzige und es war das Letzte, was Fritz selber zur Darstellung seines Wissens von Gott geschrieben hat. Als ich ihn am folgenden Tage sprach, fand ich ihn frisch, heiter, voll Freude, dass ihm das Erste gelungen sei und er seine Sprache gefunden habe. „Der Anfang," sagte er, „war schwer. Nun steige ich zum Lichte auf. Ich freue mich auf diesen Aufgang zum Licht. Da kann ich auch meine Phantasie gehen lassen. Das wird dann auch auf das Erste Licht werfen." Er dachte dabei nicht an den Tod, sondern an die Fortsetzung seiner Sätze.

Ich teile jene ersten Sätze mit, teils um ihrer Bedeutung willen, teils weil sie für die Eigentümlichkeit dieses Geistes höchst bezeichnend sind.

1.

Indem ich Dich in die Schauer der Vorwelt führe, erschrecke nicht!

Tief ist der Abgrund, in den wir steigen; denn er war vor Gott, wenn ein Gott ist.

Hinauf führe ich dich dann an das Licht, das von seiner Entstehung an sein unendliches Leben gefunden hat.
Aber wir gehen zuvor hinab.

Hinab in den Grund von Allem was ist.

Siehst du — du siehst es nicht und kannst es nicht sehen — die Ausdehnung des Raumes, in dem du Nichts entdecken kannst ausser der schweren Dunkelheit, Nichts ermessen, auch nicht oben und unten, links und rechts?
Vertiefe dich mit mir!

Hast du Etwas? Du hast Nichts.
Und einst, in für uns ungemessner Ferne,
War doch jenes Nichts.
Es war ja die Finsternis,
Welche die Zeit geboren hat.
Und sie war ein einziger Schlaf,
Geendet durch die Zeit.

Einen Augenblick kannst du dich versetzen
in jenen Raum,
der das Nichts in sich barg,
bis er durch das Licht erwachte.

Aller Schrecken der Finsternis kann dich nicht hinüber geleiten in die Herrlichkeit des Lichts.
Nichts hilft dir der Schrecken.
Folge mir!
In den tiefen, dunkeln Quell alles Seins
Werfe dich wieder!

Er allein kann dich heilen,
Aus diesem kannst du schöpfen was dir,
   dem Menschen, nötig ist.

Gott ist vielleicht,
   Vielleicht ist er nicht.
Vielleicht ist der Mensch
   Das Erzeugnis des Urgrunds.
Und was hätten wir denn, wir Menschen?
Hätten wir Etwas an Ihm?
   Wer ist Er denn?

Hinab!   Noch einmal folge mir!
Hörst du die Stille?
Nein, du kannst sie nicht hören.
Es ist die erste Stille und die letzte.
   Keine gibt's weiter;
   Denn das Licht hat
     Ihr ein Ende gemacht.
   Der Schlag, als das Licht
   Zuerst den Raum traf,
     Schuf.

Von da aus, aus der schrecklichen Schwere
Kam das, was dich selbst bewegt.
— Denke nach über den Abgrund,
   Vertiefe dich in diese Wüste!
   Dann steigen wir aufwärts.

Abends war Fritz noch in Pasing gewesen, und er
kam ungewöhnlich ruhig und in angenehmer Stimmung nach
Hause. Er sprach bis Mitternacht mit seiner Schwester,

der Wittwe Bruckmann, und mit der Haushälterin Ricke,
auch über den Tod des Kaisers Nikolaus. Er nannte denselben ein „Gottesgericht".

Am Morgen des 11. Juni arbeitete er wie gewöhnlich, indem er hin und her ging im Zimmer. Dann ging
er aus, in das Lilienbad. Im Bade, während er ein Buch
über die nordamerikanische Union las, traf ihn der töd-
liche Nervenschlag, um die helle Mittagsstunde.

Er war ohne Schmerzen plötzlich heimgegangen, zum
Licht aufgegangen, in anderem Sinne, als er den Tag zuvor gedacht hatte.

* * *

14.

**Bürgerliches Gesetzbuch. Reformvorschläge betr. Fabrikarbeiter,
Erbrecht der Gemeinde, der Frauen und der Mütter. Bluntschli-
rasse. Schwyz und die Schwyzer. General Reding. Deutsches
Statswörterbuch. Brater. Reise nach Nürnberg, Bamberg, Frank-
furt, Göttingen, Hamburg, Helgoland, Berlin. Kaulbach, Keller,
Ranke.**

Ich habe die erneuerte Verbindung mit Friedrich
Rohmer bis zu dessen Tode in ihrem Zusammenhang und
ihrer Entwickelung verfolgt. Es wird nun auch ein Rück-
blick nötig auf die übrigen Lebenserfahrungen während
dieser Zeit.

Bis zum Frühjahr 1855 dauerten die Beratungen meines Entwurfs zu dem bürgerlichen Gesetze in Zürich fort;
immer in der von Anfang an beachteten Weise friedlichen
und unbefangenen Zusammenwirkens Aller.

Zwei Reformen freilich, die ich beantragt hatte, konnte
ich nicht durchsetzen. Die eine bezog sich auf das Ver-

14*

hältnis der Fabrikarbeiter, welche ich besser als bisher
gegen übermässige Ausbeutung ihrer Kräfte sichern wollte.
Wie arg damals noch die Zustände in dem industriellen
Kanton Zürich waren, dafür zeugt eine Regierungsverord-
nung vom 15. Juli 1837, also aus der Zeit des liberalen
Regiments, worin die Arbeitszeit, zu welcher Kinder unter
16 Jahren in den Fabriken angehalten werden dürfen, auf
„höchstens 14 Stunden" bestimmt worden war. Die Gefahr war gross, dass infolge des Missbrauchs der Kinder
zur Fabrikarbeit ein körperlich und geistig verkommener
Nachwuchs der Arbeiterbevölkerung künstlich geschaffen
werde. Meine Vorschläge, durch das Gesetz zu bestimmen, dass Kinder unter 11 Jahren überhaupt nicht in Fabriken verwendet werden dürfen, Kinder unter 16 Jahren
höchstens 10 Stunden beschäftigt werden dürfen, und niemals zur Nachtarbeit, dass den Ehefrauen und Müttern,
welche Familienpflichten zu erfüllen haben, auch höchstens
10 Stunden Arbeitszeit auferlegt werden dürfe, dass um
Mittag eine Pause von mindestens einer Stunde gewährt
werden müsse, dass der Arbeitslohn nur in barem Gelde
bezahlt werden dürfe, und dass auch für Erwachsene die
Arbeitszeit nicht über $12^{1}/_{2}$ Stunden ausgedehnt werden
dürfe, erschienen gegenüber den späteren Gesetzen noch
als sehr gemässigt. Dennoch erregten die Vorschläge den
heftigen Widerspruch vieler Industriellen. Die Kommission
überzeugte sich, dass dieser Gegenstand besser in einem
besonderen Gesetze, nach vorheriger allseitiger Prüfung der
Verhältnisse geordnet werde. Den Anstoss dazu gegeben zu
haben, war mir auch später eine angenehme Erinnerung.

Die andere von mir beantragte Reform des Erbrechts schien noch gewagter. Ich wollte ein je nach der

Entfernung der zur Erbfolge berufenen Parentelen steigendes Erbrecht der Heimatsgemeinde des Erblassers einführen. Ich ging davon aus, dass der letzte Grund alles gesetzlichen Erbrechts die Gemeinschaft der Rasse sei zwischen Erblasser und Erben, und daher die relative Fortpflanzung der Rasse in den überlebenden Personen. Wie nun aber der Einzelne durch die Abstammung in der Familie mit seinen Blutsverwandten verbunden sei, so sei er auch mit seiner Gemeinde verbunden und dem Stat. Die Gemeinde sei gewissermassen eine erweiterte Familie. Daher gebührt auch der Gemeinde ein Erbrecht, das ich bescheiden auf 5 Procent gegenüber Erben aus der elterlichen Parentel, 10 Proc. gegenüber der grosselterlichen Parentel, 20 und 30 Proc. im Verhältnis zu den folgenden Parentelen vorschlug. Dieses Erbgut der Gemeinde sollte aber nicht als Steuer betrachtet und nicht zu öffentlichen Zwecken verwendet, sondern zur Ausstattung von neuen Familien verteilt und so wieder dem Privatbesitz und dem Privatvermögen zugeleitet werden. Ich dachte in dieser Weise der Gefahr übermässig angehäuften Reichtums entgegen zu arbeiten, ohne die Sicherheit des Privateigentums zu gefährden, und einen gesunden Blutumlauf in dem Vermögen der Privaten zu befördern.

Der Vorschlag, den ich in meinen Erläuterungen (S. 71 u. ff.) näher besprochen habe, wurde aber von der Mehrheit der Kommission abgelehnt; und er war noch unreif. Der Grundgedanke selber aber ist ein Samenkorn, das dereinst aufgehen wird.

Andere Reformanträge im Erbrecht fanden dagegen allgemeine Billigung und wurden durchgeführt. Vor allem die Änderung des bisherigen gesetzlichen Erbrechts, welches

ausschliesslich den Mannsstamm (die sogenannten Vater-
magen) für erbfähig erklärte und sogar die Mutter eines
Kindes und ebenso alle mütterlichen Verwandten von dem
Erbrechte ausschloss. Die Gleichberechtigung der Vater-
seite und der Mutterseite wurde nun grundsätzlich anerkannt. Auch die Erbportion der Witwe wurde erhöht.
Ich schrieb darüber meiner Frau: „Die Frauen des Kan-
tons Zürich haben Ursache, uns wohlgesinnt zu sein. Wir
bedenken dieselben viel besser, als sie bisher berücksichtigt
waren. Bisher mussten sie nach dem Tode des Mannes,
wenn Kinder da waren, auf allen Hausrat desselben, wenn
keine Kinder vorhanden waren, auf vier Fünfteile des
Hausrats verzichten, also zusehen, wie Möbeln, Gerätschaften u. s. f., mit denen sie gelebt und sich gleichsam
gemütlich verwachsen hatten, ihnen weggenommen wurden.
Nun sollen sie in Zukunft, wenn Kinder da sind, die Hälfte
des Hausrates des Ehemanns, wenn keine Kinder da sind,
den ganzen Hausrat erhalten. Auch die Mütter werden
nun zu Erben erhoben werden und künftig die Barbarei
fallen, welche die Mutter verstiess und entfernte väterliche
Vettern ausschliesslich zur Erbschaft berief." (4. April 1855.)

Aus den Briefen, die ich während der öfteren Besuche
der Schweiz an meine Frau geschrieben habe, merke ich
Einiges an:

Über den Tod meiner Tante Koller und die Rasse
Bluntschli schrieb ich im Mai 1853: „In der Bluntschli-
rasse — meine Tante war eine Schwester meines Vaters
— ist eine grosse Willenskraft. Kenner behaupten, das
sei in unsere Familie erst durch meine Grossmutter gekommen, eine geborene Steinbrüchel, und zeige sich erst
in deren Nachkommen. Die Tante wollte noch leben, und

ihr Arzt versicherte, sie habe durch diesen starken Willen ihr Leben um ein halbes Jahr verlängert. Nie ergab sie sich der Krankheit und Schwäche. „Du musst Dich wehren," sagte ihr mein Vater; und sie wehrte sich wieder. Wenn man Abends gemeint hatte, sie werde in der Nacht sterben, so sass sie Morgens wieder auf dem Sopha und strickte mit der Bemerkung, es werde schon wieder gehen. Endlich im letzten Todeskampf war sie nicht dazu zu bringen, dass sie den Kopf auf das Kissen niederlege. Die ganze lange Zeit sass sie aufrecht im Bett und aufrecht starb sie. Es war gar nicht Todesfurcht, die sie am Leben erhielt. Es war einfach der Wille zu leben, so lange noch ein Funke von Lebenskraft in ihr war. Mein Vater wird das ganz ebenso machen. Er schätzt sein Leben noch auf sechs Jahre, und er wird sich „wehren", so viel er kann. In diesem Stücke bin ich anders. Sobald mein Körper afficiert ist, so lasse ich denselben fallen und ruhen. Aber ich habe in meiner geistigen Organisation einen Zug eben jener Willensenergie und verstehe dieselbe daher in meinen Verwandten sehr gut."

In der That hatte mein Vater sein Lebensalter richtig vorgesehen. Er starb sechs Jahre später.

4. Oktober 1854. „Ich habe die schönen Ferientage benutzt, um den geliebten Vierwaldstättersee zu besuchen. Sonntag Früh fuhr ich mit der Post nach Luzern und von da mit dem Dampfboot nach Fluelen und zurück nach Brunnen. Es erhöhte mir Verständnis und Genuss, dass ich von dem freundlichen Tegernsee und von dem reicheren Zürchersee her dahin kam. Die zauberhafte Pracht des Vierwaldstättersees trat mir um so klarer entgegen, je vorbereiteter ich stufenweise zu ihr aufstieg.

„Abends fuhr ich mit Landammann Styger, der mich, anfänglich ohne zu wissen wen, eingeladen hatte, in seinem Einspänner mitzufahren, nach Schwyz, und ich blieb da den ganzen Montag in Gesellschaft mit meinem alten Freunde Landammann Nazar von Reding. In Schwyz ist doch der innerste Kern der Schweiz. Es ist ganz gerecht, dass die Schwyzer (und nicht die Zürcher) der Schweiz ihren Namen gegeben haben. Da, am Fuss der stolzen Felsenpyramiden, der Mythen, ist der harte und stolze Mannessinn gezeugt und grossgezogen worden, der die Schweiz in's Dasein gerufen und ihre republikanische Freiheit erkämpft hat. „Im Kleinen gross“, das ist so recht die Art dieses merkwürdigen und fruchtbaren Fleckes Land, wo sich die Schwyzer angebaut haben. Es war mir bei der Berührung mit diesem Boden und im Anblick dieser Berge und Matten, als ob ich in die geheimnisvolle Atmosphäre der schweizerischen Urkraft eingetreten wäre; und stolzer erhoben sich die Gefühle meiner Brust, wie von Stahl gehärtet empfand ich meine Nerven.

„Die Schwyzer im engeren Sinne übrigens erscheinen mir keineswegs liebenswürdig, und meine Vorliebe für Nidwalden hat keinen Abbruch erlitten, seitdem ich Schwyz wieder gesehen habe. Sie sind zu ungesellig, zu rauh, zu kalt, zu steinern, möchte ich sagen, um liebenswürdig zu sein. Ich fand zwar in dem Reding'schen Hause eine sehr freundliche Aufnahme, und es ward mir ganz wohl zu Mute. Aber das ändert nicht den Gesamteindruck, den ich empfangen habe. Die vornehmen Schwyzer — vornehm sind sie im Dienste fremder Fürsten geworden, stolz waren sie schon aus heimischer Natur und Geschichte — halten viel auf ihre Geschlechter. Sie wohnen in Häusern, die etwas

Schlossähnliches haben, bewahren die Erinnerung an ihre Urhöfe und besitzen bei diesen Familienkapellen.

„Reding erzählte mir viel von seinen Vorfahren, unter anderm von dem General Reding, der zur Zeit Ludwig's XV. in französischen Diensten war. Damals hatten die Schwyzer einen Anstand mit Frankreich über ein Reglement für die Truppen. Es kam so weit, dass jene die Capitulation für verletzt erklärten und ihre Truppen nach Hause riefen. Nach diesem Beschluss der Landsgemeinde fand aber noch ein Transport Rekruten aus Schwyz nach Frankreich statt, die allerdings vor dem Beschlusse geworben waren. Darüber gerieten die Schwyzer in Zorn und traten zusammen in der Absicht, die schwersten Strafen gegen die zu verhängen, welche den Volkswillen missachtet hatten. Mit Mühe erhielt die Frau des Generals Reding, die sich mutig zur Landsgemeinde begeben hatte, das Wort von der Bühne. Es gelang ihr, durch ihre Verteidigungsrede das Volk zum Aufschub des Urteils zu erbitten, bis ihr Mann zurückgekehrt und angehört worden sei. Der König von Frankreich wollte ihn von der gefährlichen Rückkehr abhalten und bot ihm die französische Naturalisation und die Würde eines Connétable an. Er kehrte dennoch mit seinem Häuflein Schwyzer Soldaten nach Hause zurück, welche in der Heimat durch das Lob, das sie ihrem Führer spendeten, die gereizte Stimmung gegen den General milderten. Die Todesgefahr verzog sich so. Als die neue Landsgemeinde zusammentrat, wagte nur ein frecher Bursche dem General mit einem Strick zu drohen, an dem derselbe aufgehängt werden sollte. Das Volk hörte den Angeklagten ruhig an. Dennoch wurde er für ehr- und wehrlos erklärt, auf 10 Jahre verbannt und in eine Busse von 60,000 Gulden verfällt, die sogleich unter die Landleute zu verteilen seien. Der General bezahlte die Busse und ging nach Uri. Später wurde er wieder aufgenommen und zum Landammann gewählt. Über die Rückgabe der Busse wurde nichts beschlossen. Einzelne Priester suchten aber ihre Beichtkinder zu bestimmen, dass sie zurückgeben, was sie empfangen hatten, und der Bischof bestätigte die Ermahnung. Reding aber erklärte, er wolle Nichts mehr von dem Gelde. Jener Bösewicht kam in's Elend und wollte sterbend noch den Landammann auf den Knien um Verzeihung bitten. Er gelangte aber nicht weiter als bis zum Schweinestall im Hofe. Da starb er. Reding aber, als er davon unterrichtet ward, liess ihn auf seine Kosten begraben, zum Zeichen seiner Verzeihung.

„Was sagst Du zu dieser Geschichte? Ist da nicht Grösse?"

Zürich, 7. April 1855. „Am Ostersonntag war ich in der Kirche. Die Predigt von Alexander Schweizer war ein bedeutendes Wort. Im ersten Teil, die vorbereitenden Schritte zum Glauben an die Auferstehung schildernd, schien mir Einiges eher für eine katholische als für eine reformierte Kirche geeignet. Denn jene muss man erinnern, dass besser als die Verehrung des Grabes das Fortleben sei, diese beachtet im Gegenteil das Andenken des Grabes und die Reliquien zu wenig. Im zweiten Teil sprach er etwas unzwinglisch, aber christlich von der fortexistierenden und unter uns fortwirkenden Persönlichkeit Christi. Die Communion selber aber ist doch sehr nüchtern in diesem ausgefegten Zürcherischen Gottesdienst."

In dieser Zeit kamen auch die Verhandlungen über die Herausgabe des deutschen Statswörterbuchs zum

Abschluss. Der Gedanke war zuerst von einem unternehmenden Buchhändler Scheitlin in St. Gallen ausgegangen, der sich mit Fr. Schulthess in Zürich, dem späteren alleinigen Verleger des Werks, verbunden hatte. Als Scheitlin mich aufforderte, die Redaction zu übernehmen, billigte ich zwar den Plan im allgemeinen, aber lehnte die Redaction ab und empfahl Brater dazu. Nach wiederholten Besprechungen aber liess ich mich endlich bewegen, an die Spitze des Unternehmens zu treten, wenn Brater seine Mithilfe zusichere und die technische Sorge im Einzelnen und Kleinen, für welche ich weder Lust noch Geschick hatte, auf sich nehme.

Das Rotteck-Welcker'sche Statslexikon entsprach den noch jugendlichen Neigungen und Ansichten des deutschen Liberalismus der Zwanziger- und Dreissigerjahre. Seither war das politische Leben erfahrungsreicher geworden, und die Statswissenschaften hatten inzwischen auch Fortschritte gemacht. Das deutsche Statswörterbuch sollte diesen gesteigerten Bedürfnissen und Einsichten genügen. Die Aufgabe war nicht so verlockend, noch so glänzend, wie zur Zeit der ersten Regungen des modernen Verfassungslebens. Aber sie war grösser und schwerer. Ich empfand dieselbe anfangs wie eine schwere Last. Als ich aber den Plan des Werks mitteilte, fand ich von allen Seiten freundliche Aufnahme und das Versprechen der Unterstützung.

An Brater hatte ich nicht bloss einen kundigen, überaus gewissenhaften und auch im Kleinen sorgfältigen Gehilfen und Mitredactor, sondern auch einen treuen und teuren Freund gefunden, mit dem ich wissenschaftlich und politisch für's ganze Leben verbunden blieb. Brater war eher ein conservativer, nicht ein liberaler Charakter, obwohl er ein Verständnis hatte für die modernen Statsideen und die Bedürfnisse der modernen Gesellschaft. Er war in hohem Grade gewissenhaft, ehrlich, streng rechtlich, jeder Übertreibung, wie allem unlauteren Treiben feind; dabei gründlich gebildet, von durchdringendem Verstand, immer besonnen und klar, zuweilen pedantisch-genau, ein überaus fleissiger Arbeiter. Ich habe es lange nicht verstehen können, dass in Bayern, das wahrlich keinen Überfluss an tüchtigen Beamten hatte, eine solche Kraft brachgelegt wurde. Ich begriff es erst später vollständig, als ich sah, wie die nationale deutsche Gesinnung, die in Brater lebendig war, die ihn jederzeit opferbereit fand, den Verdacht einer strafbaren Untreue gegen Bayern, wenn nicht des Hochverrats auf sich zog.

Damals hatte Brater seine Stelle als Bürgermeister von Nördlingen niedergelegt, in welcher er die Rechte der Stadt gegen eine täppische und anmaassliche Bureaukratie verteidigt hatte. Er lebte in München als Privatgelehrter und Schriftsteller. Später wurde er einer der Führer der liberalen Minderheit in der bayerischen Kammer.

Im Herbst des Jahres 1855 machte ich im Interesse des Statswörterbuchs, um Mitarbeiter zu werben, eine Reise nach Norddeutschland. Einiges über die damaligen Eindrücke entnehme ich den Briefen an meine Frau.

Nürnberg den 15. September 1855. „Hier habe ich ausser dem Germanischen Museum, dessen Sammlungen noch in verschiedenen, zum Teil düsteren und engen Localen zerstreut sind, — disjecta membra poetae, lass dir das von Fritz verdeutschen — noch wenig gesehen. Das Germanische Museum ist ganz und gar das Werk des Freiherrn von und zu Aufsess, der seine Person und sein Ver-

mögen dafür eingesetzt hat. Das Unternehmen geht aber
noch zu sehr in die Breite und Weite. Die deutsche Lieb-
haberei, sich in's Unendliche zu verlieren, ist auch da eine
Gefahr. Wir raten, die Anstalt durch Beschränkung zu
consolidieren.

„Ich machte Bekanntschaft mit zwei Österreichern,
Professor Glax, Director des Ferdinandeums in Innsbruck,
und Rat Bergmann in Wien, dem Custos der Ambraser
Sammlung. Auch Professor Flegler sah ich wieder, der
eine deutsche Geschichte schreibt vom Westphälischen Frieden bis auf Friedrich den Grossen."

16. September. „Am Sonntag ist Nürnberg besonders
schön. Was für eine stattliche, reich geputzte und doch
gar nicht kokette, bürgerlich-patrizische Dame ist doch die
alte Reichsstadt. Ich war wieder in der Lorenzer und der
Sebalduskirche. Es weht Einen aus allen Steinen ein Geist
frommer Innigkeit an. Wenn nicht in dem wilden Stein
geistige Empfänglichkeit wäre, wie könnte denn der Stein
den Geist des Menschen aufnehmen und widerstrahlen?
Fromme Gebäude und Bilder können wir nicht mehr machen, nicht weil uns die Kunst der Bearbeitung abhanden
gekommen ist, sondern nur, weil wir nicht mehr fromm
sind, und am wenigsten naiv fromm. Wir haben die Tech-
nik, aber wir sind von einem anderen Geiste erfüllt. Daher ist es Thorheit für uns, fromme Bilder im Sinne des
Mittelalters machen zu wollen. Die moderne Frömmigkeit
der Pietisten ist im günstigsten Fall langweilig.

„Am Sonntag Abend waren wir zu dem unermüdlichen
Freiherrn von und zu Aufsess eingeladen. In dem
erleuchteten Turm des Germanischen Museums fand eine
recht gemütliche Kneiperei statt. Die zahlreichen Wachs-

und Stearinkerzen beleuchteten die mit mittelalterlichen Bildern und Gerätschaften ausgestatteten Stockwerke des Turms. Als die sehr schöne Tochter des Burgherrn, wie eine Edeldame aus der Kaiserzeit, die Treppe im Turm auf- und niederstieg, war der Zauber der Erinnerung an die Herrlichkeit des deutschen Reiches in voller Blüte. Unter den Gästen nenne ich dir als Bekannte den Bildhauer Gasser und Ernst Förster. Zu einem jungen Mann mit schwarzen Haaren und leuchtenden Augen, einem Grafen X aus Thüringen, empfand ich eine auffallende Zuneigung. In Gegenwart von wirklicher hoher Aristokratie fühle ich mich zwar durch die ungefüge Derbheit meiner eigenen plebejischen Rasse einigermassen belästigt, aber zugleich werde ich mir jedesmal meiner inneren hochadeligen Natur bewusst, indem ich die feinsten Züge jener vollkommen verstehe und das Verwandte in mir fühle.

„In Bamberg sah ich die schmutzige Stadt und den herrlichen Dom. Die Restauration des Domes, eines byzantinischen Baues aus der Zeit der sächsischen Kaiser, ist nobel durchgeführt. Die Kirche macht einen imposanten, höchst vornehmen Eindruck. In der Stadt sind die Spuren der alten Pfaffenwirtschaft noch zahlreich zu finden. Woher kommt denn der Schmutz der meisten geistlichen Städte? Soll denn die religiöse Erhebung der Seele die körperliche Vernachlässigung erklären? Wo die Frauen wirtschaften, ist es sonst auch im Äussern rein und sauber. Pfaffenregiment ist aber halbes Frauenregiment. Vielleicht steckt es gerade in der Halbheit und darin, dass, wo Männer regieren, auch die Frauen zu ihrem natürlichen, ordnenden Einfluss kommen; wo dagegen die Pfaffen regieren, Männer und Weiber, in düsterer Unklarheit verhüllt, nicht zu voller Entfaltung ihres Wesens kommen.

„Frankfurt dagegen ist eine sehr glänzende Kaufmannsstadt, aber ein teures Pflaster. Im Städel'schen Institut blieb ich anderthalb Stunden. Das berühmte Gemälde von Overbeck „der Triumph der religiösen Kunst", im Einzelnen schön, hat mich im Ganzen gelangweilt, wie fast alle neueren religiösen Darstellungen. Die Künstler, die dergleichen unternehmen, denken mir zu viel dabei und denken zu schlecht. Die Absicht verstimmt mich, wie Gotthold Ephraim Lessing das vortrefflich ausgedrückt hat. Besser hat mir Karl Friedrich Lessing's Huss in Constanz gefallen. Die Charakteristik ist bestimmt und menschlich empfunden. An den Gypsabgüssen der antiken heidnischen Statuen und Friese werde ich mehr erbaut, als an den frommen Bildern unserer modernen Pietisten.

„Göttingen, wohin ich nach einer widrigen Nachtfahrt in einer alten sechsplatzigen Postkutsche verpackt gelangte, ist sehr freundlich gelegen, von fruchtbaren Feldern, dunkeln Wäldern, Hügeln und sogar Bergen rings umgeben. Mit Kraut und Zachariä fuhr ich am 19. zu der Burgruine Pleissen. Die Stadt ist nur Universitätsstadt. Die Professoren und Studenten dominieren. Auch sind einige Pensionäre da. Die übrige Bevölkerung zehrt grossenteils von der Universität. Diese ist Hof, Residenz, Alles.

„In Hamburg war ich nur anderthalb Tage. Ich wohnte in dem Hotel de l'Europe, anfangs vier lange, lange Treppen hoch, aber mit freier Aussicht auf das Alsterbassin, das Nachts von tausend Gasflammen umspielt wird.

„Auf der Börse betrachtete ich mit dem Kaufmann D.,

der mich freundlich aufgenommen, das Gewimmel der Geschäftsleute, die dicht gedrängt durch und mit einander
makeln. Es sieht aus wie ein menschlicher Bienenschwarm.
Das Gesummse und Gemurmel macht einen wunderlichen
Eindruck.

„Ich war auch bei Sch., der mir sein Magazin zeigte,
das in mehreren Stockwerken wohlgeordnet liegt und einen
Wert von anderthalb Millionen Gulden hat. Überhaupt
sieht man in Hamburg auf jedem Schritt die Grösse dieses
Welthandels. Wäre Hamburg nur eine deutsche Stadt!
Das ist Hamburg aber nicht, denn ein Deutschland gibt
es nur in der Erinnerung an die Vergangenheit und in
der Hoffnung auf die Zukunft, aber nicht in der Gegenwart. Jetzt ist Hamburg nur ein grosses Handelshaus,
zwischen die Völker gestellt, reich an Geld und arm an
Gesinnung.“

Helgoland, 25. September. „Meine Seefahrt nach
Helgoland war sehr vom Himmel begünstigt. Wie oft
habe ich dich herbeigewünscht in meinen Gedanken. Nun
habe ich das heilige Meer in seiner Macht und Pracht gesehen. Hochgebirg und Meer, das sind die beredtesten
Verkündiger des göttlichen Geistes in der irdischen Natur.

„Die Elbe bei Hamburg ist ungefähr so breit wie
der Zürchersee, bald wird sie so breit wie der Bodensee.
Allmälich weichen die Ufer ganz auseinander, und zuletzt
sieht man nur das eine Ufer wie eine Küste, und der
Strom verliert sich in dem Schoose des weiten Meeres.
Der Binnenländer, der zum ersten Mal in die salzige Flut
einfährt, meint, er sei schon lange auf offener See, während der Kundige ihm erklärt, er sei noch in dem Süss-
wasser der Elbe. Die rote Tonne, meilenweit vom Ufer,

bezeichnet den Übergang aus dem süssen in's Salzwasser.
Die Stösse der Wogen werden nun ganz anders. Es ist
viel mehr Nerv und Energie darin. Auf dem schmutzigen
Elbwasser gleicht der kräuselnde Schaum des Räder- und
Kielwassers dem Seifenwasser der Wäscherinnen; aber da
draussen auf der klaren Salzsee spritzt der Schaum ganz
anders, voll Leben und Kraft. Einem Münchner würde
man den Gegensatz verständlich machen, wenn er an den
Unterschied erinnert würde zwischen mattem und abge-
standenem Bier und frischem Anstich der besten Sorte.

„Wir hatten einen herrlichen Septembertag voll Son-
nenscheins. Die See war glatt, in majestätischer Ruhe sich
ausdehnend. Scharen von Delphinen tummelten sich lustig
in der hellen Woge, den silbernen Schaum aufspritzend.
Die Meeresfläche war stellenweise wie bedeckt von unzähl-
baren Quallen. Endlich tauchte das felsige Eiland, nach dem
wir steuerten, aus dem Wasser empor. Rings umher das
unübersehbare Meer in wunderbarem Lichte strahlend, von
dunkler Schwärze durch alle Töne hindurch bis zu blen-
dendem Weiss.

„Ich hatte die Fahrt in Gesellschaft des Geheimrats
Lichtenstein, Directors des Berliner Zoologischen Museums gemacht, unter dessen Rectorat ich 1827 als Stu-
dent immatriculiert worden war. Ein geborener Hamburger
ist er mit der Gegend wohl vertraut, und als Naturforscher
machte er mich auf Manches aufmerksam, was mir sonst
entgangen wäre.

„Wir führen 9 Uhr Morgens in Hamburg ab und
kamen Abends 4 Uhr auf der Insel an. Von der Höhe
betrachteten wir die in's Meer untertauchende Abendsonne;
dann fing der Mond an zu glänzen: prachtvolle Blicke.

Am Morgen fuhr ich zur Düne hinüber und badete im
Meer. Das Bad behagte mir sehr. Abends fuhr ich in
einer Jolle um die Insel herum. Plötzlich hatte sich ein
Nebel auf das Meer gelegt. Die Felsen sahen ganz Ossia-
nisch aus.

„Der Dampfer, der uns zurückfahren sollte, hatte sich
verspätet. Er war durch einen starken Nordwind aufgehalten worden. Endlich erschien er, und nun eilten wir
über die bewegte See hin an Bord. Da sah es betrübt
aus, wie in einem Lazareth von Sterbenden. Das Schiff
hatte eine harte Fahrt gehabt, und bis auf ein paar Personen lagen Alle in den Cajüten und auf dem Verdeck
seekrank umher. Die Wellen hatten häufig über das Deck
hingeschlagen. Die eisernen Kamine waren bis oben von
dem Schaum bespritzt. Sie waren gegen den Wind gefahren. Wir fuhren nun mit dem Winde. Es war schön
hinabzusehen in die wogende Flut und geschaukelt zu werden von den mächtigen Wellen. Ich besorgte auch einiger-
maassen, seekrank zu werden, blieb aber „seefest“. Erst
um 10 Uhr Nachts langten wir in Hamburg an. Ich hatte
so die ruhige und die bewegte See gesehen, beide nach
Wunsch.“·

Berlin, 27. September 1855. „Mein erster Gang war
in's alte Museum. Die Anordnung der Gemälde in der
Gallerie ist für den Beschauer besser als die in München.
Dennoch ziehe ich die Münchner Ordnung vor. Die historische Anordnung in Berlin führt zu einem moralischen
Durcheinander, das einem die Verkehrtheit aller Gallerien
von Gemälden recht anschaulich macht. Da sieht man
eine Maria mit dem Christuskinde angelehnt an eine nackte
Venus.

„Dann besuchte ich Kaulbach in dem neuen Museum.
Er zeichnet eben an einem launigen Bilde, welches die
neueren deutschen Kunstschulen darstellt. Wir sprachen
viel über Dönniges und dessen Entfernung von München.
Schade um die guten Eigenschaften von Dönniges, die nun
brach gelegt sind.

„Bei Keller wurde ich als alter Hausfreund, nicht als
alter und neuer politischer Gegner aufgenommen. Keller
bedauerte, dass du nicht mitgekommen, und forderte mich
auf, dich einmal herzubringen und dann mit ihnen auf das
Rittergut in Schlesien zu gehen. Wie lange werden wir
noch auf unsere Rittergüter warten müssen, ohne die der
Ritterorden nichts wert ist!

„Im Übrigen macht mir Berlin den Eindruck, es habe
sich seit meiner Studentenzeit consolidiert. Es ist grösser,
schöner, reicher geworden. Es ist nun so viel eigenes Leben
da, dass der Hof nicht mehr wie früher Alles in Allem ist.
Aber wenn ich durch diese weiten Strassen gehe und die
Paläste und Denkmäler ansehe, wenn so die Grösse der
nordischen Hauptstadt als stumme Macht mir vor den
Augen steht, dann steigt mir der Grimm in der Brust auf,
dass diese Macht ein Hindernis sein soll der Grösse und
Macht Deutschlands.

„Nachmittags. Ich war wieder in den Ägyptischen
Gräbern im Museum. Da bekommt man einen sehr deut-
lichen Eindruck von dem sonderbaren Fortleben, auf das
die Ägypter nach dem Tode gerechnet haben. Die dunkeln
Zellen in den steinernen Grabkammern sind mit Bildern
geschmückt. Diener, Vieh, Gerätschaften sind abgebildet,
wie ein grosses Comitat des verstorbenen Bewohners der
Gruft. Die einbalsamierte Leiche ist geschmückt und ruht

eingeschachtelt in mehrere Särge, deren jeder mit Bildern
und Hieroglyphen geziert ist. Der grösste und oberste
Sarg ist von Stein. Auch einbalsamierte Tiere sind da
und Samen zum Pflanzen von Lebensmitteln. Die Ägypter
wollten offenbar die Rasse erhalten. Leib und Leben ist
ihnen dasselbe. Das war der Irrtum.

„Nacher besuchte ich Leopold Ranke, eine feine
Erscheinung mit lebhaften Gebärden, fein geschnittenem
Gesicht, glänzend blauen Augen, im Gespräch sehr bewegt,
scheinbar heftig und leidenschaftlich, in Wahrheit vorsichtig und schlau. Er bedauerte die Entlassung von Dönniges
sehr. Dieser sei der Einzige gewesen, der es gewagt habe,
dem König die Wahrheit zu sagen. Am Schluss bemerkte
er, er ziehe es vor, sich mit dem Geschehenen zu beschäftigen, als sich in zweifelhaften Wegen der praktischen Politik auszusetzen, begriff aber rapportmässig sehr gut, dass
ich eine andere Natur und andere Richtung habe. Er hält
das preussische Zuwarten und Lavieren in der jetzigen
(orientalischen) Krisis für sehr nützlich."

15.

**Russisch-türkischer Krieg 1854. Österreichisches Concordat 1855.
Kampf mit Ringseis und Wirkungen desselben. Symposien im
Königsschloss. Gespräche mit dem König über die moderne Stats-
lehre, die Naturwissenschaften und die Geisteswissenschaften,
die gelehrten Schulen. Freimaurerfrage. Bayerisches Concordat.
Politik gegenüber der römischen Curie. Feier der silbernen
Hochzeit.**

Der Krieg, der 1854 zwischen Russland und der
Türkei mit deren Verbündeten England und Frankreich

geführt wurde, nahm mein Interesse nur in bescheidenem Maasse in Anspruch. Ich unterhielt mich damals gelegentlich im Verkehr teils mit Dönniges darüber, der in die bayerische Politik näher eingeweiht war, teils mit Friedrich Rohmer. Aber ich wusste, dass wir Alle den Dingen zu ferne stehen, um sicher urteilen zu können. So viel war mir klar, dass die Eroberung der Türkei durch Russland und die Herrschaft Russlands in Konstantinopel von Europa unmöglich geduldet werden könne, dass aber auch den Christen in der Türkei wider ihre Tyrannen geholfen werden müsse. Mir war es ganz recht, wenn an die Stelle eines exclusiven russischen Protectorates über die Donaufürstentümer eine europäische Schutzhoheit trete, die Donau europäisch geordnet werde, und Europa auch für die Christen in der Türkei Garantien erwerbe. Ich warnte Dönniges dringend vor einer Politik, welche Deutschland mit den Westmächten in einen Krieg verwickeln würde, für den wir nicht vorbereitet seien, und in dem wir Nichts gewinnen, aber Vieles verlieren könnten. Jene Forderungen an Russland billigte ich, aber ich traute den leitenden Personen in Deutschland nicht zu, dass sie die Frage in grossem Styl und zugleich geschickt behandeln. Ich war der Meinung, sie haben zu viel legitimistische und absolutistische Schrullen. Ich fürchtete, dass sich Preussen insgeheim zu tief mit Russland eingelassen habe, und erinnerte mich an die unglückliche Haltung Preussens zwischen dem russischen Czar und Napoleon I. vor der Schlacht bei Jena. Eher war ich mit dem Bestreben Österreichs einverstanden, die Donaufürstentümer und die Donau den russischen Krallen zu entreissen.

In Zürich erlebte ich einen kleinen Triumph. Ich hatte unter lautem Widerspruch fast aller Freunde im

Frühjahr die feste Verbindung der Westmächte, das Vorgehen Österreichs in der Moldau und Walachei und die Niederlage der Russen vorhergesagt. Im Herbst gestanden sie alle nun zu, dass ich richtig gesehen habe. Ich freute mich, dass meine Augen noch gut seien, und ärgerte mich, dass ich nicht handeln konnte.

Bei weitem stärker aufgeregt wurde ich im Jahre nachher (1855) durch den Kampf mit den Ultramontanen, in den ich verwickelt ward.

Das Concordat, welches der österreichische Kaiser Franz Joseph mit dem Papste Pius IX. am 18. August 1855 abschloss, empörte mich heftig. Bis dahin hatte ich auf das neue Régime einige Hoffnung gesetzt. Jetzt wurde diese gänzlich zerstört. Ich schrieb damals in mein Tagebuch: „Schon der völlig unkaiserliche Styl des Concordats fällt sogar entschiedenen Kirchenmännern widerlich auf. Der Kaiser demütigt sich vor dem Papst nicht bloss wie ein armer Sünder, der um Gnade fleht, sondern, was viel schlimmer ist, wie wenn der Stat zu Füssen der Kirche läge. Von eigener Statsidee, von einem Statsbewusstsein ist in dem ganzen Ding keine Spur. Wie kann eine Grossmacht bestehen ohne jene Idee und ohne dieses Bewusstsein? Mit der wissenschaftlichen Reform in Österreich ist es demnach auch blosser Schein. Diese ist unmöglich unter der bischöflichen Vormundschaft, welche das Concordat anerkennt.

„Seinen Einfluss auf Deutschland hat damit Österreich ebenfalls eingebüsst; denn Deutschland lässt sich nimmermehr von einer Confession aus confessionell einigen und regieren.

„Es wird freilich eine Reaction kommen gegen diese

Unterwürfigkeit unter die Kirche. Aber das ist nicht die Frucht, welche bei der Aussaat gewünscht worden."

In der zweiten Auflage meines allgemeinen Statsrechts, die 1857 erschien, sprach ich mich in einer beigefügten Anmerkung in demselben Sinne aus.

Die künstliche Erhitzung der jesuitischen Reaction, die in dem Concordate der Welt ihre Siege und ihre Drohungen verkündete, warf auch in München ihren zischenden Schaum empor. Zum Rector der Universität war der Mediciner Professor Ringseis gewählt worden, ein fanatischer, aber ein aufrichtiger Ultramontaner. Seine Rectoratsrede war ein offener Fehdebrief gegen die gesamte Wissenschaft, die sich nicht demütig der Leitung des Kirchenglaubens unterwerfe, gegen die neuberufenen Professoren und gegen das Verderben eines „glaubenslosen und glaubenswidrigen Philosophismus". Der Redner donnerte gewaltig und rief alle ultramontanen und particularistisch-bayerischen Antipathien in's Feld.

Dieser Angriff auf die wissenschaftliche Freiheit und die ganze moderne Cultur durfte nicht mit Stillschweigen erduldet werden. Ich schrieb zwei kritische Artikel 1) über Vernunft und Glauben, 2) über die Moral der Rede, welche die Thorheit und die Verkehrtheit der Rede scharf beleuchteten, und liess dieselben in einem allgemein gelesenen Tagblatte, den „Neuesten Nachrichten", abdrucken. Diese Artikel regten die liberalen Instincte in der Bevölkerung auf. Die Artikel waren von mir nicht unterzeichnet worden. Ich wurde aber bald als Verfasser erkannt und von den Einen getadelt, von den Anderen gelobt. Ich nannte mich nicht, weil ich nicht als Professor wider den Rector vortreten wollte, aber ich hielt mich für berechtigt, als

ein Unbekannter in der Presse die Rechte und die Ehre
der Wissenschaft zu verteidigen.

An der Universität und in der Stadt entbrannte
der Kampf der Parteien. Den Studenten, die mir einen
Fackelzug bringen wollten, trat der Rector mit seinem
Verbot entgegen. Eine Demonstration der Bürger in derselben Richtung konnte er nicht hemmen. Schleich
brachte den Streit in einem Lustspiel, „die letzte Hexe",
auf die Bühne. Ringseis wurde von dem Schauspieler als
Fanatiker, der die Hexe verbrennen lassen wollte, erkennbar dargestellt. Ein anderer Schauspieler stellte einen
Ratsherrn, welcher sich gegen die Verfolgung erklärte, in
einer Weise dar, die an mich erinnerte. Ich habe das
Stück selber im Hofschauspielhaus angesehen und musste
darüber lachen. Auch der Cultusminister mischte sich in
die Sache. Mir konnte er nicht beikommen, da ich erklärte, die Artikel seien ohne Namen des Verfassers erschienen. Wenn dieselben etwas Strafbares enthalten, so
möge man vor Gericht klagen. Zu einem Disciplinarver-
fahren biete sich kein Anlass, da die Artikel sich nicht
als die Äusserung eines Professors kennzeichnen. Ringseis
dagegen erhielt vom Ministerium wegen ungehörigen Verfahrens einen Verweis. Da er sich denselben nicht gefallen lassen wollte und im Senat Hilfe suchte, blieb er
hier allein. Sogar der regierende König Max und der ab-
getretene König Ludwig enthielten sich nicht, jener für
mich, dieser für Ringseis Partei zu ergreifen. An dem
Studentenball, auf welchem der König Max erschien, ver-
nachlässigte er den Rector auffällig und vermied es, gegen
die Sitte, mit der Rectorin die Polonaise zu eröffnen. Dagegen erkundigte er sich sehr nach mir, der ich absichtlich,

um jeder Demonstration zu entgehen, erst später erschien.
König Ludwig dagegen beehrte Ringseis mit seinem Besuch.

Ich hatte den Streit aus politischen Gründen geführt
und auch so behandelt. Ich wollte dem kecken Gebahren
der Ultramontanen durch ein scharfes Wort entgegentreten
und ihre Siegeszuversicht durch einen wuchtigen Schlag
erschüttern. Das ist auch in weit höherem Grade gelungen, als ich erwartet hatte. Der Eindruck im Volke war
sehr stark, und Ultramontane selber gestanden zu, der
Ausgang sei ihrer Sache nicht günstig gewesen.

Der Streit mit den Ultramontanen hatte übrigens für
mich noch eine nachteilige Folge. Statsrat Maurer, der
Präsident der historischen Abteilung der Akademie der
Wissenschaften, hatte mich zum Mitglied der Akademie
vorgeschlagen. Nun widersetzten sich aber alle Ultramontanen und die mit ihnen verbündeten Nativisten auf's eif-
rigste meiner Wahl, und ich fiel bei der Abstimmung durch.
In den gelehrten Kreisen Münchens machte diese Zurück-
weisung ein peinliches Aufsehen. Professor Conrad Maurer, der dann statt meiner gewählt wurde, lehnte nun
seinerseits die zweifelhafte Ehre ab und gab so der Akademie eine empfindlich treffende Lehre. Endlich wurde
Professor Löher gewählt, der annahm, aber es erlebte,
dass der Präsident der Akademie Liebig in seiner Gegenwart einen Toast auf mich ausbrachte, der ich die Ehre
gehabt, von den Akademikern Münchens als Vorkämpfer
der wissenschaftlichen Freiheit gescheut worden zu sein.

In jener Zeit wurde ich nun auch oft, einige Monate
regelmässig, zu den königlichen Symposien zugezogen. Ich
erinnere mich mit dankbarem Herzen an diese schönen
Königsabende. Der König empfing die geladenen Gäste

in durchaus ungezwungener Weise, wie ein hochgebildeter
reicher Privatmann, in den überaus behaglichen Räumen
des alten Schlosses. Der König rauchte selbst nicht, oder
nur ausnahmsweise. An diesen Abenden liess er Cigarren
herumreichen und zündete selbst eine Cigarre an, die er
bald nachher auf den Teller legte, nur um die anwesenden
Gäste zu ermutigen, dass sie mit Behagen rauchten. Es
wurden dann Biergläser gereicht. Es entwickelte sich ein
lebhaftes und ganz freies Gespräch. Meistens trug einer
der Herren etwas vor, sei es Wissenschaftliches, sei es
Poetisches. Die Unterhaltung war nie steif und nie ängstlich, immer frei und leicht, durchweg belebt. Zu meiner
Zeit nahmen vorzüglich teil die Generaladjutanten von der
Tann und Leonhardt, später Oberst Spruner, Dönniges, an
dessen Stelle dann Löher kam, der Chemiker Liebig, der
Physiker Jolly, der Physiologe Bischof, der Criminalist Dollmann, dann voraus der Historiker von Sybel, die Dichter
Kobell, Geibel, Paul Heyse, Bodenstedt, Riehl und Andere.
Während einer Pause ging man in das Billardzimmer neben-
an, wo auch persönliche Gespräche zwischen Einzelnen statt-
fanden. Ein Glas Punsch erquickte hier die Gäste. Um
9½ Uhr zog sich der König zurück. Seine Gäste blieben
noch zum Nachtmahl zusammen, das in wenigen war-
men Speisen mit Dessert bestand und durch den wohl
duftenden und schmeckenden Rheinwein erheitert wurde.
Die ganze Einrichtung dieser Symposien war durchaus
nicht luxuriös, aber angenehm, gesellig, fein. Die Politik wurde nur wenig berührt. Der König hielt mit
Absicht die Minister fern. Die geistigen Interessen der
Zeit, Wissenschaft und Litteratur waren vorzugsweise bedacht.

Ein paar Mal sprach der König mit mir auch über Politik, was mich freilich wenig befriedigte.

So nach dem Diner, das er am 7. März (meinem Geburtstag) den Rittern des Maximiliansordens hoch oben in dem Wintergarten auf dem Dache der Residenz geben liess. Es war schön, noch an der Grenze des Winters unter grünen Bäumen und farbigen, duftenden Blumen (Camelien, Hyacinthen, Tulpen, Rhododendren) zu speisen. Die Tafel war in einem breiten Wege des Gartens gedeckt. Springbrunnen schossen ihre Wasserstrahlen in die Höhe und liessen die Woge geschwätzig niederplätschern. Anmutige Marmorstatuen spiegelten sich in dem Wasser und schienen sich baden zu wollen. Der Spötter Kaulbach meinte, Amor und Psyche suchen sich wechselseitig im Garten, aber können sich nicht finden. Bunte Singvögel flogen umher und trillerten ihre Lieder. Heimliche Rasenplätze luden zur Ruhe ein. Es gab auch verborgene Stellen hinter Gebüschen oder in einem Zelt. Die Sinne erfreuten sich des reizenden Anblicks, der in scharfem Contraste war zu der winterlichen Natur draussen. Speisen und Weine waren vortrefflich. Aber die Unterhaltung bei Tische war dürr, leise, unbedeutend. Nach der Tafel sagte der König zu mir: „Ich interessiere mich für die Statswissenschaft. Aber mit dem Constitutionalismus ist es doch nichts. Ich habe mit meinem Freunde und Lehrer Schelling viel darüber correspondiert. Man muss den Glauben an das Göttliche im State wieder erneuern und dadurch die conservative Gesinnung stärken." Ich entgegnete, es komme mir in der Wissenschaft vornehmlich auf die Wahrheit an, und ich denke, was menschlich-rein und edel sei, das sei auch in der göttlichen Weltordnung begründet. Nachher schickte

ich dem Könige meinen im Liebig'schen Auditorium ge-
haltenen Vortrag zu über den Gegensatz der mittelalterlichen und der modernen Statsidee, der freilich wenig zu
seinen Schelling'schen Phantasien passte und gerade die
frömmelnde Verdunkelung des Statsbewusstseins entschieden bekämpfte.

17. März 1855. „Einladung zum König auf den
Abend. Ich hatte zuvor mit Dönniges und Liebig ein
Gespräch über das Project einer Commission für die Universitäten, welche reformierend und belebend einwirken
soll. Der König hat dasselbe gutgeheissen. Ich soll auch
daran Teil haben. Ich machte auf die Notwendigkeit aufmerksam, dass die Form beachtet und die neue Institution
dem Statsorganismus angepasst, nicht als ein fremder Körper demselben aufgenötigt werde. Vermutlich scheiterte
der ganze Gedanke eben an dieser Schwierigkeit. Die Bureaukratie war selbstverständlich demselben feind.

„Abends bei dem König. Ich sprach mich über den
Gegensatz der germanischen (deutschen) und der slavischen
(russischen) Rasse aus und bezeichnete jene als männlich-
productiv, diese als weiblich-receptiv. Ich führte aus,
wenn die deutsche Politik im russischen Sinne geleitet
werde, so habe sie keinen Halt im deutschen Volke, sondern rufe entschiedene Abneigung hervor. Auch Liebig
und Bodenstedt unterstützten meine Auffassung durch ihre
Lebenserfahrungen.

„Nach dem Aufstehen sprach der König mit Dönniges
und mir sehr lebhaft über seinen Wunsch, dass das monarchische Princip in der Litteratur mehr betont werde. Er
schlug vor, dass ein Lehrbuch gemacht werde für die oberen
Schulen, in welchem die Hauptprincipien des Stats für die

Lehrer und Schüler richtig dargestellt würden, und durch welches den radicalen Anschauungen entgegengewirkt werde. Aber, meinte er, von der Verfassung dürfe darin nicht viel gesagt werden.

„Ich entgegnete: Sowie man die Monarchie als eine absolute verfechte, so werde man die Feinde der Monarchie verstärken. Wenn dagegen das Königtum als ein Halt und Schutz der Volksfreiheit erscheine, finde es Anklang und Beifall.

„In ähnlichem Sinne warnte auch Dönniges davor, im Kampf wider den falschen Constitutionalismus das Wahre darin zu verletzen. Der König erwiderte, er meine das durchaus nicht so, sondern nur das, dass der König nicht eine Puppe sein dürfe, als Spielzeug der Parteien, sondern dass er eine lebendige Person sein müsse. Ihm seien die germanischen Volksrechte ganz recht. Dann aber kam er wieder auf die göttliche Statsidee zurück, die ihm Schelling — gewissermassen das Vorbild Platon nachahmend und romantisch steigernd — gelehrt hatte.

„Ich bemerkte ihm darauf: Sobald man den Stat religiös begründe, so gerate man notwendig unter die Oberherrschaft der Kirche, die sich viel plausibler und sicherer auf die göttliche Anordnung berufen könne als der Stat, und jedenfalls eher als der Stat eine religiöse Gemeinschaft sei. Dieser Einwand machte den König doch stutzig. Er sagte: „Nur nicht die Herrschaft der Kirche. In diesem Punkte bin ich ganz mit Ihnen einverstanden.“

Ich: „Es kommt darauf an, den Stat als ein lebendiges geisterfülltes Wesen organisch zu verstehen. Dann fallen die radikalen Abstractionen von selber.“

Der König: „Gut, das ist das Wort. Ich sehe, Sie

verstehen, was ich meine." Dann kam er wieder auf die ultramontane Partei: „Sie sucht alle meine Bestrebungen, das geistige Leben zu wecken und zu fördern, — zu verhindern und zu durchkreuzen. Sie handelt dabei als eine geschlossene Macht. Wenn wir nicht auch als „Genossenschaft" ihr begegnen, so sind wir verloren." Er lud mich ein, darüber nachzudenken, wie diese Partei zu organisieren sei.

24. April. „Wieder Abends bei dem Könige. Ich gedachte mich heute möglichst stille zu halten. Ich war ohnehin mit der Rohmer'schen Wissenschaft in meinen Gedanken sehr beschäftigt. Aber ich wurde doch genötigt, an dem Gespräch mich zu beteiligen. Dönniges verherrlichte die Naturwissenschaften, welche viele neue Wahrheiten geoffenbart hätten und durch ihre Entdeckungen nützlich wirkten. Ich bestritt das nicht, aber fand es doch nötig, zu ergänzen und zu ermässigen, indem ich behauptete, die Erkenntnis des Menschen, die doch zuletzt für den Menschen das Wichtigste sei, werde durch die Naturwissenschaften bis jetzt nicht gefördert. Auch sei es zweifelhaft, ob durch sie die Erkenntnis Gottes erweitert oder nicht vielmehr verwirrt worden sei. Ich erklärte, die Naturwissenschaften sammelten ein reiches Material für die künftige Wissenschaft und deckten auch manche verborgene Naturgesetze auf. Es müsse aber doch nachher eine centrale Philosophie hinzutreten und Einheit, Ordnung, Harmonie in diese Stoffsammlung bringen. Diese werde dann auch manche verbreitete Irrtümer und Missverständnisse berichtigen.

„Darüber wurde nun viel hin und her geredet. Dönniges bestritt, dass es eine materialistische Richtung in den

Naturwissenschaften gebe, die von Gott wegführe. Er nahm auch V o g t wider diesen Vorwurf in Schutz, obwohl er dessen Frivolität zugab; aber er machte aufmerksam auf die guten und Wahrheit suchenden Beobachtungen dieses Naturforschers. Er verfocht die Meinung, dass die Physiologie die Grundlage der Psychologie sei, während ich im Gegenteil darauf hinwies, dass die Geisteskräfte nicht die Wirkung der Leibesorgane sein können, sondern in den leiblichen Organen nur ihre Werkzeuge und Erscheinung finden.

„Zuletzt wurde ich durch den König, der meinen Vortrag über die Statsideen gelesen und sich Manches daraus „notiert" hatte, gedrängt, mich über das Gesetz der Altersentwickelung in der Menschheit auszusprechen. So musste ich die Rohmer'sche Idee aussprechen, dass in dem Leben der Menschheit, wenigstens der höheren, culturfähigen Menschheit, dasselbe Gesetz der Altersentwickelung herrsche, wie in dem Leben des einzelnen Menschen, und dass wir gegenwärtig in den Anfängen der höchsten männlichen Entwickelung, in einer Weltperiode leben, welche dem Alter eines jungen Mannes von ungefähr 28 Jahren entspricht.

„Der König ward durch das Gespräch sehr erregt. Er verliess uns ungewöhnlich spät, erst um 10 Uhr. Er bekannte sich wiederholt als Schüler Schelling's und wollte in der Schelling'schen Philosophie eine Vermittlung unseres Streites sehen. Jedenfalls hat er ein Bedürfniss nach einer Geisteswissenschaft und wird nicht befriedigt durch die blosse Erforschung der materiellen Erscheinungswelt. Liebig war an diesem Abend nicht anwesend. Er hätte jedenfalls die Naturwissenschaften würdig vertreten. Der

König fragte wiederholt, was in unserer Zeit vorzüglich beachtet werden müsse, was jetzt zu vermeiden sei."

Ich fühlte mich bei solchen Gesprächen in einer höchst schwierigen Lage. Denn ich konnte höchstens andeuten, weil ich meine volle Meinung, die nicht mir allein gehörte, nicht sagen durfte, und überdem wusste, dass ich, würde ich sie sagen, nicht verstanden würde.

Im November 1855 hatte ich mit dem König eine Unterredung über die gelehrten Schulen, über welche ich ein Promemoria niederschrieb. Die bayerischen Volksschulen schienen mir, wenigstens in München, vortrefflich. Dagegen die Lateinschulen und Gymnasien, wie die höheren Bürgerschulen litten an bedenklichen Mängeln der Methode. Als ein Hauptübel bezeichnete ich den Zudrang vieler unfähiger und armer Knaben, die bloss deshalb studieren, weil sie das Studium billiger finden, als den Unterricht in den Gewerben, und von den Statsbesoldungen eine gesicherte Existenz erwarten. Daraus entstehen Bettelstudenten ohne Bildung und ohne wissenschaftliche Reife, welche auch den Unterricht der Universität herabziehen. Ich schlug höhere Schulgelder für die gelehrten Schulen vor, verbunden mit reichen Stipendien für arme, aber ausgezeichnet begabte Knaben. Für die fähigsten Studenten der Stats- und Rechtswissenschaft, welche das Durchschnittsmaass der gewöhnlichen Statsdienstaspiranten überragen, schlug ich eine Seminarbildung vor, welche in einer Statsanstalt gewährt werde, die als feinste Blüte des Universitätsstudiums dieses emporhebe. Ich weiss nicht, ob dieser Vorschlag die Anregung zu dem Athenäum gegeben hat, das der König stiftete; aber ich weiss, dass die äusserlich glänzende Erziehungsanstalt für bayerische Statsmänner durchaus nicht in dem Geiste geleitet wurde, welcher den modernen Ideen der Wissenschaft und des States entsprach.

Das Streben des Königs war edel und wohlwollend, er war auch für geistige Interessen empfänglich und förderte dieselben mit Liebe. Aber es fehlte die schöpferische Kraft und die männliche Willensenergie. Desshalb konnte ich auch in der Zeit, in welcher ich von den Strahlen der königlichen Gunst beleuchtet wurde, doch nicht zu einem vollen und entschiedenen Vertrauensverhältnis gelangen. Er hatte von mir im Jahr 1854 Auskunft über die Organisation des Freimaurerbundes verlangt, und ich hatte ihm dieselbe gegeben. Sein Grossvater, der erste König von Bayern, war Freimaurer gewesen. Er selbst erwog ebenfalls, ob er Freimaurer werden solle. Aber er hatte doch Scheu vor dem Schritte und versuchte dann selber eine königliche Genossenschaft zu stiften, mit wohlthätigen und menschenfreundlichen Zwecken, aber die Neubildung gedieh nicht und dauerte nicht.

Später hatte ich ein kurzes Gutachten einreichen müssen über das Verhältnis des bayerischen Concordats mit Rom von 1817 zu der bayerischen Verfassung von 1818 und insbesondere dem bayerischen Religionsedict ebenfalls von 1818. Ich führte aus, dass zwar das Concordat den Charakter eines rechtsverbindlichen Vertrages habe, aber durch seine Bestimmungen doch nicht die notwendige Fortbildung des Rechts hemmen könne, dass dasselbe möglichst in Harmonie mit den Grundsätzen der Verfassung auszulegen und anzuwenden sei, und dass jedenfalls eine Änderung der Verfassung mit Rücksicht auf das Concordat nur unter Zustimmung der Kammern durchgesetzt werden könnte.

Der Übermut der römischen Curie war seit dem österreichischen Concordat auf dem Gipfel der Zuversicht. Die beiden anderen süddeutschen Staten, Württemberg und Baden, erwiesen sich voll Angst und schwächlich. Ihr Geschäftsträger in Rom, Kolb, hatte keine andere Politik anzuraten, als die feiger Nachgiebigkeit. Der bayerische Gesandte v. Verger, den ich von der Schweiz her kannte, war weniger hasenherzig, aber riet doch zu „kaufmännischem Markten".·

Der König, welcher mir den Bericht mitteilen liess, wollte meine Ansicht näher kennen und forderte mich nach einer freimütigen Besprechung darüber auf, die Hauptgedanken ihm schriftlich zu übergeben.

Ich führte in dieser Denkschrift aus: Seit einem Jahrhundert geht durch Europa das Streben, Stat und Kirche, die früher in einander gemengt waren, zu sondern, so dass jeder der beiden Organismen seiner Eigenart bewusst wird. Diese Sonderung darf man nicht mit absoluter Trennung verwechseln, die unmöglich ist. Der Hauptfehler, den Österreich begangen hat, als es das Concordat abschloss, ist der, dass es als Stat nicht von dem freien Standpunkt des States aus verhandelte, sondern sich auf den Standpunkt der Kirche begeben hatte. Nicht fromme Kirchenmänner, sondern kluge Statsmänner hätten in Unterhandlung für den Stat treten sollen. Die deutsche Politik darf durchaus nicht confessionell sein, sie muss voraus unabhängig sein von confessionellen Beschränkungen. In dem österreichischen Concordat ist keine Spur von Statsbewusstsein. Deshalb erscheint es als blosse Unterwerfung des Stats unter das Gebot der Kirche. Die Einwendung, der Stat bedürfe der Allianz mit den Ultramontanen wider die Demokraten, ist nur eine Lockspeise. Die Allianz ist den Preis nicht wert. Der Stat kann sich beider Extreme erwehren.

Voraus betonte ich immer wieder: Das ganze Verhältnis zu der römischen Curie sei deshalb so verschoben und so unwürdig, weil die Kirche von Alters her wisse, was sie wolle, und die Vertreter des Stats nicht wissen, was der Stat sei und wolle, mehr aber noch, weil es den Vertretern des Stats an dem Mut fehle, weil sie gegenüber der kirchlichen Weltmacht zittern und schlottern.

Am 10. April schrieb ich an den König: „Die ganze römische Frage ist sehr wesentlich eine Frage des Muts. Die grösste Gefahr für den Stat ist die eigene Furcht vor der Macht der Kirche. Der alte Oxenstierna hätte auch so sagen können: Mein Sohn, wenn du auf den Congress der Diplomaten kommen wirst, so wirst du erfahren, mit wie wenig Mut die Welt regiert wird.“

Man gab mir Recht und liess es dennoch beim Alten.

An diese politischen Erinnerungen reihe ich noch ein Familienerlebnis an. Am 7. März 1856 feierte ich an meinem neunundvierzigsten Geburtstag meine silberne Hochzeit. Im engsten Kreise der Familie, in Gemeinschaft mit ein paar Freunden fuhren wir nach der Menterschweig. Abends aber war in meiner Wohnung eine grössere Gesellschaft von Freunden. Meine Frau schenkte mir einen silbernen, von K r e l i n g gezeichneten und in Nürnberg gearbeiteten Becher, der öfter bei Familienfesten benutzt ward.

16.

Wissenschaftliche Vorträge und Arbeiten. Mittelalterliche und moderne Statsidee. Arische Völker und Rechte. Ein Bild von Kaulbach. Briefwechsel mit Laurent über den belgischen Kampf zwischen Liberalen und Ultramontanen. Der Rechtsbegriff. Gesellschaftsrecht. Revision der statlichen Grundbegriffe. Rechtsgutachten. Rothschild und Spöndli. Schiedsgericht in Bern. Der Neuchateller Handel und die Gefahr. Vorschlag einer schweizerischen Akademie der Wissenschaften. Liberale Wahlen an der Universität und im Land. Mein Hausbau. Jubiläum in Jena. Italienischer Befreiungskrieg Mai 1859.

Seit einiger Zeit hatte es Liebig unternommen, in seinem Hörsaal Vorträge über Chemie vor einem gemischten Publikum zu halten. Anfangs nahm der Hof daran Anteil. Später erweiterte sich der Kreis gebildeter Zuhörer. Auf diesem Wege wurde doch die Aufmerksamkeit auf die Bedeutung und die Erfolge der Wissenschaft hingelenkt.

Im Verfolg wurden die Vorträge über die Chemie hinaus auf andere Naturwissenschaften und auf die Geisteswissenschaften ausgedehnt. Ich schloss mich der Verbündung mehrerer Gelehrter und Schriftsteller an. So sind eine Reihe von Vorträgen entstanden, die meistens gedruckt wurden.

Der erste wurde am 5. Februar 1855 gehalten über den Unterschied der mittelalterlichen und der modernen Statsidee.[1] Scharf und nachdrücklich hob ich den Gegensatz der theologischen und der philosophisch-politischen Begründung des Stats, die gründliche Umbildung des Verhältnisses von Stat und Kirche, die Scheidung des öffentlichen und Privatrechts, das Zurücktreten der mittelalter-

---

[1] Im Druck erschienen: München 1855. (D. H.)

lichen Stände, die Einheit des modernen Volksbegriffs, die principielle, bewusste Fortbildung einer wissenschaftlichen Jurisprudenz und Politik hervor. Es kam mir darauf an, gerade in München, wo die romantischen und katholischen Ideen noch die Geister wie eine „mondbeglänzte Zaubernacht" gefangen hielten, auf das helle Tageslicht hinzuweisen und die Geister aufzuwecken. Der Vortrag wirkte in der That stärker, als ich gehofft hatte, und über München hinaus.

Einen zweiten Vortrag hielt ich im April 1856, ebenfalls in dem Liebig'schen Hörsaal über „arische Völker und arisches Recht".[1]) Die Richtung war dieselbe. Ich hob den statlichen und freiwissenschaftlichen Geist der arischen Völker im Gegensatz zu dem eher von religiösen Gefühlen bestimmten Geiste der semitischen Völker hervor.

Kaulbach sprach mir seine Freude über das Gehörte in einem Bilde aus, welches er mir schenkte. Er zeichnete auf den Rand eines Bildes der Hunnenschlacht den Kampf der Arier und der Semiten. In der Mitte sucht das Münchner „Kindel" in Mönchsgewand die streitenden Parteien auseinanderzuhalten. Von der einen Seite erheben auf ihren Streitwagen die arischen Führer in stolzer Rüstung mit Helm, Schild und Panzer mutig ihre Speere wider die Feinde, die wie Wilde auf ihren stürmischen Pferden auf sie ansprengen. Auf der semitischen Seite steigen dann, ähnlich wie in der Hunnenschlacht, pfäffische Gesellen in die Höhe; als Führer derselben ist Ringseis deutlich sichtbar. Auf der anderen Seite brachte Kaul-

---

[1]) Abgedruckt in den „Gesammelten Kleinen Schriften", Bd. I. Nördlingen, C. H. Beck, 1879. S. 63 ff. (D. H.)

bach einige seiner Freunde und sich selber — ein Fuchs-
kopf schaut ihm aus der Rocktasche heraus — ebenso in
den Lüften an, unter anderen Carrière, Dietz, Kreling. Das
wertvolle Bild ist noch in meinem Besitz.

Derselben Richtung gehört eine Schrift an, welche ich
ohne Namen im Jahr 1857 herausgegeben habe (Zürich,
Verlag von Meyer und Zeller): „Der Kampf der libe-
ralen und der katholischen Partei in Belgien, eine
Warnung für Deutschland. Briefe eines Belgiers an einen
Süddeutschen."

Im Angesicht des Kampfes, der in Belgien entbrannte
zwischen der liberalen Partei, die sich vornehmlich auf das
Bürgertum in den Städten stützte, und zwischen der katholischen Partei, welche vorzüglich in der Geistlichkeit,
dem Adel und der Landbevölkerung das Übergewicht besass, wendete ich mich an Professor Friedrich Laurent
in Gent, den geistigen Vorkämpfer für die liberalen Ideen,
dessen wissenschaftliche Werke — insbesondere die Studien zur Geschichte der Menschheit — ich schon lange
mit dankbarer Liebe empfangen und hochschätzen gelernt
hatte. Der Briefwechsel zwischen Laurent und mir ist in
jener Schrift abgedruckt, welche die deutschen Liberalen
warnen und vorbereiten sollte für die bevorstehenden ähn-
lichen Kämpfe in Deutschland. Laurent deckt auch die
Mängel der belgischen Verfassung und die Täuschungen
auf, welche die belgischen Liberalen verleitet hatten, den
Stat wehrlos dem ultramontanen Angriff blosszustellen. Die
Freiheit, welche der Stat einzelnen Individuen gewährt,
wird, der Kirche zuerkannt, zum Privilegium. Freiheit der
Kirche bedeutet Herrschaft der Kirche über Alle. Die Gefahren, welche dem State und der Cultur, wie jeder bürger-

lichen Freiheit von den Ultramontanen und den Jesuiten drohen, sind in der Schrift sehr scharf gezeichnet. Die ausführlicheren und wichtigeren Briefe sind von Laurent, der über die belgischen Erfahrungen näher berichtete. In meinen kurzen Erwiderungen verteidigte ich aber die deutsche Auffassung, welche die katholische Confession möglichst unangefochten lässt und nur die ultramontane Partei als statsfeindlich bekämpft.

Im Winter 1858 hielt ich zwei Vorträge im Liebig'schen Hörsaal über den Rechtsbegriff. Ich überschaute die verschiedenen Grundanschauungen der Juristenschulen und mehr noch der verschiedenen Völker und Zeiten und führte die Rohmer'sche Idee aus, dass das Recht nicht ausser den Personen, sondern in den Personen, nicht eine tote Norm, sondern eine lebendige Ordnung sei. Der Vortrag wurde damals in der Sammlung „Wissenschaftliche Vorträge" (Braunschweig 1858) abgedruckt. Ich hatte die Freude, dass mir Wächter seine wesentliche Übereinstimmung in einem Briefe erklärte. Ich habe seither diese Arbeit, die in eine Sammlung meiner ausgewählten Schriften aufgenommen werden soll, nochmals revidiert und verbessert.[1]

Im Winter 1859 hielt ich ebenfalls im Liebig'schen Hörsaal einen Vortrag über die alten indischen Kasten. Ich erklärte die Erhebung der Brahmanenkaste selbst über die königliche Kaste der Kschatrias aus der Wandlung der polytheistischen Naturreligion in die Eine Geistesreligion Brahmas und aus dem Verzicht der Brahmanen auf jede weltliche Macht.[2]

---

[1] Vergl. „Gesammelte Kleine Schriften", Bd. I. S. 1 ff. (D. H.)
[2] Vergl. „Lehre vom modernen Stat, Bd. I.: Allgemeine Stats-

In einer Abhandlung, die 1857 in der kritischen
Überschau erschienen ist, untersuchte ich die „neuen
Begründungen der Gesellschaft und des Gesell-
schaftsrechts" und trat dem auch von Robert v. Mohl
verteidigten System entgegen, welcher das Gesellschaftsrecht als drittes selbständiges Glied neben Öffentliches
Recht und Privatrecht stellte. Ich wies nach, dass
alle gesellschaftlichen Bildungen und Ordnungen entweder
öffentlich-rechtlich oder privatrechtlich seien, und nur einige
derselben gleichsam als Brücken dienen zwischen öffent-
lichem und Privatrecht und halb zu jenem, halb zu diesem
Gebiete gehören. Heinrich von Treitschke behandelte
später dieselbe Frage und kam zu denselben Resultaten.
Indem er mir seine Schrift zuschickte, erkannte er an,
dass er durch meine Abhandlung hauptsächlich angeregt
worden sei.

Ferner erschienen in der Kritischen Vierteljahrsschrift, welche an die Stelle der Kritischen Überschau getreten war, meine Artikel zur Revision der statlichen
Grundbegriffe (1859).[1] Ich besprach da den Gegensatz
der antiken und der germanischen und ebenso den Gegensatz der organischen und der atomistischen Ansicht, die
Begriffe: Volk und Menschheit, Individuum und Rasse, die
Grenzen der Statsthätigkeit und das Verhältnis derselben
zum Fortschritt, Nationalität und Volksrasse, letztere mit
Bezugnahme auf die Werke von Vollgraff und Gobineau,

---

lehre" Stuttgart 1875. S. 123 ff.; und „Altasiatische Gottes- und Welt-
ideen" Nördlingen 1866, cap. II.: „Die Brahmaidee und die Entstehung
der indischen Kastenordnung." (D. H.)

[1] Abgedruckt in den „Gesammelten Kleinen Schriften", Bd. I.
S. 287 ff. (D. H.)

die Persönlichkeit des Stats, öffentliches Recht und öffentliche Pflicht.

Von den wichtigeren Arbeiten zur Darstellung der Rohmer'schen Gotteslehre wird im folgenden Abschnitt näher die Rede sein.

Daneben erteilte ich verschiedene Rechtsgutachten in schwierigen Fällen. Mehrere derselben sind gedruckt. Ich erwähne nur eines in Sachen des Hauses Rothschild in Paris wider die schweizerische Nordostbahn, worin ich das Verfahren des mächtigen Bankhauses einer scharfen Kritik unterzog (1859). Der Process wurde von der Nordostbahn gewonnen. Mir trug er aber noch einen ärgerlichen Handel mit meinem alten Freunde Spöndli ein, der sich von der Leidenschaft hinreissen liess, als Anwalt vor dem Obergericht den Verdacht auszusprechen, dass ich mich durch Geld habe bestimmen lassen, meine Meinung zu Gunsten der Nordostbahn zu erklären. Ich verlangte und erhielt eine Ehrenerklärung von ihm, aber das Vertrauen war doch gestört, und die alte Gemütlichkeit im Verkehr liess sich nicht wieder herstellen.

Im Jahr 1858 hatte ich die Ehre, von dem eidgenössischen Bundesgericht als Obmann zu einem Schiedsgerichte nach Bern eingeladen zu werden, welches einen Process zwischen der Regierung von Bern (damals Stämpfli) und der schweizerischen Centralbahn entscheiden sollte. Von der ersteren waren Fürsprech Niggeler in Bern und Dr. Weder von St. Gallen, von der letzteren Professor Rüttimann aus Zürich und Dr. Heusler von Basel als Schiedsrichter gewählt worden. Aus dem Dreiervorschlag für die Obmannsstelle waren Bundesrat Dr. Furrer von der Berner Regierung und Landammann Zen Ruffinen von der Centralbahn refusiert worden. So blieb ich allein übrig.

Ich bemerkte in meinem Tagebuch: „Die Anerkennung der Schweiz freut·mich, obwohl die Aufgabe geeignet ist, Missfallen zu erwecken. Ich werde das Recht im Aug behalten, unbekümmert um Freund und Feind."

Meine Freunde im Schiedsgericht und grossenteils auch ausserhalb desselben in Bern (Blösch, König) waren auf Seite der Centralbahn. Die Verhandlung und die Abstimmung geschah öffentlich. Ich entschied für die Berner Regierung. Der Sache selber erinnere ich mich nicht mehr, wohl aber des Eindrucks der Überraschung, den mein Entscheid bewirkte. Nur Freund Roth schien es so erwartet zu haben.

Meine Beziehungen zu der Schweiz waren in der letzten Zeit nach dem Abschluss des Zürcherischen Gesetzbuchs auch in politischer Hinsicht enger und lebhafter geworden.

Von dem unsinnigen Neuchatellerputsch im Jahr 1856 bekam ich die erste Kunde, als ich zufällig in Zürich war. Die Gegenrevolution war in Berlin vorbereitet und von Romantikern und Feudalen in's Werk gesetzt worden. Sie scheiterte kläglich an dem Widerstand der schweizerisch gesinnten Bevölkerung. Die Ablösung des Cantons von der unnatürlichen, im Grunde nur dynastischen Verbindung mit dem preussischen Königshause, und der volle Anschluss an die Schweiz, zu welcher Land und Volk gehörten, galt mir von jeher als eine selbstverständliche Forderung der naturgemässen Fortbildung des öffentlichen Rechts. Ich hatte dieselbe schon 1842 gegen den preussischen Gesandten Bunsen ausgesprochen. Aber bei der Gesinnung des Königs

Friedrich Wilhelm IV., der an sein „göttliches Recht" glaubte, und bei der in Deutschland und in Europa mächtig gewordenen reactionären Strömung der Politik war die Verwicklung, in welche die Schweiz mit Preussen wegen Neuenburg geraten war, nicht ungefährlich.

Ich schrieb darüber in mein Tagebuch vom 23. December: „Die neue Zeitphase scheint mit der von 1847—49 in merkwürdigem Rapport zu stehen. Damals radikale Revolution, jetzt absolutistische Reaction. Damals die empörte Menge, jetzt die wütenden Fürsten.

„Das gegenwärtige europäische Statensystem ist im Grossen, was der deutsche Bund im Kleinen, die wechselseitige Assecuranz der Fürsten und der fürstlichen Gewalt. Die Völker werden nur als Stoff betrachtet, den die Fürsten nach Willkühr kneten.

„Die Revolution ist damals von der Schweiz aus auf Europa übergegangen. Nun will die Reaction aus Europa nach der Schweiz zurückkehren. Die Schlange beisst sich in den Schwanz.

„Die Fürsten haben die Macht, das letzte offene Ventil auf dem Continent zuzumachen, aber sie haben nicht die Macht zu verhindern, dass dann der zurückgedrängte Geist der Zeit die Maschine sprengen werde, die sie gebaut haben."

Auch in München empfand ich den reactionären Wind. Ich bemerkte, dass auch der König kühler und fremder gegen mich geworden sei. Mein feinfühliger Instinct erwies sich schärfer, als das Urteil der Freunde, die nichts bemerkten. Ich wurde zu den Symposien während einiger Zeit nicht eingeladen. Der damalige Minister des Innern Graf von Reigersberg war mir durchaus antipathisch,

noch mehr als von der Pfordten, welche beide ganz
reactionäre Junkerpolitik trieben.

Preussen rüstete, um mit Waffengewalt den König
als Fürsten von Neuchatel wieder einzusetzen, und verlangte von den süddeutschen Staten, dass sie seinem Heere,
wenn nicht Unterstützung, doch freien Durchmarsch ge-
währten. Auch die Schweiz rüstete sich zum Widerstand,
und es kam in Frage, ob im Kriegsfall nicht ein Vor-
stoss von der Schweiz aus in das badische Oberland zu
wagen sei.

Man erinnerte sich meiner in dem Berner Bundespalast, und ich wurde von dem Bundespräsidenten Dr. Furrer
angefragt, ob ich nicht eine Mission im Namen der Schweiz
an die süddeutschen Höfe übernehmen werde. Ich fragte
bei dem Ministerium an, ob ich zu diesem Behuf einen
Urlaub erhalten würde. Die Frage wurde verneint; aber
unter der Hand die Möglichkeit eines Auswegs eröffnet,
indem ich meine Entlassung aus dem bayerischen Statsdienste verlangen und den späteren Wiedereintritt vorbehalten könne. Ein Ministerialbeamter warnte mich davor,
auf diesen Ausweg einzugehen; es könnten mir doch, wenn
ich den Wiedereintritt begehre, Schwierigkeiten gemacht
werden.

Obwohl ich diese Gefahr als ernst erkannte, war ich
doch entschlossen, im Notfall eher meine Stelle preiszu-
geben, als meinem Vaterlande einen Dienst zu versagen,
den es in der Krisis von mir verlange.

Der Schritt war nicht nötig. Dr. Furrer entschloss
sich, selber nach Frankfurt zu dem österreichischen Bundespräsidenten und an die süddeutschen Höfe zu gehen. Er
kam auch nach München und teilte mir seine Erfahrungen

mit. Der Mission fehlte es an officieller Würde. Dr. Furrer wurde nicht wie der Repräsentant eines europäischen Stats von königlichem Rang, sondern nur mit der Höflichkeit aufgenommen, die man jedem Fremden von Namen schuldet. Er machte sich übrigens nicht viel aus den Dingen, die an Höfen hochgeschätzt werden. Das Beste war, dass die Stimmung dem Frieden geneigter wurde. Österreich hätte die Demütigung der Schweiz wohl nicht ungern, aber sehr ungern die Machtentfaltung Preussens im Süden mit angesehen. Die süddeutschen Staten waren ebensowenig nach dieser Erscheinung lüstern. Preussen selber ging auf die Vermittlung des Kaisers Napoleon III. ein. So kam es in Paris zu einer für die Schweiz sehr glücklichen Erledigung des Streits. Der Fürst von Neuchatel verzichtete auf sein Dynastenrecht, die Republik Neuchatel blieb völlig schweizerisch.

Vorerst in drei Briefen an Dr. Furrer, dann in einer Flugschrift (Schulthess 1858) brachte ich die Gründung einer schweizerischen Akademie der Wissenschaften in Antrag. Ich wies auf die Zerfahrenheit der wissenschaftlichen Anstalten in der Schweiz hin, welche die grossen Leistungen einzelner Cantone und Städte nicht zu voller Wirkung kommen lasse, und auf die Bedeutung der Schweiz als „Vermittlerin des deutschen und französischen Geistes". Die Akademie sollte aus 25 ordentlichen und einer unbeschränkten Anzahl von ausserordentlichen Mitgliedern bestehen und sich in drei Sectionen gliedern:

1) für historische und politische Wissenschaften,
2) für Sprachwissenschaften und schöne Litteratur,
3) für mathematische und Naturwissenschaften.

Der Präsident und die drei Sectionssecretäre bilden den

ständigen Ausschuss und erhalten eine Besoldung. Die ausserordentlichen Mitglieder werden von den höheren wissenschaftlichen Anstalten des Bundes und der Cantone bezeichnet, die ordentlichen Mitglieder zuerst durch den Bundesrat, später durch die Akademie selbst.

Als Aufgaben der Akademie bezeichnete ich: die Verbindung aller höheren wissenschaftlichen Anstalten in der Schweiz, die Kenntnisnahme von wissenschaftlichen Leistungen im In- und Ausland, wissenschaftliche Begutachtung auf Anfragen des Bundes und der Cantone, selbständige wissenschaftliche Unternehmungen uud Förderuug der wissenschaftlichen Unternehmungen Anderer, Anlage von wissenschaftlichen Sammlungen, wissenschaftliche öffentliche Vorträge.

Die Kosten berechnete ich auf ungefähr 200,000 Fr.

Der Gedanke wurde von Einigen gebilligt, von den Meisten nicht beachtet. In der kalten Temperatur konnte die Blüte keine Frucht ansetzen; sie verwelkte.

In München fing es an heller zu werden. Zum ersten Mal siegten wir 1858 in den Universitätswahlen über die Allianz der Nativisten, welche uns als fremde Eindringlinge hassten, mit den Ultramontanen, welche den freien Geist fürchteten. Professor Pözl wurde zum Rector und ich in den Senat gewählt. Die jüngeren Docenten verbanden sich mit den „Fremden“ zu dem Kampfe.

Ebenso stürzten die Neuwahlen zum Landtag das Ministerium Pfordten-Reigersberg. Nur der Cultusminister von Zwehl rettete sich hinüber in das neue gemässigtere Ministerium.

Brater gründete die Bayerische Wochenschrift als leitendes Blatt für die Liberalen in Bayern. Ich nahm daran Anteil und kam dadurch auch mit manchen Führern der Partei, insbesondere mit Barth, Buhl, Völk in nähere freundliche Beziehung.

In München war unser Hauptquartier in der Weinhandlung bei Grodemange.

Endlich unternahm ich es, in München eine feste Heimat zu gründen. Ich kaufte den Riezler'schen Garten in der obern Gartenstrasse, unmittelbar hinter der Ludwigskirche und dem Priesterseminar, im April 1858 und baute dann ein Familienwohnhaus an die Strasse, das ich in Erinnerung an das Zürcher Steinböckli „zum Steinbock" benannte. Ein in Stein gehauenes Relief am Hause stellt den Steinbock dar, nach einer Zeichnung von Kaulbach, der in jeder Weise meine Ansiedlung förderte. Am 17. Juni versenkten wir mit den Freunden den Grundstein feierlich. Im August 1859 bezog ich das Haus. Ich ahnte nicht, dass ich mich dieses stattlichen Besitzes und des schönen weiten Gartens mit grossen Bäumen nur kurze Zeit erfreuen würde. Ich hoffte vielmehr einen festen Familiensitz gegründet zu haben, an dem auch meine Kinder sich erfreuen sollten.

Im August 1858 ging ich als Abgeordneter der Universität München über Erlangen, wo ich mit Aegidi verkehrte, dessen quecksilberartige Beweglichkeit seltsam contrastierte mit der festen Treue an den Principien, und wo ich auch Rösler kennen lernte, dessen innere Unruhe bei äusserem grossen und zähen Fleisse mir auffiel, nach Jena zu dem Universitätsjubiläum.

Zum ersten Mal bekam ich Weimar zu sehen. Ich besuchte die ärmliche Mansarde, in der Schiller gelebt, und die bessere, aber verglichen mit unseren heutigen Zu-

ständen doch sehr bescheidene Wohnung Goethe's. Der
Besuch der grossherzoglichen Gruft flösste mir grossen Re-
spect ein vor Carl August von Weimar, welcher die
Särge von Schiller und Goethe den fürstlichen Särgen an
die Seite hatte stellen lassen. In Jena traf ich manche
alte Bekannte und Freunde und lernte viele bedeutende Gelehrte kennen, insbesondere Wächter aus Leipzig, Böckh
und Gneist aus Berlin, Häusser aus Heidelberg, Troxler
aus Luzern, Schmidt aus Bern, Droysen aus Berlin,
Michelsen und Guyet (bei dem ich wohnte) aus Jena,
Albrecht aus Leipzig, Stobbe aus Königsberg, Witte
und Haym aus Halle, Kraut aus Göttingen u. s. f.

Ein sehr lebhaftes Interesse nahm ich an der Befreiung Italiens von der österreichischen Herrschaft. Ich
hielt das Streben Cavour's für durchaus berechtigt und
begriff nicht, wie man der begabten Bevölkerung der Lom-
bardei zumuten konnte, sich von Wien aus und durch Österreicher regieren zu lassen. Hatte eine Nation die Kraft
und den Willen sich selbst zu regieren, so hatte sie meines Erachtens auch das Recht dazu.

Aber ich stand damals mit wenigen Freunden in Mün-
chen ziemlich isoliert mit dieser Meinung. Die öffentliche
Meinung in München war von der Augsburger Allgemeinen
Zeitung beherrscht, und diese verfocht die österreichische
Herrschaft wie eine Notwendigkeit für Deutschland. Die
Ultramontanen fürchteten überdem für die Herrschaft des
Papstes im Kirchenstat und erblickten in Österreich ihren
sichersten Verteidiger. Sogar unter den Liberalen in Mün-
chen waren Viele, und voraus die Altbayern, schon aus
Hass gegen Napoleon, welcher sich mit Piemont verbündet
hatte, auf die Seite Österreichs getreten. Sie beklagten

es, dass Preussen nicht von Anfang an sich zu Österreich
stelle, und merkten nicht, dass dann der Krieg vornehmlich an den Rhein verlegt und wir Deutsche genötigt würden, die Hauptlast des Krieges auf unsere Schultern zu
nehmen, während wir gar kein Interesse an der österreichischen Herrschaft über Italien hatten. Mit Brater,
Baumgarten, Sybel, Heyse und Anderen verteidigte ich
die Sache Italiens.

Mit Vergnügen erinnere ich mich der täglichen, zuweilen heftigen Erörterungen. Es war gerade die Bockzeit
im Mai, welche selbst in dem rauhen München Frühlings-
triebe weckt. Gewöhnlich waren wir in dem Garten von
Achaz beisammen, um vor Tisch ein Glas Bock zu geniessen. Meistens entbrannte da der Streit der politischen
Meinungen. Aber so heilkräftig erwies sich der Bock, dass
man am Schluss doch wieder in heiterer Stimmung aus-
einanderging.

Noch eines Scherzes gedenke ich aus jenen aufgeregten
Tagen. Es war mit der Eisenbahn ein österreichisches Regiment aus Böhmen in München angekommen, und sollte
weiter nach Italien befördert werden. Auch ich ging in
den Bahnhof, um die Truppen anzusehen, welche in den
Wagen geblieben waren. Sie wurden von den Münchnern
jubelnd begrüsst und reichlich mit Bier und Würsten be-
wirtet. Die Münchner freuten sich der „deutschen Brüder“, welche die Welschen klopfen würden. Die Österreicher liessen sich's tüchtig schmecken. Als dann aber
der Zug wegfuhr, da riefen die vermeintlichen deutschen
Brüder in österreichischer Uniform laut und kräftig zu
den Wagenfenstern hinaus: „Evviva Vittorio Emanuele, il
re d'Italia!“ Es war ein italienisches Regiment, welches

so seiner patriotischen Gesinnung Luft machte. Die Münchner schüttelten bedenklich die Köpfe; mich ergötzte das Missverständnis.

17.

Vermächtnis Friedrich Rohmer's an Theodor und mich. Mein Entschluss. Grabrede. Theodor in München. Letztes Aufflackern des Lebens. Wirkung auf meine Frau. Gespräch mit von der Tann. Aufenthalt in Zug. Der natürliche Weg zu Gott. Zürich. Fürst Leiningen. Professor Schweizer. Theodor stirbt. Überschau über die überlebenden Freunde, die meistens auch bald wegsterben. Die logische Begründung. Aussichten. Aufnahme der Schriften (1857, 1858).

Ich konnte anfangs nicht an den Tod Friedrich Rohmer's glauben. War es nicht ein Starrkrampf? Hatte das Gewitter am Himmel seine Nerven betäubt? Es war wirklich der kalte Tod. Die Leiche hatte einen milden Ausdruck bekommen, wie er sonst selten zu sehen war. Ich liess die Maske in Gyps giessen. Der Bildhauer Knoll in München fertigte nach derselben ein Porträtbild in Form eines Medaillons, das einigermassen die Züge des wunderbaren Mannes der Nachwelt überlieferte.

Obwohl Fritz in der letzten Zeit oft von der Möglichkeit seines Todes gesprochen und mir erklärt hatte: „Sie und Theodor sind meine Geisteserben", so war mir dieser plötzliche Schlag doch unerwartet.

Im Angesicht der Leiche und indem ich die tote Hand ergriff, gelobte ich vor Gott, sein Vermächtnis an die Welt, soweit meine Kräfte reichen, zu vollziehen.

„Nun hast du Ruhe, du ruheloser Geist, die Ruhe in

Gott. Unter den Menschen hättest du niemals Ruhe gefunden."

„Ich habe keinen Menschen so geliebt, wie ihn."

Ich war nun entschlossen, das wissenschaftliche Vermächtnis Friedrichs zu erfüllen, insbesondere die Lehre von Gott zur Darstellung zu bringen und nur noch die Sorge für meine Kinder im Auge zu behalten. Selbst auf eine politische Thätigkeit wollte ich im Notfall verzichten.

„Ich will die Politik erwarten, wenn sie von Gott an mich kommt. Ich gehe ihr nicht nach."

Aber um Theodor war mir sehr bange, der krank und hinfällig in Traunstein lag. Ohne ihn schien es mir kaum möglich, die Wissenschaft darzustellen.

Am 13. Juni 1856 war Friedrich Rohmer's Begräbnis. Ich hatte in der Eile eine biographische Skizze seines Lebens entworfen, welche ich vor dem offenen Grabe vorlas, in Gegenwart des Geistlichen, Pfarrer Caspari, der keine Ahnung hatte von der Bedeutung des Mannes.

Am Schluss dieser Skizze schrieb ich:

„Es ist naturgemäss, dass die Schickung seines frühen Todes (er hatte nur ein Alter von 42 Jahren erreicht) seinen Freunden erst allmälich klar werden wird. So viel aber ist jetzt schon klar, dass die Leistungs- und Tragfähigkeit seiner Constitution unter ihnen selbst eine Täuschung herbeigeführt hatte, die auch durch sehr bedenkliche physische Anzeichen während des letzten Jahres nicht erschüttert wurde. Man war bei ihm so sehr an das Ausserordentliche gewöhnt worden, dass man sich in der Grenze versah. In den äusseren Lebensbedingungen nur auf sich und die Freunde, die er sich bildete, angewiesen, hatte er auf der Welt im Grunde nur zwei Dinge: Ideen und

17*

Kummer. Er selbst bezeichnete sich in den letzten sechs Jahren seines Lebens öfters als ein abgehetztes Wild und erklärte wiederholt, dass das Leben den Reiz für ihn verloren habe und dass er sich nach der Ewigkeit sehne. Weil aber die Lebendigkeit seines Wesens trotzdem noch so gross war, dass sie, wenn auch im Vergleich mit seiner Jugend in verringertem Maasse, unbekannten Personen wie etwas Seltenes erschien, so konnte die erwähnte Täuschung sich förmlich einwurzeln."

Am Tage nach dem Begräbnis erschien, wie durch ein Wunder, Theodor Rohmer bei mir. Er hatte über 10 Tage gebraucht, um sich auf mühevoller, langsamer Fahrt nach Ämpfing (bei Traunstein) bringen zu lassen. Nun war er, nachdem er die Todeskunde erhalten, ohne Aufenthalt in Einem Zuge nach München zurückgekehrt. Sonst konnte er nicht eine halbe Stunde lang an einem Gespräch teilnehmen; dann sank er erschöpft hin. Jetzt sprach er mit mir stundenlang mit Eifer, ohne Unterbrechung, und seine Kräfte verliessen ihn nicht. Ich habe nie eine so starke Wirkung der erregten Nerven- und Willenskraft erlebt.

Es war, wie wenn der Tod von Fritz die Flamme seines Lebens erfrischt und belebt hätte.

Frau Mathilde Bruckmann, die Schwester Friedrichs, hatte in den letzten Wochen, seinem Wunsch entsprechend, bei dem sich vereinsamt Fühlenden besuchsweise geweilt und seines Hauswesens sich angenommen. Wie eine tragische Heldin der Antike schritt sie jetzt gebeugt, resigniert, ernst, stumm durch das Wohnzimmer des Bruders.

Auch meine Frau war tief innerlich ergriffen. An

dem letzten Abend, als Fritz mit dem ersehnten Manuscript, seiner letzten Arbeit, zu uns gekommen war, schenkte er ihr das Original seiner verworrenen, aber mächtigen Schrift; „ihr, nicht mir". Dann murmelte er halb unbewusst, träumerisch die Worte aus demselben: „Hinab — folge mir".

Da meine Frau todesmüde war, von allem Erlebten gedrückt, so weckte das unheimliche Wort die Besorgnis, sie möchte ihm in den Tod nachfolgen. Doch hielt ich die Hoffnung fest, dass ein Sommeraufenthalt in der Schweiz sie wieder stärken werde. In der That kräftigte sie sich in Zug wieder. Beinahe zwanzig Jahre noch hielt sie mit und bei mir aus.

Die Frage, die ich an mich stellte: „Muss ich auf die Politik verzichten und nur der Wissenschaft noch leben?" ängstigte meine Frau sehr. Sie meinte, wenn ich auf die Politik verzichte, so verzichte ich auf mein Leben.

Am 15. Juni hatte ich mit General von der Tann, dem Adjutanten des Königs, im Schloss zu Berg ein zweistündiges Gespräch über Friedrich Rohmer. Während acht Jahren hatte ich nie ein Ohr gefunden, welches Näheres hören wollte, den Fürsten Leiningen ausgenommen. Nun, zwei Tage nach dem Begräbnis, hörte mir der beste Freund des Königs mit gespannter und durchaus wohlwollender, empfänglicher Aufmerksamkeit lange zu. Er benahm sich dabei so ausgezeichnet, dass ich Vertrauen gewann. Am Schluss sagte er: „Das ist ja der Faust. Nur geht die Höllenfahrt voraus."

Offenbar wünschte der König durch ihn Näheres zu hören. Von der Tann berichtete getreulich. Aber die Furcht, die ich damals in mein Tagebuch notierte, dass der König kein Verständnis haben werde, zeigte sich als begründet. Mir fiel die Haltung und die Frage des Pilatus ein: „Was ist Wahrheit?"

Ich wurde bald darauf wieder zu den Königsabenden eingeladen; aber ich empfing nur unbefriedigende Eindrücke.

Als Andenken aus der Verlassenschaft erhielt ich eine zierliche Stockuhr in Renaissancestyl (XVII. Jahrhundert). Meine Frau bekam die beiden ledernen und zwei gepolsterte Sessel in Plüsch, die noch in unserem Gebrauch sind, und die während des Krieges von 1870 längere Zeit von der Grossherzogin von Baden und der Prinzessin Wilhelm benützt wurden, wenn sie unseren Sitzungen der Lazarethcommission beiwohnten.

Mit Theodor verständigte ich mich dahin, dass wir beide, jeder eine besondere Darstellung der Gotteslehre unternehmen, er von dem speculativen Standpunkte, ich von der Naturbetrachtung aus. Theodor wollte die erstere entwerfen für philosophisch geschulte logische Denker, ich die zweite populär gehaltene für den offenen Natursinn und den gesunden Verstand zahlreicher Leser. Ich wollte die Wahrheit anschaulich machen, er sollte sie beweisen.

Ich hatte mich entschlossen, im Sommer mit meiner Familie nach Zug zu gehen und da im Angesicht des schweizerischen Gebirgs mehrere Wochen dieser Arbeit mich ungestört zu widmen.

Dieser Vorsatz wurde ausgeführt. Wir wohnten 6 Wochen (August und September) in Zug in dem Zurlauben'schen Hofe, einem Landhause oberhalb der Stadt, das nun Herrn Bosshard gehörte. Vor unseren Blicken glänzte der schmucke See mit dem freundlichen Städtchen an seinem Ufer, erhoben sich der lockende Rigi und der düstere Pilatus und zwischen ihnen die stolzen Berner Alpen, Eiger, Mönch und Jungfrau in der Ferne. Über Cham hin nach Norden breitete sich die Ebene aus, bis nach Deutschland hin. Das Wetter war fast immer schön. Es war eine paradiesische Zeit voll herrlichen Naturgenusses und gesegnet in der Arbeit des Denkens und Gestaltens.

Damals ist in Zug mit Benutzung der Fritz'schen Aufzeichnungen und der Vorarbeiten von Theodor die erste für die Welt bestimmte Darstellung des makrokosmischen Gottesbegriffs ausgearbeitet worden. Dieselbe ist später unter dem Titel: „Der natürliche Weg des Menschen zu Gott", Nördlingen 1858, veröffentlicht worden.

Eingedenk des Rohmer'schen Satzes, dass es für den Menschen nur zwei Wege der Erkenntnis gebe, den einen, indem er von der Anschauung dessen, was ausser ihm erscheint, der Natur, des Universums auf sich schliesst, und den anderen, indem er von sich aus (dem Geistesbewusstsein aus) auf das Universum zurückschliesst, unternahm ich es, den makrokosmischen Gottesbegriff dadurch klar zu machen, dass ich aus den Jedermann zugänglichen und verständlichen Betrachtungen der äusseren Natur die notwendigen Schlüsse ziehe.

In diesem Sinne wies ich zuerst auf die in den Vorstellungen des Menschen stetig gewachsene „Unermesslichkeit" des Universums und die enge Begrenzung des mikrokosmischen Körpers hin, führte den Gedanken der Einheit der makrokosmischen Natur und des Dualismus in ihrem Sein aus, stellte die Kategorien

Raum und Zeit

Ruhe und Bewegung

Anlage und Entwickelung

Notwendigkeit und Freiheit

als die beiden Seiten in der Existenz und dem Leben der
Natur dar, und indem ich den Einen Geist, der in der
Natur walte und sichtbar werde, als lebendigen und be-
wussten schilderte, betrachtete ich die Persönlichkeit Gottes,
in dem Geist und Natur zu Einem ewigen und in unend-
licher Entwickelung begriffenen Wesen verbunden sind, die
unergründliche Vollkommenheit in der Anlage Gottes, die
unendliche Vervollkommnung in dem Leben Gottes, den
Ursprung und die Überwindung des Bösen, die männliche
und die weibliche Seite in Gott.

Dann ging ich über zu der Schöpfung der Mikrokosmen, der Pflanzen, Tiere, Menschen, in der sich die fortschreitende Entwickelung Gottes offenbart.

Dieser Teil ist mangelhafter und schwächer, als der
erste, weil sowohl die beiden Rohmer als auch ich nur geringe naturwissenschaftliche Kenntnisse hatten. Der Grundgedanke, den später Darwin mit grösstem Erfolge näher
ausführte, dass in der Welt der Mikrokosmen ein innerer
Zusammenhang und eine Entwickelung wahrzunehmen
sei, die er als Abstammung der einen Art von den anderen
darstellt; dieser Grundgedanke ist doch in der Schrift auch
schon ausgesprochen. Derselbe ist aber, und ich denke
mit Vermeidung des Darwin'schen Irrtums, auf die natürliche und wesentlich leibliche Verbindung der verschiedenen Pflanzen- und Tierarten und auf die Benutzung
früherer Bildungen zum Hervorbringen folgender Bildungen
durch die Natur beschränkt, und die schöpferische Einwirkung des Geistes, ohne die jene Neubildungen doch
nicht zu erklären sind, sehr bestimmt ausgesprochen. Das
aber ist die Hauptsache. Die Selbstentwickelung des
Affen zum Menschen ist unmöglich: die Idee des Menschen

und der Menschheit konnte nicht in einem Affengehirn sich
bilden, sie ist nur begreiflich, wenn Gott sie dachte; aber
die Benutzung des Affenleibes, um erste noch halbtierische
Menschen zu schaffen, ist sehr wahrscheinlich. Ich zweifle
nicht, dass die spätere Naturwissenschaft vollständigere Be-
weise für diese Wahrheit bringen wird, als mir es möglich war.

Der damalige Aufenthalt in der Schweiz war ungemein fruchtbar und hoffnungsvoll für mein Streben. Schon
auf dem Wege nach Zug begegnete ich in Zürich dem
Fürsten von Leiningen und lernte auch seine Schwester,
eine Fürstin von Hohenlohe, kennen. Er nahm einen in-
nerlichen Anteil an der neuen Gottesidee. Aber noch in
demselben Jahre zeigte mir die Schwester in einem herrlichen Briefe den Tod ihres Bruders an, dessen letzte
Lebenszeit noch durch die Mitteilung jener Idee beleuchtet
und erhellt worden sei.

Es war mir von hohem Werte, dass mein alter Freund,
der Theologe Alexander Schweizer, der von Natur kri-
tisch und skeptisch war, mit Interesse und ohne wesentliche Bedenken auf die Idee einging.

In Zürich sammelten sich meine Freunde zu einem
heiteren Bankette, um meine Anwesenheit in der Vaterstadt zu feiern. Es hatten sich auch manche frühere
Gegner eingefunden, und es herrschte ein belebter, freundlicher Ton.

In Teuffen traf ich meinen alten Freund Roth, der
sich der Lösung auch freute.

Sollte die Schweiz, das Land, und Zürich, die alte
Heimat der Geistesfreiheit, der Ort sein, von wo der neue
Glaube an Gott, oder vielmehr das neue Wissen von Gott

sich über die Welt verbreite? In der That, die alte Liebe
zur Schweiz trieb reiche Hoffnungsblüten in meiner Seele.

Aber die Nachrichten aus Traunstein, wohin Theodor
sich zurückbegeben hatte, um in der Gebirgsnatur Gene-
sung zu suchen, lauteten sehr schlimm. Die Erregung in
München war nur ein letztes Aufflackern des erlöschenden
Lebenslichtes gewesen. Seine Kraft war aufgezehrt worden
in den schweren und aufreibenden Arbeiten und Kämpfen
im Dienste seines Bruders. Er starb am 12. December 1856
zu Traunstein, ein halbes Jahr nach dem Bruder, dem sein
Leben opfermutig geweiht war. Noch bis zum letzten Tage
blieb sein Geist frei, während der absterbende Körper ihn
furchtbar quälte. Die letzten Gedanken waren noch speculative über Fritz und dessen Verhältnis zu Gott und zu
Christus.

Dieser neue Schlag fiel schwer auf mich. Nun war
ich der alleinige Geisteserbe, und die ganze Last des grossen
Werks musste von mir übernommen werden.

Da schon kam die Resignation über mich. Ich glaubte
nicht mehr an einen Erfolg der neuen Lehre in naher Zeit,
und wagte nicht mehr einen solchen zu hoffen oder anzu-
streben. Wenn ich mich umsah, wo ich Hilfe und wirk-
same Unterstützung finden könne, so sah ich nirgends
Trost. Ich hatte nur von Gustav Widenmann in Ulm
eine erhebliche Förderung erfahren in der Darstellung der
Gottesidee,[1] aber er war schwer zu stetiger Production zu

---

[1] Anm. des Herausgebers. Der mit Dr. Gustav Widenmann
eng verbundene Hermann Weigle, welcher mit seinem Freunde schon
im Jahr 1842 Friedrich Rohmer persönlich nahe getreten war, verfolgte die Rohmer'sche Wissenschaft hauptsächlich in ihren Ergeb-
nissen für die Religionslehre und Religionsgeschichte und war nicht

bringen und sein Feuereifer einem planmässigen geordneten
Gange nicht leicht anzupassen. Er war ein edler Charakter, der ein Mitgefühl hatte für die Leidenden und
Armen, ein kühner Geist voll Ideen und markiger Sprache,
aber er hatte auch seine schwäbischen Schrullen und Eigen-
heiten, welche seine Fähigkeit, auf die Masse zu wirken,
wieder hemmten und auf Fremde den Eindruck des unpraktischen Originals machten. Immerhin war sein Bei-
stand von Wert; aber auch er starb, bevor er seine Aufgabe gelöst hatte.

Brater stand den Personen nahe und nahm an den
Ideen innigen Anteil, aber er blieb jeder Bearbeitung der
Rohmer'schen Wissenschaft fern. Auch ihn raffte der Tod
hinweg, noch bevor das deutsche Reich gegründet war,
für dessen Aufbau er seine besten Kräfte geopfert hatte,
ein Märtyrer der nationalen Beweguug.

Die beiden Schulthess, welche, voraus Heinrich
Schulthess, so Vieles gethan hatten, um Fritz über
Wasser zu halten, konnten für die wissenschaftliche Arbeit
(d. h. für die wissenschaftliche Bearbeitung des Rohmer'-
schen philosophischen Nachlasses D. H.) wenig leisten.
Otto starb bald nachher.

Duttenhofer hatte für die Psychologie ein besonderes Verständnis; er hat sehr wertvolle Vorarbeiten gemacht. Mit Begeisterung nahm er noch die neue Gotteslehre auf. Dann neigte auch er sein Haupt und starb.

Hottinger betrachtete es als seine Lebensaufgabe,
durch seine Vermögensmittel das Werk der Durcharbeitung
und Herausgabe der Rohmer'schen Wissenschaft zu för-

in der Lage, an dem schwierigen Werk, die Rohmer'sche Wissenschaft
als solche zur Darstellung zu bringen, sich mitzubeteiligen.

dern. Auch er schied im Jahre 1876 aus dem Leben, ohne das Ziel erreicht zu sehen.

Der jüngste ebenfalls begabte Rohmer, August, überlebte seine Brüder auch nicht lange, so wenig als der geistreiche Onkel derselben, Bezirksamtmann Heydenreich.

So sind fast Alle tot, die einst von Fritz begeistert, von ihm ein neues· höheres Leben gehofft hatten. Fast nur noch der treue Ernst Rohmer und ich sind übrig geblieben.

Wenn ich's überdenke, so geht ein Zug mächtiger Tragik durch diese Geschichte. Mir blieb nichts übrig als die Sorge, die Samenkörner der Wissenschaft noch in die Erde zu legen. Sie werden dereinst aufgehen, wenn längst auch meine Gebeine vermodert sein werden.

Die gegenwärtige Welt, und vermutlich auch die nächste Generation, haben kein Verständnis dafür und keine Ahnung davon, dass von diesen Ideen aus die Heilung kommen wird für die verwirrte Menschheit.

Ich war nun genötigt, mit Benutzung der bedeutenden Vorarbeiten aus dem Nachlass von Friedrich und von Theodor Rohmer, auch die logische Darstellung von dem folgerichtig denkenden Menschengeist aus zu schreiben, der den Grund sucht von Allem, was ist, und daher Alles, was ist, hinwegdenkt.[1]) Auf diesem Wege kommt der Gedanke auf die nicht wegzudenkende Vorstellung des Unbegrenzten, Ununterscheidbaren, des Nichts (Nichtseienden), des Raumes (Vacuum), des Dunkels, der Indifferenz, der Einen

---

[1]) Anm. des Herausgebers. Diese logische Darstellung lag in einer Ausarbeitung von Theodor Rohmer wenigstens im Entwurfe vor, in einem Entwurfe, welcher stellenweise auch schon in Ausführung überging.

Unterlage, der Ursache und Anlage des Seins, die er auch als Urstoff, als Kraft, als Seele auffassen kann, und welche die notwendige Unterlage Gottes ist.

Nun folgt die Betrachtung der Gegensatzpaare, die in dem Sein als dessen Ur-Teile zu unterscheiden sind, der Kategorien von

Unterlage und Eigenschaft
Nichts und Werden
Raum und Zeit
Ruhe und Bewegung
Finsternis und Licht
Indifferenz und Differenz
Grund und Folge
Ursache (Substrat) und Wirkung (Wirkendem)
Ausdehnung und Concentration
Anlage und Entwickelung.

Da es nur Eine unbegrenzte Unterlage geben kann, so kann es auch nur Eine unendliche Eigenschaft geben, die mit Notwendigkeit aus ihr hervorgeht. Also gibt es nur Ein unbegrenztes und unendliches Sein, welches den Raum als Unterlage, die Zeit als Eigenschaft in sich hat, dessen Unterlage unergründliche, unerschöpfliche Kraftfülle und vollkommene Anlage, und dessen unendliche Entwickelung höchstes Leben, unaufhaltsam steigende Vervollkommnung, unendliche Seligkeit ist.

Das Eine ewige Sein wird leiblich sichtbar in dem Raume, in der erfüllten Materie, die als belebter Körper des Geistes sich in der unermesslichen Natur ausbreitet. Der Eine Weltkörper ist Gottes Körper. Die Bildung und das Wachstum der Natur ist die Selbstbildung und das Wachstum Gottes. Erst schuf Gott seinen Körper in sich, dann schuf er mikrokosmische Geschöpfe als begrenzte Existenzen aus sich, aber ausser sich.

In den „Sätzen von Gott" stellte ich die wesentliche Ideenfolge wie in einem Centralbilde zusammen. Ich habe später diese Sätze, die ich an dem ersten Todestage Friedrich Rohmer's (11. Juni 1857) in die Druckerei schickte, noch revidiert. Sie sind aber wesentlich dieselben geblieben und die gedrungenste Formulierung der makrokosmischen Gottesidee. Dann besprach ich die Schöpfung der Mikrokosmen und die Folge der Schöpfungswerke. Die Geschöpfe sind lebende Wörter Gottes, jedes Schöpfungswerk ist eine besondere Aussprache Gottes. Jede frühere Schöpfung ist Ausgang und Entwickelungsstufe für die folgende, höhere Schöpfung. Zuhöchst steht die Schöpfung des Menschen. In dem Körper des Menschen hat Gott die Vollkommenheit seiner Natur mikrokosmisch geoffenbart. In der seelischen Seite des Menschenkörpers wird Gottes Idee vom Menschen als gemeinsame menschheitliche Anlage offenbar; in der Bestimmung der Menschheit und in dem Zeitgeiste ist der Fortschritt und die organische Wandlung des Gemeingeistes dargestellt (d. i. in dem sich organisch wandelnden Zeitgeist stellt sich die Entwickelung der seelischen Veranlagung des menschlichen Gattungswesens dar, und wird die Bestimmung der Menschheit offenbar. D. H.). In den Individualgeistern spricht Gott fortwährend neue Wörter aus und gibt ihnen die Fähigkeit und Freiheit, sich selber auszusprechen.

Endlich prüfte ich von dem makrokosmischen Gedanken aus die ernste Frage des zukünftigen Lebens der Individualgeister nach dem irdischen Tode.

Ich war überzeugt, dass in dieser Wissenschaft auch

der Keim einer neuen Weltreligion oder besser einer neuen
Gottesverehrung liege, und die Erfüllung aller bisherigen
Religionen. Die christliche Religion war damit vollkommen
verträglich, wenn sie gereinigt wurde, so dass sie der Religion Jesu wieder glich.

Der Weg aber, den die Vertreter der neuen Idee
einschlugen, sollte nicht der der Gewalt von oben, noch
der der Empörung von unten sein. Keine Berufung auf
den Glauben sollte die Gemüter entzünden, nur der Kraft
des richtigen Denkens vertraut werden. Es sollte die
Wahrheit von den denkenden und unbefangen prüfenden
Geistern ruhig erwogen und allmählich in das wachsende
Verständnis aufgenommen werden. In stillem Fortschritte
sollte sie erst die mancherlei Vorurteile und überlieferten
Irrtümer überwinden und durch die Unwiderleglichkeit ihrer
Gründe sich siegreich bewähren. Vielleicht waren erst spätere Geschlechter fähig und reif, die Wahrheit zu begreifen
und ihr Leben darnach umzubilden.

Um deswillen entschloss ich mich, zuerst die specu-
lativ-logische Darstellung herauszugeben, obwohl sie später
geschrieben war. Sie konnte nur auf ernste klare Denker,
nicht auf das grosse Publikum wirken. Dieselbe erschien
zu Nördlingen 1857 anonym unter dem Titel: „Gott und
Seine Schöpfung. Von dem Autor der Kritik des Gottesbegriffs in den gegenwärtigen Weltansichten".[1] Mit Absicht nannte ich auch den Namen Rohmer nicht, um jede
persönliche Reizung zu vermeiden. Erst ein Jahr später
folgte die andere Darstellung: „Der natürliche Weg des
Menschen zu Gott", ebenfalls anonym.[2]

---

[1] VIII und 156 S. gr. 8.
[2] XII und 166 S. gr. 8.

Die beiden Schriften wurden von einigen wenigen Lesern mit Begeisterung, von mehreren mit Achtung aufgenommen, auch gelegentlich in gelehrten Zeitschriften anständig erwähnt und mit kritischen Bemerkungen begleitet. Aber sie fanden nur ein kleines Publikum. In München wurde einige Zeit davon auch in gelehrten Kreisen gesprochen. Die Nation nahm keine Notiz davon.

Die „Kritik des Gottesbegriffs" hatte viel mehr Beachtung gefunden: sie erschien in 3. mit einem zweiten Vorwort vermehrter Auflage ebenfalls zu Nördlingen im Jahr 1857.[3]) An der Zerstörung der bisherigen Gottesbegriffe hatte die Welt ihre Freude, an der positiven Begründung des lebendigen Gottesbegriffs ging sie kalt und gleichgiltig vorüber.

Der „natürliche Weg" wurde besser verstanden und fand eher noch Anerkennung; die strenge „logische Begründung" war den von Kant und Hegel geschulten Köpfen ungewohnt und ungeniessbar.

Für mich war es ein Trost, dass nun die Wahrheit nicht mehr untergehen könne, dass sie einen nachwirkenden Ausdruck gefunden habe. Die Zeit wird kommen, dass ein höher begabter Mensch unter glücklicheren Bedingungen den verborgenen Schatz heben und dann der aufstaunenden Welt zeigen wird, was für ein Gut sie unbesonnen missachtet habe.

---

[3]) XVI und 95 S. gr. 8.

18.

**Süddeutsche Zeitung in München. Brater. Über die Concordate.
Schrift: Das Papsttum vor der napoleonischen und der deutschen
Politik. Der Nationalverein. Nationale Gefahr und Pflicht. Zur
Bundesreform. Die Revolution Italiens. Tod meines Vaters
17. Februar 1860. Ich nun Familienältester. Die Moskauer
Tschitscherine und Aksakoff. Geschichte der Bekenntnisfreiheit.
Deutsche Akademie für Statswissenschaften. Der Savoyerhandel.
Protest der Schweiz gegen die Abtretung der Bezirke am Genfer-
see an Frankreich.**

Meine Frau hatte meine Natur richtig erkannt. Es
war mir doch unmöglich, nur der Wissenschaft zu leben.
Die Politik zog mich wieder unwiderstehlich an.

Im October 1859 gründeten wir die Süddeutsche
Zeitung, als Organ für die liberale und zugleich die na-
tionale Entwickelung in Deutschland. Es war eine schwere
Aufgabe, da die Stimmung in München für die nationale
Idee damals noch wenig empfänglich war, wenn sie im
Anschluss an Preussen wirksam werden und nicht in Ge-
stalt des grossdeutschen Siebzigmillionenreichs mit Öster-
reich vereint ein schwarzrotgoldenes Traumbild bleiben sollte.

Carl Brater übernahm die Redaction. Sybel, Baumgarten und ich arbeiteten kräftig mit.

Es galt, der Augsburger Allgemeinen Zeitung entgegenzuwirken, die ganz unter österreichischem Einfluss
war, obwohl damals ein geborener Preusse, Dr. Orges, die
Leitartikel grossenteils verfasste. Die preussenfeindliche
Stimmung in Süddeutschland wurde immer wieder frisch
aufgestachelt.

Selbst unter meinen bayerischen Freunden in München fanden wir nur wenig Unterstützung und nur ver-
einzelte Zustimmung.

In mehreren Artikeln über das österreichische Patent
für die Protestanten vom 1. September 1859 und das Concordat vom 18. August 1855 erörterte ich die Unzulässig-
keit des „confessionellen Rechts" im Gegensatz zu dem
wirklichen für Alle geltenden Recht, und wies nach, dass
das Vorgehen Österreichs in Deutschland keine Nachfolge
verdiene. Sodann besprach ich im December die „neueren
Concordate" zwischen Rom und den süddeutschen Staten
überhaupt und beleuchtete die grossen Fehler, welche die
Staten durch Preisgeben der statlichen Rechte und der
statlichen Würde und durch Anbequemung an die päpstlichen, aus dem Mittelalter überlieferten Ansprüche gemacht haben. Die Artikel wurden als besondere Brochüre
gedruckt.

Im December 1859 lud Napoleon III. einen Congress
der europäischen Mächte nach Paris, um die Papstfrage
zu lösen. In einer offenbar von ihm inspirierten Schrift:
„Der Papst und der Congress" wurde folgende Lösung
vorgeschlagen:

1) dem Papste politische Unabhängigkeit, Reichtum
und Würde zu gewährleisten;

2) die Einverleibung der Romagna in Italien gut zu
heissen, aber die Stadt Rom als päpstliche Residenz aus-
zunehmen;

3) die Fortdauer der päpstlichen Landeshoheit dem
Scheine nach bestehen zu lassen, in Wahrheit aufzuheben.

Die Frage interessierte mich sehr, und ich sprach
meine Meinung in einer Schrift aus: „Das Papsttum vor
der napoleonischen und der deutschen Politik", die
ohne meinen Namen bei Springer in Berlin erschien. Die
Schrift sollte vor einer verkehrten legitimistischen Politik

warnen, aber zugleich auf die Gefahren hinweisen, welche
von Frankreich drohen, wenn Deutschland nicht sich er-
manne. Sie erklärte die völlige Beseitigung der päpstlichen Landesherrschaft als notwendig für den Stat und
als nützlich für die Reinheit und Würde der kirchlichen
Autoritäten. „Die weltliche Macht des Papstes ist heute
die Schwäche des Papsttums."

Aber „das Papsttum und die Stadt Rom sind welt-
geschichtlich auf einander angewiesen." Daher muss Rom
päpstliche Residenzstadt bleiben, aber als eine immune Frie-
densstadt, die sich in bürgerlicher Freiheit selber bestimmt.

Deutschland ist von zwei Gefahren bedroht durch
diese Ereignisse; von der inneren des confessionellen
Zwiespaltes, der sorgfältig vermieden werden muss, und
von der äusseren der napoleonischen Übermacht.

Als Mittel dagegen empfahl ich die Hilfe der deutschen Wissenschaft: „Vor dem Lichte der deutschen
Wissenschaft zerfliessen die Nebel der confessionellen Vorurteile. Aber damit dieses Licht wirken könne, muss es
auch auf der Höhe der politischen Macht leuchten dürfen,
und es muss hingeleitet werden in alle Volksschichten. Die
Wissenschaft ist eine der Religion ebenbürtige Autorität.
Wenn das Mittelalter dafür gesorgt hat, in seinen kirchlichen Institutionen, Würden, Ämtern der religiösen Autorität
und Erziehung einen segensreichen Einfluss zu verschaffen
auf die höchsten und auf die untersten Volksclassen, so
muss die neue Zeit in ähnlicher Weise darauf Bedacht
nehmen, durch wissenschaftliche Institutionen und wissenschaftliche Würden und Ämter für die Erleuchtung des
Volksgeistes in allen Richtungen zu sorgen. Der Stat, der
diese Quelle von Macht und Wohlfahrt zuerst würdig zu

fassen und sorgfältig zu verzweigen versteht, wird in Bälde der mächtigste der Erde sein; denn alle andere Macht wird von der Geistesmacht angezogen, wie das Eisen vom Magnet."

Als das zweite Mittel empfahl ich: „Die Entwickelung der Volksfreiheit in verfassungsmässigen Organen. Es ist die schwache Seite Napoleon's III., dass er nur nach aussen eine liberale Politik üben, im Innern Frankreichs aber seinem Volke nicht das Maass von politischer Freiheit gewähren darf, auf welches die Geistesanlagen und die Bildung der Franzosen einen Anspruch haben. Was seine Schwäche, das ist unsere Stärke, wenn nur wir diese Stärke erkennen und frischen Mutes üben."

Mein Freund Brater hatte an der Bildung des deutschen Nationalvereins, der in Deutschland ebenso eine Bundesreform und die Herstellung einer nationalen Organisation des Gesamtstates anstrebte, wie vorher der italienische Nationalverein für die Einheit Italiens thätig war, einen erheblichen Anteil genommen. Er wurde eine der hauptsächlichsten Stützen und der Geschäftsführer für den Verein. In Bayern stand er deshalb auf einem ausgesetzten, ziemlich einsamen Posten. Ich war mit der Richtung des Nationalvereins einverstanden und verbarg diese Gesinnung nicht, aber ich trat, mit Rücksicht auf meine Universitätsstellung, dem Vereine nicht bei.

Was für Gedanken mich vornehmlich bewegten, das werden einige wenige Auszüge aus meinen Artikeln in der Süddeutschen Zeitung am deutlichsten zeigen:

1) Die deutsche Nationalpflicht. Den 28. April bis 3. Mai 1860.

Die Gelüste Napoleon's III. nach dem Besitz der deutschen Festungen Mainz, Luxemburg und Landau waren offenbar geworden. Den Widerstand vorzubereiten, war nationale deutsche Pflicht.

„Zur Stunde noch haben wir keine gemeinsame Leitung der deutschen Politik. Wir sind von der einheitlichsten Macht Europas bedroht, und wir haben nicht einmal ein Organ der gemeinsamen Verständigung und der gemeinsamen Action. Denn die deutsche Bundesversammlung zu Frankfurt kann so wenig als der vormalige Reichstag zu Regensburg diese Aufgabe erfüllen. Wir dürfen den Bund, als das einzige legale Band, das die deutschen Staten zusammenhält, nicht aufgeben, ohne ihn durch eine bessere Organisation zu ersetzen, aber es wäre Blödsinn, zu vertrauen, dass der Bundestag, der niemals in auswärtiger Politik gehandelt hat und gar nicht handeln kann, ohne von Wien und Berlin, zuweilen auch von Bamberg oder Würzburg seine Impulse zu empfangen und nach jedem Schritte wieder gefesselt zu werden, — dass dieser Bundestag fähig sei, die deutsche Politik gegen Napoleon zu bestimmen.

„Wir sind ausser Stande, im Frieden und auf dem Wege der Vereinbarung eine neue Bundesverfassung herzustellen. — Vielleicht gelingt uns die Bundesreform während des Krieges, oder nach dem Kriege, aber sicher nicht mehr vor dem Kriege.

„Wenn in diesem oder in dem nächsten Jahre der Krieg um den Rhein losbricht, so kann Niemand diesen deutschen Krieg führen, als Preussen. Wir können im günstigsten Falle von Österreich eine erhebliche Hilfe, mehr nicht, erwarten.

„Die Macht der Fürsten reicht nicht aus, um in diesem Kriege zu siegen. Es muss die Kraft des deutschen

Volkes hinzutreten. — Ohne die sittliche und geistige Erhebung des Volkes haben wir keine Aussicht auf Sieg. Wir bedürfen auch eines Organs, in welchem die deutsche Nation ihre Meinung und ihren Willen ausspricht. Wir verlangen keine Wiederholung der Frankfurter Versammlung. Aber weil wir keinen Statsmann und keine Regierung haben, welche für sich schon allgemeines Vertrauen und willfährigen Gehorsam findet, so ist es nötig, dass wir die Schwäche der centralen Autorität durch die Unterstützung einer Nationalvertretung stärken."

2) Zur Bundesreform. 7—9. Mai 1860.

Ferdinand Fischer hatte vorgeschlagen: Hegemonie Preussens im Norden, Bayerns im Süden und Bündnis beider unter einander und gemeinsam mit Österreich. Unter der Hegemonie verstand er einen Bundesstat mit je einer Hauptmacht.

Ich erklärte mich durchaus damit einverstanden, dass die Trias, wie sie von Sachsen aus (von Beust) empfohlen und auch in Bayern (von der Pfordten) gewünscht wurde, für Preussen nicht annehmbar und für die Nation unbefriedigend sei, indem dieselbe das nicht-preussische und das nicht-österreichische Deutschland zu einem neuen Rheinbunde zusammenschliesse, die Existenz Preussens von allen Seiten bedrohe und Deutschland unnatürlich spalte. Ich sprach es in München aus, dass die norddeutschen Staten sämtlich auf Preussen angewiesen seien. „Jede Organisation, welche Preussen und die norddeutschen Staten entzweit und trennt, ist unmöglich und verderblich."

Dagegen sprach ich mich gegen den Gedanken aus, einem norddeutschen Bundesstat unter Preussen einen süddeutschen Bundesstat unter Bayern an die Seite zu stellen.

„Bayern kann den Württembergern und den Badensern
nichts bieten, was sie nicht zu Hause auch haben. Die
süddeutschen Staten — Bayern voraus — sind nicht dazu
angethan und nicht geneigt, in ein Vasallenverhältnis zu
Preussen zu treten, so wenig sie Lust haben, Vasallen
Österreichs zu bleiben. Aber sie sind reifer und geneigter,
zu der Ausbildung eines deutschen Gesamtstates mitzuwirken, als einen eigenen süddeutschen Bundesstat
unter sich zu bilden, wenn sie nur in jenem Gesamtstat
als eine besondere Gruppe gelten und eine relativ eigene
Stellung einnehmen können.“

Die Kämpfe des Jahres 1866, die Gründung des norddeutschen Bundes, der verunglückte Versuch, einen süddeutschen Bund aufzurichten, die Ereignisse von 1870 und
die Schaffung des deutschen Reiches haben die Weitsichtig-
keit meines politischen Auges illustriert.

3) Der deutsche Bund und seine Reform. 22—
27. August 1860.

Die schweizerische Bundesreform von 1848 ist ein
Vorbild für die deutsche. Nur ist der Gegensatz des Ver-
fassungsprincips zu beachten, in der Schweiz die repräsen-
tativ-demokratische Republik, in Deutschland die constitutionelle Monarchie. Die Idee erfordert ein monarchisches
Bundeshaupt, mit einem Fürstenrat an seiner Seite.

Sogar der Gegensatz von Grossdeutschland (mit
Österreich) und Kleindeutschland (ohne Österreich)
schien mir nicht unversöhnlich. Die Lösung des Problems
ist „Grossdeutsch im Statenbund mit Österreich,
Kleindeutsch im Bundesstat mit Preussen.

„Diese Lösung enthält keinen Widerspruch, sie stei-
gert die Rivalität der beiden Bünde nicht, sondern ver-

bindet beide zu dauernder Freundschaft, indem sie den alten Streit zu beiderseitiger Wohlfahrt ausgleicht. Österreich wäre der Bundesgenossenschaft Deutschlands sicher gegen jede Bedrohung von aussen und könnte mit Zuversicht an dem Ausbau seiner inneren Reichs- und Landesverfassung arbeiten. Deutschland aber mit Preussen würde ebenso an Sicherheit gewinnen."

4) Die deutsche Politik in der italienischen Frage. 2—4. November 1860:

„Italien ist mitten in der Revolution. Darüber kann kein Zweifel sein; und diese Revolution wird geleitet von der legitimen Regierung von Piemont. An dieser Thatsache vermag die Theorie über das normale Verhältnis von Reform und Revolution nichts zu ändern. — Sollen wir Deutsche Italien den Krieg erklären, weil Italien auf revolutionärem Wege sein Princip, die nationale Einigung, rasch verwirklicht, während wir auf dem Wege der Reform zu demselben Ziele zu gelangen heute noch hoffen? Wenn die Revolution ein schweres Übel ist, so ist sie es doch zunächst für das Volk, das der Revolution verfallen ist, nicht für die anderen Völker.

„Wir haben Italien gegenüber kein Interesse an der Wiederherstellung von Verfassungszuständen, deren Unhaltbarkeit die Geschichte der letzten Decennien klar genug gezeigt hat. — Die Bildung eines italienischen Einheitsstates widerstreitet auf die Dauer keinem deutschen Interesse. Europa kann nur gewinnen, wenn es der italienischen Nation gelingt, ihre reiche Geistesanlage in voller Freiheit zu entfalten, und wir Deutsche haben keine Ursache, eine angeblich deutsche Herrschaft zurückzuwünschen, die als einzige Frucht Erbitterung und Hass eingetragen hat. Wir haben vielmehr alle Ursache, unsere alten Cultur- und Handelsbeziehungen mit Italien friedlich zu erneuern."

In dieser Zeit habe ich auch mit der Neuen Zürcher Zeitung öfter verkehrt und zuweilen Leitartikel für dieselbe geschrieben, in derselben Richtung für die liberalen Ideen und die nationale Entwickelung.

Am 17. Februar 1860, Freitag Morgens, an dem letzten Tage seines 86. Lebensjahres, starb mein Vater. Er war am 18. Februar 1774 geboren. Bis vor einem Jahre noch war er sehr rüstig geblieben und erst seit einigen Wochen auf dem Krankenlager festgehalten. Sein Sterben aber war langsam und schmerzlich, vom Sonntag bis zum Freitag. Er wollte durchaus keine Speise mehr nehmen. „Da der Körper nicht mehr seine Schuldigkeit thut," sagte er, „so soll er auch keine Nahrung mehr bekommen." Diesen Entschluss sprach er am Sonntag aus und führte denselben durch. Der Arzt fand es kaum glaublich, dass er noch so lange fortlebe. Seine Willenskraft war eisern. Er musste, wie die Section ergab, schon seit mehreren Jahren arge Schmerzen infolge einer Blasenkrankheit gelitten haben, aber er schwieg beharrlich und kämpfte den Schmerz nieder. Von seinen Familiengliedern im Hause wollte er in den letzten Tagen nichts mehr wissen. Er suchte alle Kraft zusammenzuhalten und schloss sich in sich selber ab. Die Wärterin, die sich vortrefflich hielt, und der Art kümmerten ihn allein noch. Sein Bewusstsein war getrübt. Doch erkannte er noch den Geistlichen, Diacon Hirzel. Er merkte einen Augenblick auf, als dieser ein Gebet sprach. Dann wurde er aber bald wieder ungeduldig. Er war nie kirchlich gesinnt gewesen, ein Kind der Aufklärungsperiode des vorigen Jahrhunderts.

Ich sah meinen Vater nicht mehr in seiner letzten Krankheit. An dem Begräbnis nahm ich Teil.

Ich war nun der Älteste der Familie und hatte als solcher neue Pflichten bekommen.

Während dieses Winters erhielt ich den Besuch von zwei Russen von Auszeichnung, beide aus Moskau. Den einen, Tschitscherine, habe ich auch nachher öfter freundlich gesehen. Er hat für das Statswörterbuch den Artikel „Leibeigenschaft" geschrieben, der manche dunkle Seite aufklärte. Die Schärfe seiner Dialektik und der weit umfassende Weltblick machten mir einen günstigen Eindruck. Von Illusionen über russischen Aufschwung war er frei. Er meinte, das russische Reich finde seine Stärke lediglich in der Schwere der ausgebreiteten Massen. Zu dem Adel hatte er kein Vertrauen, einen Bürgerstand gibt es nicht, die unteren Schichten haben wenig Bildung. Es gibt nur zwei .Mächte in Russland, den Kaiser und die grossen Massen. Dazwischen ist nichts von Bestand.

Ganz anders dachte der andere Moskauer Aksakoff, der völlig von dem Glauben erfüllt ist an die grosse Mission der Slaven, und der in der Abwerfung der westeuropäischen Cultureinflüsse und in der Rückkehr zu dem alten russischen Nationaltypus das Heil von Russland sieht. Er machte mir den Eindruck eines aufrichtigen aber kindlichen Schwärmers, der, wie einst Rousseau zur Rückkehr mahnte in die ursprüngliche Uncultur, in der Verneinung der Geschichte, in dem Untergang der Civilisation, in der Wiederherstellung der anfänglichen brutalen Wildheit die Heilung aller Schäden erblickt. Ich habe dann später erlebt, dass die Meinung Aksakoff's die panslavistischen Träume hervorrief, welche Russland und Europa in Gefahr brachten.

Im März 1860 hielt ich in dem Liebig'schen Hörsaal einen Vortrag über die Geschichte der Bekenntnisfreiheit. Ich habe denselben später in Karlsruhe wiederholt und in einer besonderen Brochüre drucken lassen.

An Professor Aegidi schrieb ich (7. April) einen Brief, welcher die Gründung einer deutschen Akademie für Statswissenschaften als ein Bedürfnis empfahl. Die Franzosen hatten ihre Académie des Sciences morales et politiques. Die Deutschen besassen nichts dergleichen. Und doch war es bei dem zur Doctrin geneigten Wesen der Deutschen viel nötiger, ihnen endlich auch statliche Begriffe beizubringen. Ich meinte, es wäre das eine schöne nützliche Aufgabe für den Prinzregenten von Preussen. Wieder eine Taube, die ich ausfliegen liess, die ohne Ölzweig zurückkehrte.

Frankreich hatte sich von Piemont als Preis für seine Unterstützung in dem Befreiungskriege wider Österreich das Stammland der königlichen Dynastie, Savoyen, abtreten lassen. Da auch die savoyischen Bezirke am Genfersee, welche zu dem Neutralitätsgebiete der Schweiz gehörten, nicht ausgenommen waren, so rückte nun Frankreich dem schweizerischen Genf gefährlich nahe, und war die Südwestgrenze der Schweiz im Widerspruch mit den Verträgen von 1815 ernstlich bedroht.

Gegen Piemont und ein piemontesisches Savoyen liess sich die Neutralität dieses Gebietes, über welches der Schweiz ein Besatzungsrecht zustand, leicht behaupten, wenn etwa ein Krieg ausbrach, in den Piemont, sei es mit Österreich oder mit Frankreich, verwickelt wurde. Aber gegen das mächtigere und angriffslustige Frankreich war die Aufgabe überaus erschwert.

Die Schweiz protestierte gegen den Übergriff Napoleon's III. in ihre neutrale Sphäre und wendete sich an die anderen garantierenden Grossmächte um Hilfe. Der Schritt wurde von der öffentlichen Meinung, zumal in Deutschland und in England, mit Beifall begrüsst.

Ich schrieb an Dr. Furrer (23. März 1860), um ihm mein lebhaftes Interesse und meine Freude über die männliche Haltung der Schweiz zu bezeugen. Aber ich wurde durch die Antwort Furrer's (8. April 1860) sehr ernüchtert.

Ich erfuhr, dass die Stimmung, sowohl in der Bundesversammlung als in dem Volke, bei weitem nicht so erregt noch so einig sei, als früher in der Neuenburger Sache. Nur eine Minderheit schien entschlossen, das streitige Gebiet wirklich zu besetzen, auf die Gefahr eines Zusammenstosses mit Frankreich hin. Die Mehrheit begnügte sich mit dem Protest, eingedenk des Satzes: Wer protestiert, kämpft nicht.

Die kriegerische Bewegung in einzelnen Vereinen, insbesondere der Helvetia, war nur eine gemachte, sie fand im Volk keinen Halt und keine Unterstützung.

Noch trostloser stand es rücksichtlich der Hilfe der Grossmächte. England zeigte seine Sympathie mit Worten, aber erklärte rundweg, dass es nicht daran denke, der Schweiz mit bewaffneter Hand beizustehen. Es wollte nicht einmal einen Protest nach Paris schicken. Die übrigen Grossmächte waren wohl misstrauisch gegen den französischen Kaiser, aber hatten wenig Interesse für die Frage. Die deutsche Nation hatte nur in der Presse eine Stimme, nicht in den Räten. Da Frankreich entschlossen war, an den Genfersee vorzurücken, so fand es doch nirgends ein zwingendes Halt.

———

19.

Gründung des deutschen Juristentags. Erste Versammlung 1860 in Berlin. Bekanntschaften. Keller tot. Zweite Versammlung in Dresden 1861. Antrag betreffend ein Organ (eine Einrichtung) für die gemeinsame deutsche Gesetzgebung. Mein Präsidium. Sächsischer Orden.

Von der Berliner juristischen Gesellschaft ging im Frühjahr 1860 die Stiftung eines Vereins der deutschen Juristen unter dem Namen des deutschen Juristentages aus. Die Aufgabe war, „auf den Gebieten des Privatrechts, des Processes und des Strafrechts den Forderungen nach einheitlicher Entwickelung Anerkennung zu verschaffen". Das Statsrecht wurde vorderhand nicht in Betracht gezogen, um politische Spaltungen zu vermeiden. Dagegen sollte das gemeinsame deutsche Rechtsbewusstsein und die gemeinsame Fortbildung des Privat- und Strafrechts ein allgemeines Organ erhalten, welches auch auf die verschiedenen Landesgesetzgebungen einwirke.

Auch die deutsch-österreichischen Juristen wurden dazu ebenfalls als deutsche Juristen eingeladen. Wie die Sprache und die Litteratur, sollte auch die Rechtsbildung als eine gemeinsame nationale Angelegenheit gepflegt werden.

Ich wurde von den Stiftern des Juristentags (Graf Wartensleben, Justizrat Dorn, Professor Heydemann, Dr. von Holtzendorff, Makower, Hiersemenzel, Volkmar u. a.) von Anfang an zu Rate gezogen und erklärte mich mit dem Gedanken völlig einverstanden. Der preussische Justizminister zeigte sich dem Unternehmen günstig. Drei preussische Statsminister traten dem Vereine bei, der rasch eine unerwartete Verbreitung erlangte.

Der erste deutsche Juristentag versammelte sich im August in Berlin. Die Zahl der Mitglieder war über 700 gestiegen aus allen deutschen Staten. Sehr zahlreich waren die Österreicher erschienen, trotz der grossen Entfernung ihrer Heimat von Berlin. Es fanden sich aus Wien unter Anderen ein der Advocat Berger, der Oberstatsanwalt Keller, die Professoren Unger, Glaser und Schulte. Die Anwälte und Statsanwälte waren besonders zahlreich vertreten.

Ich besuchte auf der Hinreise nach Berlin die Wartburg. Es kam mir bei dem Anblick der Thüringer Landschaft mit ihren Wäldern, Klüften, scharf geschnittenen Hügeln, tief eingegrabenen Bächen vor, die Natur reize hier zum Grübeln, zur Speculation und sei auch mit ihrem düsteren und doch bewegten und wechselvollen Wesen dem Wunder- und Dämonenglauben förderlich. Luther übersah von seiner Zelle aus alles das. Sein ohnehin von dem tiefsten Grund aus aufgeregtes Gemüt konnte um so eher wähnen, den grinsenden Teufel leibhaftig vor sich zu sehen.

Berlin gefiel mir sehr. Die innere Stimmung und die günstige Gelegenheit wirkten dabei mit. Aber die Stadt war augenscheinlich grösser und schöner geworden.

Ich traf in Berlin alte Universitätsfreunde, wie den Obertribunalrat Freiherrn von Seckendorf, den Präsidenten Heimsöth aus Cöln. Dieser, ein scharfer Kopf, Vorsitzender der Commission für die deutsche Handelsgesetzgebung, äusserte mir sein Bedauern, dass als Theoretiker in derselben die romanistisch engen, mit blossen Schulbegriffen operierenden Professoren Thöl und Gerber das grosse Wort führen, und dass nicht ich und Beseler, als Vertreter des germanistischen und modernen Rechtsgedankens, in der Commission mitarbeiten.

Dann lernte ich eine bedeutende Zahl hervorragender Männer kennen. Aus dem preussischen Ministerium den Justizminister Simons, den Finanzminister v.'Patow, den Statssecretär im Auswärtigen v. Gruner, der mich wie Simons zum Diner eingeladen hatte. Von Juristen verkehrte ich besonders mit dem Kanzler v. Wächter, der zum Präsidenten des Juristentags gewählt ward, mit Professor Ihering aus Giessen (sprühend in Humor und geistreichen Bemerkungen), Unger und Jaques aus Wien (zwei Antipoden), Wasserschleben, Heydemann, Mommsen (voll Geist, aber stachlich wie ein Igel), Anschütz (einem kleinen spitzen Männchen), Aegidi (dem „Feuerteufel"), Schulte aus Prag (westphälische Bauernkraft mit einem geistlichen Anflug), Berger von Wien (gewandt und keck), Friedberg (fein und liberal gesinnt), Oberappellrat Faber von Stuttgart (ein Bijou eines Bureaukraten), Glaser aus Wien (Schildträger Unger's), Oberstatsanwalt Schwarze aus Dresden (geschmeidiger Vertrauensmann der sächsischen Regierung, aber voll Leben und Humor), Bähr aus Kassel (geistreich, aber nervös).

Keller sah ich nicht mehr, nur seine Frau. Er war auf der Reise aus der Schweiz nach Berlin in dem Eisenbahnwagen vom Schlag gerührt worden und lag nun ein Sterbender zu Bett. Er starb am 11. September. Von seinen Collegen begleiteten ihn nur sehr wenige auf dem Wege zum Grab. Ich feierte sein Andenken in einer kleinen Schrift: „Erinnerung an F. L. Keller" (Kritische

Vierteljahrsschrift, München 1861). Mir war er ein freundlicher und vortrefflicher Lehrer gewesen. Als Jurist in der Theorie und in der Praxis glänzte er als einer der Ersten. Mir kam es vor, dass selbst der Himmel, indem er ihn plötzlich, ohne lange Leiden abrief, seine Verdienste höher geschätzt habe als seine Schwächen.

Die Verhandlungen des Juristentags waren belebt. Sie bekamen einen reicheren Inhalt und nahmen einen höheren Schwung, als ursprünglich vorgesehen war. Der Juristentag sprach sich für ein gemeinsames Civilgesetzbuch aus, so dass das Obligationenrecht zuerst bearbeitet werde, und für ein gemeinsames Strafgesetzbuch. Dagegen lehnte er weitergehende Anträge ab, wie den von Mittermaier, dass er selber den Entwurf eines Civilgesetzes in Angriff nehme. Die Anträge von Waldeck und Lehmann wurden zu erneuerter Erwägung auf einen folgenden Juristentag verwiesen. Die Versammlung war der Meinung, dass dieselben zu sehr die besonderen preussischen Verhältnisse beträfen. Die Versammlung bewährte auch darin ihren Takt, dass sie zwar die Annahme einer gemeinsamen Eidesformel für wünschenswert erklärte, aber sich hütete, sofort eine solche Formel in Vorschlag zu bringen.

Der Juristentag war sich wohl bewusst, dass er nicht ein gemeinsames deutsches Parlament ersetzen könne, indem er keine statliche Autorität besass. Aber er war doch ein wichtiges Organ geworden des deutschen Juristenstandes und konnte in Ermangelung eines Parlaments wenigstens eine moralische Autorität bei der Nation und bei den Regierungen gewinnen.

Als Versammlungsort für den zweiten Juristentag im

August 1861 war von dem Ausschuss Dresden bestimmt worden. Hier musste der Verein seine Lebensfähigkeit erweisen. Der Moment war nicht ungefährlich. Wächter, der mit allgemein anerkannter Autorität den ersten Juristentag zu Berlin geleitet hatte, fehlte nun in Dresden. Die politischen Gegensätze zwischen Preussen, den Mittelstaten und Österreich waren in den Vordergrund getreten. Der Juristentag musste, um seinem Grundgedanken treu zu bleiben, in nationalem Geiste handeln, und doch durfte er das Misstrauen der Regierungen nicht herausfordern.

Zunächst war wohl Schwarze in Dresden berufen, die Leitung zu übernehmen, aber er scheute vor der Schwierigkeit des Moments zurück. Daher suchte man einen anderen. So vereinigte sich die Deputation, mich der Versammlung als Präsidenten vorzuschlagen, und ich hatte nun die Ehre, die Verhandlungen zu leiten.

Die Vorgänge vor der Wahl schilderte ich damals in einem Briefe an meine Frau vom 28. August:

Vermutlich hast Du aus der Zeitung erfahren, dass ich gestern von der Generalversammlung — wir schätzen sie auf ungefähr 700 Mitglieder — zum Präsidenten gewählt worden bin und nun mehr Arbeit und Sorge als Genuss habe. — Aber ich will Dir doch im Vertrauen sagen, wie man dazu gekommen ist. Erst wurde in der Deputation natürlich Schwarze vorgeschlagen, der sich halb tot gearbeitet hat für den Empfang des Juristentags und hier das juristische Factotum ist. Also Schwarze unser einstimmiger Vorschlag, auch nach seinen eigenen Wünschen. Dann kamen in der Deputation Anträge vor, die ihm seiner Regierung gegenüber bedenklich schienen, für die ich das Referat übernahm.

Nun konnte der gewiegte Mann, der uns am Sonntag ein gutes Diner gegeben hatte, die ganze Nacht nicht schlafen. Die Besorgnis, es handle sich um seine Existenz und die Existenz des ganzen Systems, das er hier vertrete — er ist wirklich ein national gesinnter Mann, wenngleich ein eingefleischter Bureaukrat und Sachse, Vertrauensmann des Königs — hielt ihn wach. Montags erklärte er, die Wahl ablehnen zu müssen. Neue Verlegenheit. Als ich in die Sitzung kam, riefen schon Manche mir zu: „„Es hilft Ihnen nichts. Sie müssen es übernehmen."" Das war doch ein wenig zu viel für mich, in Einem das Referat über die brennende Frage und das Präsidium. Überdem war es schicklich, einen Preussen zu suchen, da die Preussen sehr stark vertreten sind. Man erfuhr auch Äusserungen von Manchen ausserhalb der Deputation: z. B. „„Was, wieder ein Süddeutscher, und wieder ein Professor! Das ist doch für die Norddeutschen, die vier Fünftel der Versammlung sind, und für den Richterstand ein grosses Armutszeugnis."" Ein Teil der radikalen Partei wollte Waldeck aus Berlin, einige Andere Berger aus Wien. Manche verlangten nach Simson, und unter diesen ich selbst. „„Wenn nur die Preussen kämen,"" sagte ich, „„und Simson mich erlöste!"" Aber Simson kam nicht, und am Vorabend war in den verschiedenen Kreisen meine Wahl entschieden.

„Nun fing Schwarze wieder an zu wünschen, dass er Präsident werde. Es war aber natürlich zu spät. Gestern nach der Sitzung, nachdem Alles so glatt abgelaufen — sie hatten Entsetzliches gefürchtet, — sagte er mir ganz offen: „„Nun ärgert's mich, dass ich die Präsidentenstelle nicht angenommen habe."" Es ist sehr komisch. Ich trage mein Kreuz mit Geduld und in guter Laune."

Es war das erste Mal, dass ich eine so grosse Versammlung von 700 Köpfen und, was mehr bedeutet, von 700 Juristen zu leiten hatte. Ich fühlte aber, dass mein Mut im Angesicht dieser Menge sich steigerte, und ich gewann bald die nötige Zuversicht, ohne welche es nicht gelingen konnte, einen raschen und besonnenen Abschluss der Verhandlungen zu erreichen.

Es war mir überdem die Aufgabe zugefallen, über einige Hauptanträge Bericht zu erstatten. So voraus über die Gesetzgebungsfrage. Ich hatte mir die Erlaubnis erbeten, den Antrag der ständigen Deputation ganz frei nach meiner individuellen Ansicht begründen zu dürfen.

Aus meiner Rede führe ich einige Hauptsätze an, gemäss dem stenographischen Protokoll:

„Der deutsche Juristentag hatte im vorigen Jahre das Bedürfnis dreier grosser Gesetzgebungswerke einstimmig anerkannt, erstens das Bedürfnis eines gemeinsamen Gesetzes über den Civilprocess, zweitens eines gemeinsamen Strafrechts und drittens eines gemeinsamen Gesetzes über das Obligationenrecht.

„Die ständige Deputation ist in der erwünschten Lage berichten zu können, dass vorderhand wenigstens zwei dieser grossen Werke nicht bloss von der öffentlichen Meinung, sondern, worauf es wesentlich ankommt, auch von den deutschen Regierungen gebilligt worden sind, nämlich die Bearbeitung einer allgemeinen deutschen Civilprocessordnung und eines gemeinsamen Obligationenrechts.

„Leider, muss ich Ihnen hinzufügen, hat sich über die Form der Einleitung beider Werke eine Meinungsverschiedenheit unter den deutschen Regierungen ergeben. Die einen legen einen grossen Wert darauf, dass diese

Einleitung durch Vermittelung des deutschen Bundestags geschehe, die anderen wünschen diese Vermittelung zu vermeiden und legen einen Wert darauf, dass durch unvermittelte freie Vereinbarung der Regierungen das Werk eingeleitet werde. Wir als Juristentag sind daher wohl veranlasst, im Namen eines grossen Interesses den Wunsch auszusprechen, dass diese im letzten Grunde bloss formelle Streitfrage über das zweckmässigste Mittel, einen allseitig gewünschten Zweck zu erreichen, nicht in dem Grade erhitzt werde, dass durch sie das Werk selbst gefährdet oder auch nur verzögert werde.

„Mir kommt es vor, wie wenn sich die Sache folgendermassen verhielte. Damit ein Zweck gemeinsam erreicht werde, muss eine Anzahl Personen in einem Saale sich zusammenfinden, sich besprechen und nötige Vereinbarungen treffen. Der Eine nun sagt: ich gehe nur durch diese bestimmte Thüre in den Saal hinein, also, um bei dem Gegenstand meines Referats zu bleiben, der Eine erklärt: ich gehe nur durch diejenige Thüre hinein, welche der Bundestag eröffnet. Gut, erwidere ich, mag er diesen Weg hineingehen, wenn er nur hineingeht. Der Andere sagt: durch jene Thüre gehe ich in meinem Leben nicht mehr, ich mache mir eine eigene Thür und bahne mir einen eigenen Weg. Da antworte ich: Auch gut, wenn du nur durch deine Thüre hineinkommst, bist du gleichfalls willkommen. Gehe immerhin jeder einen anderen Weg, wenn sie nur Alle sich zusammenfinden. (Bravo.)

„Um nichts Anderes handelt es sich meines Erachtens in dieser formellen Angelegenheit. Indessen, ich will der Weisheit der Regierungen durchaus nicht vorgreifen, und wenn ein dritter besserer Weg gefunden wird, auf welchem sie Arm in Arm zur Saalthüre hineingehen, ist mir das noch lieber. (Allseitiges Bravo.)

„Die eben berührte Meinungsverschiedenheit betrifft aber nur eine Seite des zu lösenden Problems. Gesetzt, diese formelle Einleitungsfrage wäre glücklich abgethan, dann erst beginnen die grösseren Schwierigkeiten, die man bisweilen auch nur zu sehen sich scheut, obwohl man blind sein muss, um sie nicht zu gewahren.

„Fürchten Sie nicht, meine Herren, dass ich hier ein Gebiet betrete, welches mit wohlbewusster Absicht der Juristentag für sich verschlossen hat durch freiwillige Resignation. Wir sind eine Versammlung von Juristen, welche glaubt, eine gewisse moralische und wissenschaftliche Autorität in Fragen des deutschen Rechtes beanspruchen zu dürfen, und wir machen gelegentlich im allgemeinen vaterländischen Interesse diese unsere Überzeugung und diese Autorität geltend. Wir wissen aber auch, dass, wenn wir uns unmittelbar mit politischen Fragen befassten, wir unter uns selbst gewiss sehr heftige, sehr schwer zu überwindende Gegensätze wachrufen und ausserhalb unseres Kreises noch viel gefährlichere Gegensätze antreffen würden, die vielleicht alle unsere Interessen gefährden könnten. Aber so weit geht meine Behutsamkeit nicht, dass ich die Meinung hegen sollte, wir dürften, wenn wir sehen, dass auf dem Wege, den wir verfolgen, und der der juristische ist, sich statsrechtliche Schwierigkeiten erheben, diese Schwierigkeiten nicht in's Auge fassen, nicht zu bezeichnen wagen. Ich glaube, es ist in der ständigen Deputation gefragt worden, woher wir die Competenz nehmen, über solche Dinge zu sprechen? Mir ist nie eine sonderbarere Frage vorgekommen. Meines Erachtens nehmen wir überhaupt gar keine Competenz in Anspruch, nicht einmal in juristischen Dingen. Wir sind keine Behörde, die irgend welchen Beschluss mit legaler Rechtskraft fasst; wir sind nur eine Versammlung, welche Meinungen ausspricht, diese Meinungen aber nach bester Überzeugung. Wir nehmen lediglich eine moralische und wissenschaftliche Autorität in Anspruch.

„Aber wie vermöchten wir eine moralische Autorität zu behaupten, wenn wir uns fürchten würden, Wahrheiten auszusprechen, die für unsere Zwecke beachtet werden müssen, über deren Macht sich auch die nicht täuschen können, denen diese Wahrheiten unangenehm sind, und wie könnten wir eine wissenschaftliche Autorität besitzen, wenn wir die Frage nach den Mitteln für unsere Zwecke nicht prüfen würden und die Grundsätze ausser Acht liessen, deren Befolgung für unseren Zweck nötig ist?

„Meine Herren! Es bestehen grosse statsrechtliche Schwierigkeiten, die sich erst hinterdrein, nicht wenn es sich um die Vorarbeiten, sondern wenn es sich um die Vollendung handelt, ergeben werden.

„In allen deutschen Verfassungen gilt glücklicherweise das statsrechtliche Princip, dass die gesetzgebende Gewalt nicht anders ausgeübt werden kann, als im Einverständnis der Fürsten, beziehungsweise der Regierungen mit der Vertretung des Volks.

„Nun gibt es zwar in Deutschland überall Einrichtungen, welche der Particulargesetzgebung unter Wahrung jenes Princips dienen. In allen deutschen Staten sind Kammern vorhanden, die in Verbindung mit den betreffenden Regierungen die Gesetze erlassen. Wenn es sich aber darum handelt, nicht ein Particulargesetz zu geben, sondern ein gemeinsames deutsches Gesetz, so haben wir unzweifelhaft eine grosse Schwierigkeit vor uns, denn es mangelt leider an einem Organe der gemeinsamen Gesetzgebung für Deutschland, in welchem die beiden Mächte, Völker und Regierungen, sich einigen könnten. (Vielfaches Bravo.)

„Die Schaffung eines solchen gemeinsamen Organs ist nicht zu umgehen. Die einfache Logik erfordert dies schon.

„Ich weiss, man kann an Vorgänge erinnern, wo anders gedacht worden ist. Als es sich darum handelte, eine gemeinsame Handelsgesetzgebung zu erlassen, hat man die grosse Frage umschifft. Aber, meine Herren, wir dürfen uns nicht täuschen: Jenes Verfahren, so zweckmässig es war, so sehr wir mit dem Resultate einverstanden sein können, jenes Verfahren war doch im höchsten Grade exceptionell, und eine derartige Ausnahme darf sich nicht oft wiederholen, sie darf um keinen Preis zur Regel werden. (Bravo.)

„Sollte immerfort der Weg eingeschlagen werden, mittelst der particulargesetzgebenden Körper das gemeinsame Gesetz zu erlassen, so würde für die Fürsten, wie für die Kammern in den einzelnen Staten eine unglückselige Alternative sich beständig wiederholen, nämlich die: entweder aus ihrem Rechte der gesetzgebenden Thätigkeit eine blosse wertlose Form zu machen, ihr Recht also zu entwürdigen und zu zerstören, oder durch den vollen Gebrauch ihres particularen Gesetzgebungsrechts die Gemeinsamkeit des Werkes zu vernichten.

„Diese Schwierigkeit ist vorhanden, sie muss in's Auge gefasst und überwunden werden. Den Weg zu bezeichnen, auf dem dies am zweckmässigsten geschieht, ist nicht unsere Aufgabe. Hier allerdings ist eine eminent politische Frage, und ich würde es für durchaus unpassend halten, wollten wir näher auf dieselbe eingehen. Aber das, meine ich, müssen wir sagen: Will man eine gemeinsame Gesetzgebung — und man will sie, — so wird man auch ein gemeinsames Organ schaffen müssen, in dem jene beiden Mächte, Völker und Regierungen, sich zusammenfinden und zusammenarbeiten. Ohne das geht es nicht." (Bravo.)

Der Antrag der ständigen Deputation ging

1) auf Anerkennung des Strebens nach allgemein deutschen Gesetzgebungen über den Civilprocess und das Obligationenrecht;

2) der Juristentag sollte seine Hoffnung aussprechen, dass die Meinungsverschiedenheit unter den deutschen Regierungen über die Vermittlung des Bundestags nicht das Werk selber gefährde oder verzögere;

3) zum endlichen Abschluss jener Werke sei ein gemeinsames Organ, das von den Regierungen und den Kammern, wenn auch nur für diesen Fall anerkannt werde, unerlässlich.

Mit den beiden ersten Anträgen war die ganze Versammlung einverstanden, teilweise auch mit dem dritten. Aber gegen den Ausdruck „Organ" erhoben sich von mehreren Seiten her Bedenken. Manchen Mitgliedern, welche die Besorgnisse ihrer Regierungen teilten und auch die Rechte der einzelnen Landtage vorbehalten sehen wollten, klang der Ausdruck zu „bundesstatlich". Insbesondere erklärten sich Obertribunalrat Waldeck, Präsident Heimsöth, Oberstatsanwalt Freiherr von Gross, Rechtsanwalt Lehmann dagegen.

Ich machte den Verbesserungsvorschlag, anstatt Organ

zu sagen „Einrichtung“, und bemerkte: „Das Äusserste, was wir unsererseits thun können, ist, eine Formel zu wählen, welche die ganze politische Frage den Verhandlungen der Regierungen und der Kammern anheimgibt, aber dennoch andeutet, dass es auch in diesem Stücke in Deutschland vorwärts gehen müsse, wenn man eine ordentliche Gesetzesreform vollziehen will.“ (Vielfacher Beifall.)

Schliesslich wurde mit imposanter Majorität dieser Antrag ebenfalls angenommen.

Es wurden sodann eine Reihe von besonderen Fragen vorerst in den Abteilungen, dann in der Generalversammlung erörtert und erledigt. Da für die letztere nur Ein Tag Zeit gegeben war, so war ich genötigt, energisch auf einen raschen Gang der Verhandlungen hinzuarbeiten und oft einzuschreiten, wenn einzelne Redner zu weit in's Meer hinaus schwimmen wollten. Die Versammlung billigte dieses Verfahren und unterstützte das Präsidium durch ihren Beifall.

Der zweite Juristentag hatte die Lebensfähigkeit dieses Instituts erwiesen. Er hatte die ihm gesetzten Schranken sorgfältig beachtet und dennoch mit Freimut seine Meinung ausgesprochen über die unerlässlichen Rechtsreformen.

Für mich, den geborenen Schweizer, war es doch eine grosse Ehre, dass ich in dem kritischen Momente an die Spitze des deutschen Juristentages gewählt wurde und die allgemeine Zustimmung über meine Leitung der Geschäfte erwarb.

Auch die sächsische Regierung erkannte das an, indem mir der König das Komthurkreuz des Albrechtordens zustellen liess.

20.

Der Orden für die frei gewordene Wissenschaft. Mein Bekennt- nis. Neuere Schweizergeschichte und Geschichte des allgemeinen Statsrechts und der Politik. Gefährdete Stellung der deutschen Professoren in München. Lassaulx. Sybel nach Bonn berufen. Der König lässt ihn gehen. Anfrage an mich. Berufung nach Heidelberg. Annahme.

Um für die Nachwelt die Überlieferung und die Wirk- samkeit seiner Wissenschaft zu sichern, hatte Friedrich Rohmer noch selber einen Orden gestiftet „der frei ge- wordenen Wissenschaft".

Ich hatte zunächst die Verpflichtung, diesen Verband in's Leben zu rufen, und überdachte die Organisation des- selben, für welche in dem Statut Andeutungen gegeben waren. Als Aufgaben bezeichnete ich:

1) Allmäliche Erkenntnis der Wissenschaft Friedrich Rohmer's.
2) Ausbildung der Gotteslehre (Speculation).
3) Ausbildung der Lehre von den XVI (Psychologie).
4) Bewährung und Prüfung der Zeitrechnung.
5) Bewahrung der Tradition und Verhinderung, dass die Lehre zu starren Dogmen verdorben werde.
6) Ausbreitung und Verteidigung der Wissenschaft.

Die Organisation sollte unterscheiden, den engeren Kreis der eigentlichen Mitglieder des Ordens und den wei- teren Kreis der Gönner und Freunde der Wissenschaft.

Als aber Einer nach dem Andern starb, auf die ich zunächst angewiesen war, so unterliess ich es, die Ergän- zung des Ordens weiter zu betreiben, überzeugt, dass gegen- wärtig keine Aussicht sei auf irgend eine grössere Wirk- samkeit. Erst wenn in der Zukunft ein grosser Mann kommt, der das Werk wieder aufnimmt und durchführt, wird der Orden lebendig werden. Bis dahin liegt er im Dunkel begraben.

Ich entwarf damals auch ein Bekenntnis, das ich nachher nochmals durchsah und verbesserte. Dasselbe sollte nicht als Glaube dargestellt werden, da es wesentlich auf Wissen beruhte, aber in scharfen Zügen die Grundgedanken und die Grundgesinnung aussprechen. Dasselbe lautet in der verbesserten Redaction so:

Ich verehre den Einen Gott,

Der Seine ewige Ursache in Sich Selber und keine Ursache ausser Sich hat,

in Dem der unermessliche und grenzenlose Raum als unerschöpfliche Machtfülle und als unergründliche Möglichkeit ausgebreitet ist,

Dessen bewegte Eigenschaft die unendliche Zeit, der rastlos wirkende Geist ist,

aus Dessen dunkelm Grunde das Licht aufsteigt,

Dessen absolute Notwendigkeit Sich in unbezwinglicher Freiheit entfaltet,

Dessen Anlage allmächtige Vollkommenheit, Dessen Entwickelung unaufhörliche Vervollkommnung ist,

Der Sich Selbst aus Sich Selbst fortbildet,

Dessen Geist die Materie in Sich gestaltet und beherrscht,

Der in dem unermesslichen Weltkörper mit seinen Gestirnen, die in dem ewigen Äther kreisen, Sich Seinen wachsenden Körper geschaffen hat,

Dessen Leben nie ermattende, unendlich fortschreitende Seligkeit ist.

Ich bin überzeugt, dass die mikrokosmischen Wesen, welche die Erdoberfläche bevölkern, die Pflanzen, Tiere, Menschen ihren Leib von der makrokosmischen Natur, die in Gott ist, empfangen haben, und ihr Leben, wie ihre Seele und ihren Geist von dem makrokosmischen Geiste erhalten haben, dass also die göttliche Natur die Mutter und der göttliche Geist der Vater der Geschöpfe ist, dass alle mikrokosmischen Wesen begrenzt und umschlossen sind von dem Einen makrokosmischen Wesen, ohne dessen Hilfe ihr mikrokosmischer Körper zerfallen und ihr mikrokosmisches Leben erlöschen müsste.

Ich bin wie von der Ableitung aller mikrokosmischen Wesen aus dem Einen makrokosmischen Wesen, so auch von der fortwährenden Unterordnung der Mikrokosmen unter den Makrokosmos und von der Leitung der mikrokosmischen Welt durch den makrokosmischen Gott überzeugt.

Ich erkenne auch in der mikrokosmischen Welt inneren Zusammenhang, Ordnung und in der Stufenfolge der Schöpfungen Fortschritt und Vervollkommnung.

Ich habe Vertrauen zu der mikrokosmischen und daher beschränkten Vollkommenheit der Menschennatur, als dem Abbilde der makrokosmischen und daher unbegrenzten Vollkommenheit der Gottesnatur.

Ich glaube an die Pflicht der Einzelmenschen und der Menschheit, an ihrer Selbstvervollkommnung zu arbeiten und dem göttlichen Fortschritte nachzustreben.

Ich glaube an die göttliche Leitung der Weltgeschichte

und an die freie That der Menschen und ihren
Anteil an der Erfüllung der Weltgeschichte,

an die Weisheit Gottes, die sich in der Erziehung
der Menschheit zur Freiheit bewährt, und an die
Liebe Gottes zu den Menschen, als des Vaters zu
seinen Kindern.

Ich glaube, dass die grossen Individuen, deren Leben
die Menschheit bestimmt, von Gott gesendet sind,
um die Entwickelung der Menschheit ihrem Ziele
zuzuführen.

Ich glaube an die Offenbarung Gottes in Jesus Christus, dem individuellen Abbilde des göttlichen Geistes und der göttlichen Liebe, dem religiösen Er-
löser und Vorbilde der Menschen.

Ich halte an der Möglichkeit einer Sendung fest,
welche einen anderen Sohn zur Befreiung des
Menschengeistes von dem Irrtum und zur Förderung der wissenschaftlichen Erkenntnis bestimmt.

Ich glaube an die unmittelbare Verbindung des individuellen Menschengeistes mit dem unendlichen
Gottesgeiste.

Ich gründe darauf die Zuversicht der individuellen
Unsterblichkeit des Menschengeistes, wenngleich
der Menschenleib sich wieder in dem Leibe der
makrokosmischen Natur auflöst.

Ich glaube an das Gericht, das Jeder in seinem Gewissen trägt,

an die Seligkeit der Geister, die in Gott Ruhe finden,

an die Qualen der Geister, welche ihre Schuld
weder vor Gott, noch vor sich verbergen können,
und die eine Ruhe suchen, die sie schwer finden,

an den fortgesetzten Wechsel der Arbeit in sich
und der Ruhe in Gott.

Ich gebe die Hoffnung nicht auf, dass Gott auf dem
Wege Seiner Vervollkommnung neue herrlichere
Schöpfungen hervorbringen werde, und dass Gott
auch den individuellen Geistern in der verklärten
Welt ein neues verklärtes Leben und steigende
Seligkeit gewähren werde.

Ich glaube an das Weltgericht und an die Welt-
beseligung Gottes.

Von wissenschaftlichen Arbeiten, die mir übertragen
wurden, ist noch zu erwähnen: Buchhändler Salomon
Hirzel in Leipzig forderte mich auf, die Geschichte der
Schweiz seit der Helvetik zu schreiben. Der Gegenstand
zog mich an, und ich erklärte. mich dazu bereit. Aber
bald wurde ich gewahr, dass mir die Zeit zu den nötigen
Studien fehle, und dass meine Erinnerung an Erlebtes
nicht ausreiche. Ich schlug daher meinen Freund Hottinger vor, der auch bereit war, sich an die Arbeit zu
machen. Leider hinderte ihn sein kranker Gemütszustand,
dieselbe auszuführen.

Dagegen war mir ein Auftrag der königlichen Historischen Commission, in dem grossen Werke, Geschichte
der neueren Wissenschaft in Deutschland, die Geschichte
des Allgemeinen Statsrechts und der Politik zu be-
arbeiten, sehr willkommen, und ich führte denselben aus.
Das Buch ist zuerst in dem Cotta'schen Verlage 1864 erschienen und hat bald nachher eine neue Auflage erlebt.

Ich bemerkte in meinem Tagebuch:

„Wilhelm Wackernagel wächst immer mehr in das

Baslerische Leben und Treiben hinein. Mein Weg ist der entgegengesetzte. Ich bin von Jahr zu Jahr immer mehr in's Weite gewachsen; aus der Stadt Zürich heraus, die mich Anfangs vorzüglich beschäftigte, in den Canton Zürich hinein, dann in die Schweiz. Aber auch die Schweiz war mir zu enge geworden, und ich wendete mich den weiteren deutschen Dingen zu. Auch Bayern ist mir zu klein und zu beschränkt, um mich hinzugeben. Mehr zieht mich Deutschland an. Ja sogar Deutschland, so gross es ist, erfüllt und hält mich nicht ganz. Es ist ein ganz ehrbares Ziel, ein tüchtiger Basler oder Zürcher Bürger zu sein, und seiner Stadt sein Leben zu widmen. Aber mein letztes Ziel ist doch, Mensch zu werden und den Menschen zu leben. Ich wünsche Früchte zurückzulassen, welche die Menschheit geniessen kann."

Meine Stellung wurde nach und nach in München aus politischen Gründen schwieriger. Damals war in der bayerischen Hauptstadt nicht bloss die ultramontane Partei mächtig, es waren auch die einheimischen liberalen und halbliberalen Elemente durchweg blau-weiss gefärbt. Ich schrieb am 31. December 1860 in mein Tagebuch: „Düsterer Blick in das nächste stürmische Jahr. München hat eine gefährliche Hinneigung zu Österreich und ist in dieser Richtung zu Wagnissen geneigt. Oben keine Statsmänner, unten keine politische Bildung."

Die entschiedene Hinweisung der Süddeutschen Zeitung und der Bayerischen Wochenschrift auf eine Bundesreform im Anschluss an Preussen war in München unpopulär. Wir kamen in den Ruf und Verdacht einer „preussischen" Partei, die jedem „bayerischen" Herzen verhasst war.

Ich hatte Teil genommen an der Bildung einer Ju-
ristengesellschaft, als Zweigverein des deutschen
Juristentags. Auch da spürte ich die stille Gegenwirkung
der altbayerischen Elemente.

Ein Vortrag, den ich im Liebig'schen Hörsaal hielt
(20. Februar 1861) über Friedrich den Grossen, als
lange verkannten und zu gering geschätzten Mann der
Statswissenschaft, wurde zwar günstig aufgenommen,
aber diente doch dazu, den Gegensatz zu schärfen.

Wie heftig derselbe war, zeigte der Ausfall von Lassaulx in der bayerischen Kammer wider die Liberalen,
der ihn selber durch das Übermaass der Leidenschaft auf
das Krankenlager warf. Es war in ihm etwas, was mich
anzog, ein echter Kern und eine innere Ritterlichkeit, aber
auch manches, was mich abstiess, vor Allem der dunkle
Trieb zur Uncultur, seine Verachtung der Gegenwart und
seine blinde Verehrung für das Altertum. Sie preisen ihn
als einen Kämpfer für die Wahrheit, gerade das war er
nicht. Seine reizbare Phantasie täuschte ihn beständig,
und trotz einer gewissen Aufrichtigkeit und Geradheit hat
er oft durch rhetorische Phrasen sich und Andere geblendet.
Seine Prosa liess Bestes hoffen, aber sie erfüllte die Hoffnung nicht. Seine Logik war zu schwach, um das Gefühl
im Zügel zu halten. Die Romantik hat ihn verdorben.

Im Juni 1861 verhandelte ich viel mit Sybel. Dieser
hatte einen Ruf erhalten an die Universität Bonn d. h. in
seine Heimat. Sybel war von dem Könige ganz besonders
bevorzugt worden, er war die Seele der historischen Commission, die der König eingesetzt hatte. Bei den Symposien
war er ein gern gesehener, beharrlich eingeladener Gast.
Sein Rat in wissenschaftlichen Dingen war von schwerem

Gewicht. Aber als Preusse war er Vielen verdächtig, den Ultramontanen und Particularisten verhasst. Mit den Einheimischen hatte er weniger Verkehr als ich, in der sogenannten „Fremdencolonie" war er einer der Ersten.

Sybel war sehr geneigt, hier zu bleiben. Trotzdem wurde er fortgedrängt, weil der König sich nicht entschliessen konnte, etwas Entschiedenes für seine Erhaltung zu thun und dadurch zu beweisen, dass er ihn gegen die Feinde schützen werde. Früher hatte der König den noch näheren Freund Dönniges der Meute der Kläffer gegenüber nicht zu verteidigen gewagt. Er deutete an, dass er vielleicht auch Sybel nicht halten könne. Mit der Entlassung von Dönniges aber war der wissenschaftliche Aufschwung in München, das Einzige, was dem König und Bayern in Deutschland einen günstigen Ruf und Ruhm verschafft hatte, in seiner Spitze abgebrochen. Der Fall Sybel's war das deutliche Anzeichen des weiteren Verfalles. In diesem Augenblick überlegte ich schon, ob es nicht zweckmässig wäre, dass ich mein Haus verkaufte und mich beweglicher machte.

Sybel entschloss sich mit schwerem Herzen zu gehen. Der König fragte überall herum und gab dann zu verstehen, er vermöge Sybel nicht zu schützen, wenn es einen Sturm gebe.

Bei dem Abschiedsfeste zu Ehren Sybel's gab ich unserem Schmerz und Zorn einen Ausdruck. Einige Stellen meiner Rede mögen hier einen Platz finden:

„So schwer der Weggang Sybel's von seinen Kollegen empfunden wird, welche wissen, was für eine Geisteskraft sie aus ihrer Mitte scheiden sehen; so tief seine Freunde erschüttert sind, die seine Treue und seine Liebe erfahren haben und nun seinen Umgang vermissen werden; und obwohl

Sybel's Weggang für die ganze Universität ein grosser, kaum zu ersetzender Verlust ist: so ist mit alledem noch nicht das Schwerste und Schmerzlichste bezeichnet. Heute dürfen wir es nicht verschweigen, dass der Schlag, der uns in unserem Freunde getroffen, zugleich ein Princip getroffen hat, das uns heilig ist, und dass diese Erschütterung tief geht und schwer zu heilen ist. Die Motive, welche Sybel aus seinem fruchtbaren wissenschaftlichen Wirkungskreise verdrängen, sind, wie er uns selber erklärt hat, nicht von wissenschaftlicher Natur, sie sind politisch.

„Ich will die schöne Gemeinschaft, die uns hier zu Ehren unseres Freundes vereint, nicht dadurch stören, dass ich eine politische Discussion über Fragen veranlasse, welche wir hier doch nicht entscheiden. Aber ich muss, da nun einmal die Politik unseren wissenschaftlichen Interessen so verderblich geworden ist, die Frage hier zur Sprache bringen, von welcher Art denn die politische Natur Sybel's sei. Mir scheint, es versteht sich von selbst, dass jeder grosse Historiker bis auf einen gewissen Grad zugleich ein Politiker sei. Wie kann man das politische Leben der Völker in der Vergangenheit erkennen und richtig darstellen, ohne ein Verständnis für die Kräfte zu haben, welche die Politik auch in der Gegenwart bestimmen? Wessen Geist aber darin geübt ist, politisch zu denken und in den dunkeln Zusammenhang der früheren Geschichte hinein zu leuchten, der kann nicht diese Fähigkeit verstecken und sein Licht auslöschen, wenn ihm Probleme der Gegenwart begegnen, auf welche die Aufmerksamkeit aller Welt gerichtet ist.

Wenn ich unseren Freund recht verstehe, so finde ich in ihm conservative und liberale Eigenschaften beisammen. Er bewährt sich als ein Historiker, indem er die Gegensätze, welche in der Welt wirken, in ihrer eigentümlichen Natur zu begreifen versteht, und sich in seinem Urteil nicht von jener bornierten Einseitigkeit bestimmen lässt, welche blindlings, wie die Kugel von dem Rohr, von ihrer Leidenschaft getrieben wird. Die Gerechtigkeit des Historikers, die Jeden nach seiner Natur und nach seinen Verhältnissen würdigt, ist eine sehr conservative Eigenschaft unseres Freundes. Als eine zweite, ebenfalls conservative Eigenschaft, betrachte ich die wohl bemessene, rücksichtsvolle, künstlerisch schöne Form, in welcher er seine Ansichten auszudrücken pflegt. Wir haben in den letzten Jahren oft Gelegenheit gehabt, auch leidenschaftliche Discussionen über politische Dinge zu hören. Auch unser Freund konnte sich denselben nicht immer entziehen; aber bei jeder Gelegenheit hat er seine ganz bestimmte Meinung in einer so feinen, Niemanden verletzenden Form, so scharf in der Sache und so voll zarter Schonung der persönlichen Beziehungen auszudrücken gewusst, dass ich, im Gefühl der eigenen Unfähigkeit und meiner derberen Natur und Sprechweise, oft von Bewunderung erfüllt ward, wenn ich ihm zuhörte.

„Aber noch höher, denke ich, sind seine liberalen Eigenschaften zu schätzen. Zunächst die Freiheit der Prüfung und die rücksichtslose Kritik, die seine historischen Arbeiten auszeichnen. Aber das ist ja die gemeinsame Art aller wirklich wissenschaftlichen Männer. Der Weg zur Wahrheit muss mit dem Zweifel beginnen, und wenn Manche in dem Zweifel den Teufel sehen, so kann der wissenschaftliche Mann nicht zu Gott gelangen, ohne zuvor mit diesem Teufel Bekanntschaft gemacht zu haben. So-

dann gehört Sybel nicht zu den Historikern, deren es unter
den Juristen wohl manche gegeben hat, welche mit ab-
göttischer Verehrung das Altertum betrachten, welche zu
glauben scheinen, dass Gott und die Natur ihre Kräfte in
der Schöpfung der Vorzeit erschöpft haben, dass die Menschenwelt in ihrer Ausartung und im Verfall begriffen sei.
Unser Freund zeigt sich vielmehr darin als einen liberalen
Geist, dass er in der Geschichte die Fortbildung sieht, dass
er nicht taub und blind ist für die Entwickelung der Gegenwart, dass er sich der Vervollkommnung und des immer
frischen Lebens erfreut, und dass er aufmerkt auf die Zeichen unserer gehobenen Zeit.

„Endlich ist auch die Aufrichtigkeit, mit der er die
erkannte Wahrheit ausspricht, und die Entschiedenheit, mit
der er seine Überzeugung auch da vertritt, wo er auf keinen Beifall rechnen darf, als eine edle liberale Eigenschaft
hoch zu schätzen.

„Ein Mann von solchen liberalen Eigenschaften muss
wohl Feinde treffen, wie er Freunde findet, und gelegentlich den Widerspruch hervorrufen und sogar den Hass
reizen. Aber, meine Herren, ich begreife nicht, dass diese
Eigenschaften die wissenschaftliche Stellung und Wirksamkeit des Gelehrten zu erschüttern vermögen. Ich kann
keinen Schaden für den Stat darin entdecken, dass in ihm
ein Mann lebt und wirkt, der in manchen politischen Dingen eine andere Meinung hat und wissenschaftlich vertritt,
als den Meisten lieb ist. Im Gegenteil, es kann nur nützlich sein, die Meinung eines Mannes zu hören und zu prüfen, welcher einen höheren Standpunkt und einen weiteren
Gesichtskreis hat und den Zusammenhang der grossen europäischen und der nationalen Dinge zu durchdenken geübt

ist. Wenn dann das Herz dieses Mannes wärmer schlägt
für die Ehre der deutschen Nation, der sein Leben und
seine Wissenschaft zunächst gewidmet ist, wenn er be-
fähigter ist, als die Meisten, die nationale Strömung in
ihrer Tiefe und Stärke zu bemessen, wenn ihm, der die
langen Zeiträume überblickt und aus dem stetigen Fortschritt der Entwickelung schliesst, die Hoffnung sicherer
ist, dass das Streben der Nation nach einer ihr würdigen
Gestaltung und nach einer fruchtbaren Einigung ihrer Kräfte
Erfolg haben werde, so sind das, meine ich, keine Fehler,
sondern Tugenden dieses Mannes.“

Kaum war der Weggang Sybel's entschieden, so kam
dieselbe Frage an mich. Sybel teilte mir mit, dass er
mittelbar eingeladen worden sei, mich anzufragen, ob ich
geneigt sei, einen Ruf nach Heidelberg anzunehmen. Ich
hatte das Gefühl, dass ich hier im Grunde nur geduldet
und sogar diese Duldung unsicher geworden sei. Ich empfand es als ein Unglück, dass die auf politische That
angelegte Seite meiner Natur hier gebunden sei. Als ich
das Sybel andeutete, bemerkte er mir richtig: „Ich weiss
das. Ich (Sybel) bin zu $4/7$ Professor und zu $3/7$ Politiker,
Sie (Bluntschli) sind umgekehrt zu $4/7$ Politiker und zu
$3/7$ Professor.“

In der That dieser Moment entschied mein Schicksal.
Trotz meines Hausbesitzes, meiner Familienbeziehungen und
des freundlichen Verkehrs, die mich in München festzu-
halten suchten, entschloss ich mich zu gehen, wenn mir
nicht in München eine politische Stellung als Mitglied einer
Kammer gewährt würde, und ich in Baden dieselbe zugesichert erhielte.

Zu der Aussicht auf Heidelberg trat eine zweite auf

Berlin hinzu. Stahl war im August 1861 gestorben. Wenige Tage zuvor hatte mir mein Freund Hottinger bei einem Besuche in München erklärt: „Die Stelle von Stahl wäre für Sie die richtige." Damals erwiderte ich: „Möglich, aber was hilft der Wunsch, da Stahl lebt." Nun war doch die Stelle Stahl's frei geworden und neu zu besetzen. Es war nicht unwahrscheinlich, dass man auch in Berlin an mich dachte. Ich that aber keinen Schritt, weder unmittelbar noch mittelbar, und war entschlossen, abzuwarten, was das Schicksal bringen werde.

Nach dem Juristentage zu Leipzig gelangte der officielle Ruf an mich von Seite des badischen Ministeriums, den Lehrstuhl, den Robert von Mohl inne gehabt hatte, einzunehmen.

Man kannte in Karlsruhe meine politischen Wünsche und bot mir neben der Professur mit einem Gehalt von 3200 Gulden — ich hatte nur 3000 Gulden verlangt — einen Sitz in der Ersten Kammer an.

Der bayerische Minister von Zwehl ersuchte mich noch um Aufschub, bis er die Befehle des Königs eingeholt haben werde. Meine hiesigen Freunde bemühten sich, mich zu halten. Aber der König gab kein Zeichen, dass er das wünsche. Von Karlsruhe drängte man, in München zögerte man.

Da entschied ich rasch, den Ruf nach Heidelberg anzunehmen und zwar schon in nächster Zeit. Der König liess mich gehen, wie Sybel vorher.

Der Maler Dyk, ein Mitglied unserer Abendgesellschaft bei Grosdemange, stellte diese Vorgänge in einem humoristischen Bilde dar. Ich nehme vergnügt, mit der Reisetasche in der Hand, Abschied von der traurigen

Bavaria, die ein Studentchen auf dem Arme hält, bewillkommt von dem badischen Greif, entgehend dem bayerischen Löwen, der auf einer Schnecke reitet. Oben ist der Abgeordnete Buhl von Deidesheim als Koch beschäftigt, mir seine berühmte rothe Fischsauce zu bereiten und damit meine Ankunft am Rhein zu feiern, auf der anderen Seite stürzen die Freunde aus dem Weinhause bei Grosdemange klagend heraus, mir Adieu zu sagen.

Damit war die bayerische Periode abgeschlossen. Noch im October siedelte ich nach Heidelberg über.

Personen-Verzeichnis
zum II. Band.

Verbesserungen.

S. 56 Z. 15 v. o. ist statt Teufe zu lesen: Teufel.
S. 256 Z. 9 v. o. ist statt Schmidt zu lesen: Schmid.
S. 304 Z. 11 v. o. ist statt Lassaulx zu lesen: Lasaulx.